O CASO LULA

A LUTA PELA AFIRMAÇÃO DOS DIREITOS FUNDAMENTAIS NO BRASIL

CONTRACORRENTE

CRISTIANO ZANIN MARTINS
VALESKA TEIXEIRA ZANIN MARTINS
RAFAEL VALIM
(*Coordenadores*)

O CASO LULA
A LUTA PELA AFIRMAÇÃO DOS DIREITOS FUNDAMENTAIS NO BRASIL

1ª reimpressão

São Paulo

2017

CONTRACORRENTE

Copyright © EDITORA CONTRACORRENTE

Rua Dr. Cândido Espinheira, 560 | 3º andar
São Paulo – SP – Brasil | CEP 05004 000
www.editoracontracorrente.com.br
contato@editoracontracorrente.com.br

Editores

Camila Almeida Janela Valim
Gustavo Marinho de Carvalho
Rafael Valim

Conselho Editorial

Augusto Neves Dal Pozzo
(Pontifícia Universidade Católica de São Paulo – PUC/SP)

Daniel Wunder Hachem
(Universidade Federal do Paraná - UFPR)

Emerson Gabardo
(Universidade Federal do Paraná - UFPR)

Gilberto Bercovici
(Universidade de São Paulo - USP)

Heleno Taveira Torres
(Universidade de São Paulo - USP)

Jaime Rodríguez-Arana Muñoz
(Universidade de La Coruña – Espanha)

Pablo Ángel Gutiérrez Colantuono
(Universidade Nacional de Comahue – Argentina)

Pedro Serrano
(Pontifícia Universidade Católica de São Paulo – PUC/SP)

Silvio Luís Ferreira da Rocha
(Pontifícia Universidade Católica de São Paulo – PUC/SP)

Equipe editorial

Carolina Ressurreição (revisão)
Denise Dearo (design gráfico)
Mariela Santos Valim (capa)

Fotografia da Capa
Ricardo Stuckert

Dados Internacionais de Catalogação na Publicação (CIP)
(Ficha Catalográfica elaborada pela Editora Contracorrente)

Z31   ZANIN MARTINS, Cristiano; TEIXEIRA ZANIN MARTINS, Valeska; VALIM, Rafael. et al.

O Caso Lula: a luta pela afirmação dos direitos fundamentais no Brasil | Cristiano Zanin Martins; Valeska Teixeira Zanin Martins; Rafael Valim (coordenadores) – São Paulo: Editora Contracorrente, 2017.

ISBN: 978-85-69220-19-0

1. Política. 2. Lula. 3. Operação Lava Jato. 4. Direitos Fundamentais. 5. Estado de Direito. I. Título.

CDU: 342.7

Impresso no Brasil
Printed in Brazil

SUMÁRIO

SOBRE OS AUTORES 9

PREFÁCIO – Geoffrey Robertson Q.C. 17

APRESENTAÇÃO 29

LUZ, CÂMERA, AÇÃO: A ESPETACULARIZAÇÃO DA OPERAÇÃO LAVA JATO NO CASO LULA OU DE COMO O DIREITO FOI PREDADO PELA MORAL
Lenio Luiz Streck 31

O RISCO DOS CASTELOS TEÓRICOS DO MINISTÉRIO PÚBLICO EM INVESTIGAÇÕES COMPLEXAS
Eugênio José Guilherme de Aragão 51

MORO CONSTRANGE E APEQUENA O SUPREMO TRIBUNAL FEDERAL
Geraldo Prado 61

O ENFRENTAMENTO DA CORRUPÇÃO NOS LIMITES DO ESTADO DE DIREITO
Rafael Valim; Pablo Ángel Gutiérrez Colantuono 71

ALIANÇA POLÍTICA ENTRE MÍDIA E JUDICIÁRIO (OU QUANDO A PERSEGUIÇÃO TORNA-SE IMPLACÁVEL)
Gisele Cittadino; Luiz Moreira 81

ADVOCACIA EM TEMPOS SOMBRIOS
Nilo Batista 95

DIREITO FUNDAMENTAL AO PROCESSO JUSTO

Manoel Lauro Volkmer de Castilho...107

CONSIDERAÇÕES SOBRE A INVESTIGAÇÃO CRIMINAL, A ACUSAÇÃO E O PROCESSO PENAL EM FACE DA CONSTITUIÇÃO FEDERAL

Alvaro Augusto Ribeiro Costa...119

A GUERRA JUSTA DE LULA

Fernando Tibúrcio Peña...135

AUTONOMIA E IMPARCIALIDADE DO PODER JUDICIÁRIO

Celso Antônio Bandeira de Mello..155

A IMPARCIALIDADE DO JUIZ

Silvio Luís Ferreira da Rocha...159

JUIZ NATURAL À LUZ DO PROCESSO PENAL DO ESPETÁCULO: OS CASOS "OPERAÇÃO LAVA JATO" E "MENSALÃO"

Rubens Casara..193

PRESUNÇÃO DE INOCÊNCIA E VERDADE JURÍDICA

Mariah Brochado..211

A UTILIZAÇÃO DA OBSTRUÇÃO DA JUSTIÇA COMO MEIO DE ATAQUE ÀS GARANTIAS FUNDAMENTAIS

Juarez Cirino dos Santos...233

DELAÇÃO PREMIADA COMO SUBSTITUTO DA ATIVIDADE INVESTIGATIVA DO ESTADO

Leonardo Isaac Yarochewsky..249

PARCIALIDADE DE MAGISTRADOS, OFENSA A DIREITOS HUMANOS E TRANSCONSTITUCIONALISMO: POR QUE É LEGÍTIMA A RECLAMAÇÃO DO EX-PRESIDENTE LUIZ INÁCIO LULA DA SILVA PERANTE O COMITÊ DE DIREITOS HUMANOS DA ORGANIZAÇÃO DAS NAÇÕES UNIDAS?

Marcelo Neves..269

O CASO LULA

CONSIDERAÇÕES SOBRE O EFEITO VINCULANTE DAS DELIBERAÇÕES DO COMITÊ DE DIREITOS HUMANOS DA ONU NO BRASIL

Antonio Carlos Malheiros; Gustavo Marinho.............................291

O PRIMEIRO COMUNICADO INDIVIDUAL APRESENTADO POR LULA AO COMITÊ DE DIREITOS HUMANOS DA ONU: CONSIDERAÇÕES ACERCA DE SUA ADMISSIBILIDADE

Cristiano Zanin Martins;Valeska Teixeira Zanin Martins 301

SOBRE OS AUTORES

ALVARO AUGUSTO RIBEIRO COSTA

Ex-Subprocurador Geral da República. Ex-Procurador Federal dos Direitos do Cidadão. Ex-Presidente da Associação Nacional dos Procuradores da República. Ex-Advogado Geral da União. Advogado.

ANTONIO CARLOS MALHEIROS

Desembargador do Tribunal de Justiça do Estado de São Paulo. Professor de Direitos Humanos da Pontifícia Universidade Católica de São Paulo – PUC/SP.

CELSO ANTÔNIO BANDEIRA DE MELLO

Professor Emérito da Pontifícia Universidade Católica de São Paulo – PUC/SP. Professor Titular de Direito Administrativo da PUC/SP. Professor Honorário na Faculdade de Direito da *Universidad de Mendoza* (Argentina). Professor Honorário na *Facultad de Jurisprudencia del Colegio Mayor Nuestra Señora del Rosario* (Bogotá). Membro da Associação Argentina de Direito Administrativo. Membro honorário do *Instituto de Derecho Administrativo* da Universidade da República Oriental do Uruguai. Professor Extraordinário na *Universidad Notarial* (Argentina). Professor Titular visitante da Universidade de Belgrano (Argentina). Fundador do Instituto de Direito Administrativo Paulista – IDAP. Membro do *Instituto Internacional de Derecho Administrativo Latinoamericano*. Membro da *Asociación Internacional de Derecho Administrativo*.

CRISTIANO ZANIN MARTINS

Especialista em Direito Processual Civil pela Pontifícia Universidade Católica de São Paulo – PUC/SP. Graduado em Direito pela PUC/SP. Integrante dos quadros da Ordem dos Advogados do Brasil, seções São Paulo, Rio de Janeiro e Distrito Federal. Membro da Associação dos Advogados de São Paulo – AASP. Membro do Instituto dos Advogados Brasileiros – IAB. Membro do Instituto dos Advogados de São Paulo – IASP. Membro da Comissão de Direito Processual Civil e de Direito Empresarial do IAB.

EUGÊNIO JOSÉ GUILHERME DE ARAGÃO

Doutor em Direito pela *Ruhr-Universität Bochum* (Alemanha). Mestre em Direito Internacional de Direitos Humanos pela *University of Essex* (Inglaterra). Professor adjunto da Faculdade de Direito da Universidade de Brasília. Diretor-Geral Adjunto da Escola Superior do Ministério Público da União – ESMPU. Primeiro suplente do Corregedor-Geral do Ministério Público Federal. Membro da Assessoria de Cooperação Jurídica Internacional do Procurador-Geral da República. Coordenador da 5ª Câmara de Coordenação e Revisão (Patrimônio Público). Ex-Ministro da Justiça.

FERNANDO TIBÚRCIO PEÑA

Graduado pela Universidade Católica de Goiás. Atua *pro bono* em favor de perseguidos políticos latino-americanos. Sócio titular de Fernando Tibúrcio Advogados.

GERALDO PRADO

Doutor e Mestre em Direito pela Universidade Gama Filho. Doutor Investigador do Instituto de Direito Penal e Ciências Criminais da Faculdade de Direito da Universidade de Lisboa. Professor Associado da Universidade Federal do Rio de Janeiro – UFRJ. Professor Visitante da Universidade Autónoma de Lisboa. Membro da Associação Internacional de Direito Penal – AIDP. Membro do Instituto Iberoamericano de Direito Processual. Membro do Instituto Brasileiro de Direito Processual – IBDP. Membro do Instituto Brasileiro de Ciências Criminais – IBCCRIM.

GISELE CITTADINO

Doutora em Ciência Política pelo Instituto Universitário de Pesquisas do Rio de Janeiro – IUPERJ. Mestre em Direito pela Universidade Federal de Santa Catarina – UFSC. Coordenadora e Professora do Programa de Pós-Graduação em Direito da Pontifícia Universidade Católica do Rio de Janeiro – PUC/Rio.

GUSTAVO MARINHO

Mestre em Direito Administrativo pela Pontifícia Universidade Católica de São Paulo – PUC/SP. Especialista em Direito Administrativo e Financeiro pela Universidade de Salamanca (Espanha). Especialista em Direito Administrativo pela PUC/SP. Professor do Curso Euro-Brasileiro de Contratações Públicas da Universidade La Coruña (Espanha). Membro da *Red Iberoamericana de Contratación Pública* – REDICOP (Espanha). Advogado.

JUAREZ CIRINO DOS SANTOS

Presidente do Instituto de Criminologia e Política Criminal – ICPC. Coordenador e Professor do Curso de Especialização em Direito Penal e Criminologia do Instituto de Criminologia e Política Criminal – ICPC. Conselheiro Titular da Ordem dos Advogados do Brasil – Seção do Paraná na gestão 2013-2015. Diretor Jurídico da Associação Paranaense dos Advogados Criminalistas – APACRIMI na gestão 2015-2017. Advogado Criminal.

LENIO LUIZ STRECK

Pós-Doutor e Doutor em Direito Constitucional. Professor Titular da Universidade do Vale do Rio dos Sinos – Unisinos/RS e da Universidade Estácio de Sá – Unesa/RJ. Membro Catedrático da Academia Brasileira de Direito Constitucional – ABDConst. Ex-Procurador de Justiça no Rio Grande do Sul. Advogado.

LEONARDO ISAAC YAROCHEWSKY

Doutor e Mestre em Ciências Penais pela Universidade Federal de Minas Gerais – UFMG. Professor de Direito Penal da Pontifícia Universidade Católica de Minas Gerais – PUC/Minas. Membro do Conselho Nacional de Política Criminal e Penitenciária – CNPCP. Advogado Criminalista.

LUIZ MOREIRA

Doutor em Direito pela Universidade Federal de Minas Gerais – UFMG. Mestre em Filosofia pela UFMG. Graduado em Direito pela Universidade Federal do Ceará – UFC. Diretor Acadêmico da Faculdade de Direito de Contagem. Professor Visitante do Programa de Pós-Graduação em Direito da Pontifícia Universidade Católica do Rio de Janeiro – PUC/Rio. Ex-Conselheiro Nacional do Ministério Público.

MANOEL LAURO VOLKMER DE CASTILHO

Juiz Federal com atuação no Paraná, Santa Catarina, Distrito Federal, Mato Grosso e Mato Grosso do Sul. Ex-Juiz do Tribunal Regional Federal da 4ª Região. Secretário-Geral da Presidência do Supremo Tribunal Federal na gestão de 2007-2008. Assessor-Chefe da Corregedoria Nacional de Justiça – CNJ na gestão de 2008 a 2010. Ex-Assessor da Comissão Nacional da Verdade.

MARIAH BROCHADO

Pós-Doutora Sênior pela *Ruprecht-Karls Universität* (Heidelberg – Alemanha). Doutora, Mestre e Especialista em Direito pela Universidade Federal de Minas Gerais – UFMG. Professora dos cursos de Graduação e Pós-Graduação da Faculdade de Direito da UFMG. Coordenadora do Núcleo de Estudos *Paideia* Jurídica: Educação em direitos fundamentais. Secretária de Estado Adjunta de Casa Civil e de Relações Institucionais de Minas Gerais.

MARCELO NEVES

Pós-Doutor pela Faculdade de Ciência Jurídica da Universidade de Frankfurt am Main (Alemanha) e pelo Departamento de Direito da *London School of Economics and Political Science*. Doutor em Direito pela Universidade de Bremen (Alemanha). Mestre em Direito pela Faculdade de Direito do Recife da Universidade Federal de Pernambuco – UFPE. Livre-Docente pela Faculdade de Direito da Universidade de Fribourg (Suíça). Professor da Faculdade de Direito do Recife da UFPE. *Visiting Fellow* do Instituto de Federalismo da Universidade de Fribourg (Suíça). Bolsista-Pesquisador da Fundação Alexander von Humboldt no Departamento de Ciências Sociais da Universidade Frankfurt am Main (Alemanha). *Jean Monnet Fellow* no Departamento de Direito do Instituto Universitário Europeu (Florença – Itália). Professor Visitante na Faculdade de Direito da Universidade de Fribourg (Suíça). Professor Catedrático Substituto da Universidade de Frankfurt am Main (Alemanha). Professor Visitante na Universidade de Flensburg (Alemanha). Professor Titular de Direito Público da Universidade de Brasília – UnB. *Visiting Senior Research Fellow* da Fundação de Pesquisa Adam Smith da Universidade de Glasgow (Escócia). *Senior Research Scholar* na *Yale Law School*.

NILO BATISTA

Professor Titular de Direito Penal na Universidade Federal do Rio de Janeiro – UFRJ e na Universidade do Estado do Rio de Janeiro – UERJ. Presidente do Instituto Carioca de Criminologia. Advogado.

PABLO ÁNGEL GUTIÉRREZ COLANTUONO

Especialista em Direito Administrativo e Administração Pública pela *Universidad Nacional de Buenos Aires* (Argentina). Diretor do Programa de Especialização em Direito Administrativo da *Universidad Nacional del Comahue* (Argentina). Membro do *Instituto de Política Constitucional de la Academia Nacional de Ciencias Morales y Políticas de la Argentina*. Professor Adjunto de Direito Administrativo na *Facultad de Derecho y Ciencias Sociales de la Universidad Nacional del Comahue* (Argentina).

RAFAEL VALIM

Doutor e Mestre em Direito Administrativo pela Pontifícia Universidade Católica de São Paulo – PUC/SP. Professor de Direito Administrativo e Fundamentos de Direito Público da Faculdade de Direito da PUC/SP. Coordenador do Curso *Euro-Brasileño de Postgrado sobre Contratación Pública* na Faculdade de Direito da Universidade de La Coruña (Espanha). Professor do Curso de Especialização em Direito Administrativo da Universidade Nacional de Comahue (Argentina). Presidente do Instituto Brasileiro de Estudos Jurídicos da Infraestrutura – IBEJI. Membro do Conselho do Instituto Brasileiro de Direito Administrativo – IBDA. Membro do *Foro Iberoamericano de Derecho Administrativo* – FIDA. Diretor Executivo da *Red Iberoamericana de Contratación Pública* – REDICOP (Espanha). Advogado.

RUBENS CASARA

Doutor em Direito. Mestre em Ciências Penais. Juiz de Direito do Tribunal de Justiça do Rio de Janeiro. Professor de Processo Penal do Instituto Brasileiro de Mercado de Capitais – IBMEC/RJ. Membro da Associação Juízes para a Democracia – AJD. Membro do Movimento da Magistratura Fluminense pela Democracia – MMFD. Membro da *Law Enforcement Against Prohibition* – LEAP. Membro do Corpo Freudiano.

SILVIO LUÍS FERREIRA DA ROCHA

Livre-Docente em Direito Administrativo pela Pontifícia Universidade Católica de São Paulo – PUC/SP. Doutor em Direito Administrativo pela PUC/SP. Doutor e Mestre em Direito Civil pela PUC/SP. Chefe do Departamento de Direito Público da Faculdade de Direito da PUC/SP. Juiz Federal Criminal da 10ª Vara Criminal Federal em São Paulo. Conselheiro do Conselho Nacional de Justiça no biênio 2010/2012.

VALESKA TEIXEIRA ZANIN MARTINS

Graduada pela Pontifícia Universidade Católica de São Paulo – PUC/SP. Integrante da Ordem dos Advogados do Brasil – OAB, seção

São Paulo. Integrante da Associação dos Advogados de São Paulo – AASP. Membro da Comissão de Direitos Humanos do Instituto dos Advogados de São Paulo – IASP. Membro da *International Bar Association*.

PREFÁCIO

Luiz Inácio Lula da Silva, conhecido simplesmente como "Lula", é um fenômeno dos nossos tempos: um torneiro mecânico de baixa escolaridade que, após ser líder sindical, chegou à Presidência (2003-2010) de uma grande nação que, sob sua liderança, tirou milhões de pessoas da pobreza e se tornou uma potência mundial – a primeira letra no prematuro acrônimo: BRIC. Ele levou ao Brasil as Olimpíadas de 2016, um espetáculo marcado pela sua ausência após ele ter se tornado alvo de uma investigação de crime de corrupção capitaneada pelo homem que pretende ser seu arqui-inimigo: o juiz Sérgio Moro. Enquanto isso, o *impeachment* de sua sucessora, a Presidenta Dilma Rousseff, pôs fim a treze anos de liderança do Partido dos Trabalhadores, fundado por ele. O polêmico processo ligado à manipulação orçamentária nada tem a ver com Lula, que mantém popularidade suficiente entre a população pobre para ser eleito presidente novamente em 2018 – isso se, e somente se, ele conseguir evitar uma condenação que impediria a sua candidatura. Para muitos observadores, é esse o motivo pelo qual a "Operação Lava Jato" (a cruzada do juiz Moro contra a corrupção política) tem Lula como alvo, apesar de não haver provas de enriquecimento pessoal ou formação de quadrilha durante seu governo. O caso de Lula – especialmente a violação de seus direitos humanos em meio aos esforços de encontrar algum delito – impõe graves problemas ao Estado de Direito: como em uma democracia pode-se combater efetivamente a corrupção se isso não for feito de maneira justa?

Nascido em uma favela, em meio à pobreza, no Nordeste brasileiro, Lula começou a trabalhar aos oito anos de idade vendendo amendoim na rua para ajudar sua mãe. Prestou apenas uma prova na vida – na adolescência, para ser metalúrgico – e passou dez anos trabalhando como torneiro mecânico, até que seu carisma e preocupação com os pobres lhe renderam um convite para se tornar membro de um sindicato. Ele logo se tornou um líder: sua falta de escolaridade talvez tenha sido uma vantagem, pois não tinha interesse intelectual no marxismo ou trotskismo, ou em nenhuma das agendas revolucionárias em voga nos anos 60. Seus únicos interesses eram melhorar as péssimas condições de trabalho às quais os trabalhadores eram submetidos e usar os poderes do governo para reduzir a pobreza endêmica brasileira. Por isso, ele decidiu que os sindicalistas deveriam ter sua própria força política – fundou o Partido dos Trabalhadores e se candidatou diversas vezes à Presidência até ser eleito em 2002, com 52 milhões de votos, que, em 2006, subiram para 58 milhões. Seu governo foi uma época notável para o Brasil: em um contexto econômico favorável, cerca de quarenta milhões de pessoas saíram da linha de pobreza com a ajuda de políticas públicas (que incluíram benefícios a mães cujos filhos fossem para a escola e recebessem vacina) atualmente recomendadas pela ONU. Tornou-se uma figura imponente no cenário mundial, pedindo progresso social tanto em seu país quanto no exterior e mantendo, inclusive, uma boa relação com George W. Bush, apesar de condenar publicamente a Invasão do Iraque. Não tentou interferir na questão dos juízes de carreira e tomou medidas para tornar promotores de carreira independentes da influência política, além expandir seu poder de investigação. Aumentou a punição do crime de corrupção e ratificou a Convenção da ONU contra o Crime Organizado – tudo isso como parte de sua promessa eleitoral de ter um governo mais ético.

Há muito a corrupção tem sido um problema no Brasil, apesar de estudos recentes demonstrarem que a imprensa local tende a exagerá-la e que muitas áreas do governo não são afetadas. A dificuldade de Lula residiu no fato de que a sua popularidade superou a de seu partido, que nunca conseguiu obter vitória instantânea nas eleições. Governos tinham de ser coalizões formadas por uma verdadeira sopa de letrinhas de partidos rivais, cuja maioria é envolvida em corrupção. Uma prática específica, que já existia décadas antes do governo Lula, era o pagamento de propinas a congressistas de vários partidos em troca de seu apoio, de modo a assegurar a aprovação de projetos de lei propostos pelo governo. Esse caso de corrupção política foi revelado (envolvendo o PT e seu oponente, o PSDB, sendo este último o fundador dessa prática no Brasil) em 2012, e não por Moro. Apesar de diversos membros do alto-escalão do Partido dos Trabalhadores terem sido processados, uma investigação oficial inocentou Lula: *"A maior autoridade do país não pode ser considerada responsável somente por ser o líder do executivo – isso significaria que ele seria responsável quando não tinha conhecimento dos fatos... não há fatos ou provas que envolvam Lula"*.

Trata-se de um princípio importante e reconhecido internacionalmente do Direito Penal: os líderes podem ser responsáveis pelos crimes de seus seguidores, mas somente se um promotor conseguir provas que eles sabiam, ou aprovavam, ou se recusaram a tomar medidas que os impedissem. A "Operação Lava Jato" se propôs a desafiar este princípio no caso de Lula: ele era presidente do Brasil quando empreiteiras formaram (na realidade, usaram um cartel já existente desde os anos 1990) um cartel para ganhar licitações em projetos da petrolífera brasileira, o que incluía excesso de lucro para elas – lucro esse supostamente repassado a agentes públicos desonestos, deputados e senadores. Deve-se, portanto, deduzir que ele sabia de tudo e aprovava. Trata-se da desacreditada teoria do "domínio de fato", da qual se usou e abusou durante a operação *mani pulite* ("mãos limpas"), realizada contra políticos na Itália dos anos 1990. Tal teoria não corresponde ao Direito Penal – mesmo em caso de formação de quadrilha, promotores devem provar que um acusado concordou com uma conduta que ele sabia ser criminosa – mas foi ressuscitada pelo juiz Moro em uma tentativa de justificar o tratamento de Lula como suspeito (sem que haja qualquer prova de crime) e violar seus direitos humanos. Em algum momento, o juiz Moro, de investigador, transformará a si próprio em juiz: considerando sua manifesta parcialidade, ele provavelmente considerará Lula culpado.

A "Operação Lava Jato" começou por acaso, após a descoberta de dinheiro lavado na garagem de um lava-jato em Curitiba, cidade dentro da jurisdição de um juiz local, o juiz federal de primeira instância, Sérgio Moro. Há muito, ele defendia a necessidade de uma cruzada anticorrupção no Brasil, usando a estratégia da operação *mani pulite*. Desde 2004 – e com mais frequência nos últimos meses – Moro tem proferido palestras sobre a necessidade de se usar a mesma estratégia no Brasil: promotores devem trabalhar junto com a imprensa para "deslegitimar" políticos suspeitos e "juízes de ataque" devem apoiar a estratégia, prendendo-os até a obtenção de confissão e da "delação premiada", que consiste no fornecimento dos nomes de seus cúmplices em troca de sentenças mais brandas. A população deve ser incitada a se manifestar em apoio aos promotores – Moro fala com claro deleite sobre como multidões jogaram pedras na pessoa e na casa do primeiro-ministro italiano, Benito Craxi, como resultado da cumplicidade entre os promotores e a imprensa. Sua teoria é de que, mesmo se o processo falhar, essa estratégia irá puni-los pelos supostos crimes, pois serão demonizados e cairão no ostracismo. Muitos criminalistas italianos não concordam com a análise esplendorosa que Moro faz da operação "mãos limpas" – Craxi foi forçado a se exilar, mas Andreotti acabou por ser declarado inocente; além disso, um dos principais suspeitos saiu ileso (seu nome é Silvio Berlusconi).

No entanto, a "Operação Lava Jato" descobriu a existência de grave corrupção institucional dentro da petrolífera brasileira, Petrobras. Um grupo de grandes empreiteiras havia formado um cartel para ganhar licitações com valores inflados: propinas eram pagas a diretores e funcionários corruptos de alto escalão da empresa que, em troca, passaram propinas a partidos políticos que os tinham nomeado. Essa prática de corrupção já acontecia há muitos anos e quando a economia começou a expandir durante o governo Lula, a ganância dos membros do cartel também aumentou. Executivos da petrolífera, alguns diretores de empreiteiras e políticos de diversos partidos confessaram, geralmente em troca de soltura e de promessa de condenação curta. Seus testemunhos, imediatamente vazados para os meios de comunicação, não são confiáveis e não envolvem Lula diretamente; contudo, oferecem provas contundentes de corrupção institucional na Petrobras durante seu governo. De acordo com a teoria do "domínio de fato" de Moro, isso é suficiente para submetê-lo a intensa investigação e inclusive a julgamento.

O CASO LULA

Porém, para poder julgar o ainda popular político sob essa hipótese, ele deve primeiro ser "deslegitimado" e para isso Moro chegou ao extremo. Em março, ele emitiu um despacho determinando uma condução coercitiva para interrogar Lula – uma forma de coerção que juízes usam somente se o suspeito se recusa a obedecer a uma intimação para testemunhar. Lula sempre cooperou, respondendo às perguntas da polícia, e quando a polícia da "Lava Jato" chegou à sua casa às 6 da manhã, ele se ofereceu para responder às perguntas imediatamente. Os agentes recusaram e ele foi forçado a acompanhá-los, sob ameaça de prisão, a uma sala policial em um aeroporto, onde ficou detido para ser questionado durante quatro horas. É claro que a operação foi vazada para a imprensa, que apareceu em peso no aeroporto, onde manifestantes pró-Lula e anti Lula se enfrentaram. Lula foi apresentado como um suspeito detido e não cooperativo, com algo a esconder. A condução coercitiva foi ilegal, mas atingiu seu objetivo de demonizar publicamente o suspeito. Revistas publicaram na primeira página montagens de Lula usando uniforme de presidiário, e os manifestantes anti Lula agitavam bonecos e empunhavam balões da mesma figura.

A ilegalidade cometida por Moro em seguida foi ainda mais gritante. Ele havia autorizado a interceptação das conversas telefônicas de Lula com sua família, amigos e até com seu advogado. Segundo a legislação brasileira, tais gravações devem ser mantidas em sigilo. Contudo, o juiz Moro é um "juiz de ataque" que não se considera obrigado a sutilezas jurídicas: ele divulgou as transcrições das conversas interceptadas e deu as gravações para a imprensa, que as publicou com deleite. Então, seu zelo o levou longe demais. Ele interrompeu as interceptações, mas, contrariando sua ordem, elas prosseguiram, e foi gravada uma conversa com a Presidenta Rousseff que, naquela manhã, havia anunciado que nomearia Lula como Ministro da Casa Civil. E Moro decidiu divulgar esses áudios – gravados ilegalmente, contrariando a ordem que ele próprio havia dado – para o divertimento do público.

Essa violação da lei foi demais para o Supremo Tribunal Federal e Moro teve de admitir, sem graça, que seu julgamento foi incorreto e que ele não deveria ter provocado aquele turbilhão político. Em nenhum outro país desenvolvido um juiz que viola a lei repetidamente no intuito de incitar a animosidade da opinião pública contra um suspeito seria tolerado – ele seria inevitavelmente retirado do caso envolvendo sua vítima. Mas Moro é intocável – sob o anômalo processo penal brasileiro, ele é *o* juiz do caso, que ordena a realização de procedimentos investigativos contra um suspeito e, depois, vira-se para julgá-lo, sem a presença de um júri ou de peritos judiciais. Sua total parcialidade contra Lula é gritante, mas a única maneira de afastá-lo do caso (uma vez que o Conselho Nacional de Justiça se recusa a fazê-lo) é pedir à Justiça. O que seria, nesse caso, julgado pelo próprio juiz Moro. Apesar de ser confrontado com provas contundentes de sua própria parcialidade, Moro não quis se retirar do caso. Ele, e somente ele, irá julgar Lula e decidir se ele é culpado, apesar disso já estar previsto em suas consecutivas decisões autorizando monitoramento e interrogatório.

Mas culpado do quê, exatamente? Em um caso de corrupção, costuma ser necessária a apresentação de provas de que o poderoso acusado fez algum favor para seu corrupto benfeitor – favor pelo qual ele foi recompensado. Às provas da promotoria, todas imediatamente vazadas pela a imprensa anti Lula, faltam elementos críveis de delito presidencial. Uma gigantesca força-tarefa investiga Lula e sua família há mais de 15 meses, obtendo dados de todas as contas bancárias, grampeando os telefones, interrogando-o e interrogando pessoas próximas. Não se descobriu nenhum bem escondido ou contas no exterior; tanto antes quanto depois de seu mandato como presidente, ele mora no mesmo apartamento pequeno e modestamente mobiliado, em um edifício simples fora de São Paulo. Entre 2002 e 2010, nem ele, nem sua esposa receberam qualquer benefício além de seu salário de presidente, e presentes normalmente dados a chefes de Estado. Ele não realizou nenhuma ação motivada pelo recebimento ou promessa de dinheiro ou presentes. Sendo assim, a polícia teve de colocar o foco em sua conduta após a saída da presidência, ao final de seu segundo mandato, em dezembro de 2010 (conforme determinado pela Constituição). Levantaram três casos e alegam que neles há corrupção.

Em 2014, uma empreiteira que faz parte do mencionado cartel realizou obras no valor de cerca de U$ 88.000 em um apartamento localizado em um grande edifício com vista para uma praia de classe média. Eles afirmam que o imóvel pertence a Lula, que nega veementemente. Ele chegou a visitá-lo uma vez, porque sua esposa pensou em comprá-lo, mas decidiu não dar continuidade ao negócio.

Há um sítio no interior que pertence a amigos e é frequentado por sua família. É possível que melhorias tenham sido feitas nele por outra empreiteira do cartel, mas anos após sua saída da presidência. Lula nega qualquer interesse ou propriedade legal sobre esse imóvel no interior: este foi disponibilizado a ele por dois amigos (cujos nomes constam no registro do imóvel como proprietários) para passar alguns finais de semana com a família – a polícia contou apenas 11 visitas em cinco anos, desde 2011, e nenhuma visita anterior a esse ano.

Por fim, as palestras – sua única fonte de renda desde o fim de seu mandato. Muitas são dadas gratuitamente, mas, como Blair e Clinton, além de outros ex-líderes de sucesso, ele cobra uma taxa quando viaja ao exterior para palestrar a grandes corporações. Algumas foram patrocinadas por empreiteiras envolvidas no cartel da "Lava Jato", mas outras foram pagas por empresas como a Microsoft e até pela Rede Globo, o maior órgão de imprensa inimigo do Partido dos Trabalhadores. Ele cobra caro – os valores chegam a ser equivalentes aos de Blair e cerca da metade de Clinton – mas sua fama o precede. Os pagamentos são feitos às claras e depositados em uma conta no Brasil, com a respectiva cobrança de todos os tributos.

O que a polícia não conseguiu estabelecer em nenhum desses casos são os *quid pro quo*, ou seja, qualquer ligação entre os pagamentos recebidos por Lula anos após o fim de seu mandato, por palestras dadas, ou qualquer pré-acordo feito enquanto ele esteve à frente da presidência, para recompensá-lo por algum favor. Mesmo se Lula, de fato, fosse proprietário do apartamento ou do sítio no interior – o que a polícia não consegue provar –, há também falta de provas que relacionariam as reformas e o acordo para recebê-las em troca de favores, enquanto ele ainda era presidente. Como não existem provas que corroborem a acusação de corrupção, Moro e seus promotores têm de recorrer à teoria do "domínio de fato": Lula estava no topo, então, presume-se que soubesse e que tenha aprovado.

ZANIN MARTINS; TEIXEIRA ZANIN MARTINS; VALIM (COORD.)

Lula não deve ser condenado; a não ser que se apresentem provas plenas de que ele, de fato, – e não "presumivelmente" – sabia e aprovou os desvios do dinheiro público da Petrobras. Qualquer pagamento recebido posteriormente de empresas envolvidas no cartel deve estar ligado ao acordo, feito enquanto ele era presidente, para facilitar ou apoiar as práticas corruptas – foi essa a prova que Moro tentou obter, sem sucesso, por meio das delações premiadas. Não foi por falta de tentativas e, certamente, não é nenhum segredo que a investigação da Lava Jato agora tem seu foco em Lula e ignora provas contra líderes de qualquer outro partido. Um programa humorístico local tem um esquete famoso satirizando uma delação premiada de Moro: um membro do cartel apresenta diversos documentos incriminando outros políticos, mas o promotor desinteressado apenas boceja a gesticula para que sejam colocados de lado. Até que a testemunha apresenta uma conta de um jantar em Paris em que se consumiu champanhe e caviar; *"Pra que serve isso?"* pergunta o promotor entediado, apontando para um prato da lista que custa alguns poucos euros. *"Ah, esse foi o arroz de lula".* O promotor grita animado – *"Lula – nós o pegamos!"*.

Enquanto a esquerda reclama que a operação é discriminatória e um promotor da Lava Jato admitiu que o seu objeto é "aterrorizar" o Partido dos Trabalhadores, não são essas as objeções fundamentais: se crimes foram cometidos por membros do Partido dos Trabalhadores, estes devem ser processados, independentemente do fato de políticos de outros partidos terem escapado. Além disso, não é nenhum fator atenuante que o dinheiro de propina pago a políticos tenha sido usado para fins eleitoreiros e não para fins pessoais. "Financiamento de campanha" é um problema em todas as democracias do mundo, mas os dirigentes de partido devem seguir as leis reguladoras de seu país, e seus apoiadores não podem reclamar se eles forem punidos por ignorá-las. Essas críticas à "Lava Jato" não são relevantes: a verdadeira objeção à operação é que ela está sendo conduzida de forma a violar os direitos humanos de seus alvos e, em particular, os de Lula.

Alguns setores da esquerda brasileira veem o dedo da CIA por trás de Moro – ele fez um curso em Harvard, viaja com frequência aos EUA para receber prêmios, ministra palestras e se encontra com funcionários de alto-escalão. Tornou-se uma *pin-up* das revistas Time e Fortune. A Netflix acabou de anunciar a produção de uma séria chamada *Operação Lava Jato*, baseada em um livro anti Lula escrito por um jornalista da TV Globo, a ser dirigida por um diretor que pediu a "cabeça de Lula". Contudo, não se faz necessário recorrer a teorias da conspiração para explicar o que está acontecendo: a insanidade dessa investigação de corrupção resulta de um sistema jurídico inapropriado e ultrapassado, explorado em um momento de recessão política por forças unidas em torno da determinação de destruir o Partido dos Trabalhadores e seu símbolo – "a cabeça de Lula".

Apesar de todas as suas conquistas, Lula não está acima da lei – algo que ele reconhece ao se apresentar para responder às perguntas da polícia, sempre que requisitado. Mas o tratamento que ele tem recebido da "Lava Jato" não deve ser dispensado a ninguém: uma condução coercitiva ilegal, grampos telefônicos vitimando seu advogado e todos os membros de sua família, divulgação dos áudios de conversas interceptadas para imprensa em grosseira violação à privacidade, promotores alegando sua culpa sem ele nem mesmo ter sido formalmente acusado. Nos últimos 15 meses, ele foi capa de revista com fotos montadas em que usa uniforme de presidiário: as mesmas fotos são reproduzidas em balões e bonecos de papel empunhados por manifestantes de direita. Esses bonecos foram feitos em massa, mas as autoridades não demonstram interesse em dar um ponto final a esse comércio lucrativo que aprova a crença na culpa de Lula.

Grande parte do sentimento anti Lula é incitado pelos agentes e promotores da Lava Jato, que vazam suas suspeitas para a imprensa, e pelo próprio Moro, que parabeniza publicamente manifestantes que o elogiam nas ruas e demonizam Lula. Ele alegremente recebe prêmios pelo seu trabalho e aceita ser referido como "Herói do Brasil": é impossível ir a uma livraria e não ver uma foto sua, geralmente em pose à la Elliot Ness, na capa de livros e revistas. Ele não nega suas previsões de que condenará Lula. Seu egocentrismo o cega e é refletido na consequência de seus atos: ele recentemente participou do lançamento do livro sobre a "Lava Jato" no qual a série da Netflix é baseada, a hagiografia de Moro que difama e condena Lula. Ele autografou exemplares e posou para fotos. Em nenhum país civilizado um juiz teria esse tipo de comportamento, aprovando a demonização de um homem de cujo julgamento ele pretende estar à frente.

No Brasil, a presunção de inocência não tem nenhum significado, pois a imprensa, em colaboração com o juiz e seus promotores, assiduamente cria uma expectativa em relação à culpa de Lula. Tudo isso é permitido por um sistema inquisitorial de investigação e julgamento herdado de Portugal (onde já foi há muito tempo reformado), em que uma longa detenção pré-julgamento com intuito de obter confissão é permitida, em que não há efetiva distinção entre as funções do promotor e do juiz, ou, ainda, a proteção da presunção de inocência.

Não se quer dizer que a corrupção – e corrupção política é muito insidiosa – não deva ser processada de maneira efetiva. A questão é que se isso não for feito de maneira justa e com a observância aos direitos humanos dos suspeitos, os esforços anticorrupção serão contraproducentes e resultarão em erros de justiça e relutância em se cooperar com as investigações. Existem diversos modelos investigativos que o Brasil poderia adotar, sendo o mais bem-sucedido deles o ICAC (Comissão Independente Contra a Corrupção), iniciado em Hong Kong e agora estabelecido regularmente nas democracias parlamentaristas em Cingapura, Sidney e em outros lugares. Esse modelo envolve um órgão incumbido de investigar delitos cometidos por políticos, funcionários públicos e empresas estatais, com total poder de monitoramento, detenção e audiências públicas (nas quais os suspeitos são representados) supervisionadas por um eminente comitê, que assegura que o trabalho não se torne partidário. Os relatórios contendo alegações de atos criminosos são enviados aos promotores e as provas, analisadas em julgamento por juízes imparciais que não estiveram envolvidos no processo de coleta de provas. A prestação de contas de agentes públicos é obtida não por meio de vazamentos para a imprensa, mas em audiências públicas em que o outro lado da história é ouvido: qualquer acusação resultante desse processo passa, em seguida, por um julgamento justo. Existem outros modelos eficientes, e nenhum deles lança mão da demonização pública ou humilhação dos suspeitos por parte de um todo-poderoso juiz-promotor, que anda de mãos dadas com a imprensa para criar a expectativa de que o suspeito será considerado culpado – uma profecia que o juiz-promotor tem o poder de cumprir.

Por todas as suas conquistas, Lula merece respeito, mas não imunidade. Se há provas de que ele se beneficiou de esquema de corrupção, ele deve responder por isso perante um juiz imparcial e em um processo que lhe dê a oportunidade de ampla defesa. O juiz Moro e o preconceito incitado pela Globo tornaram isso impossível: como fica evidente por meio dos bonecos e balões retratando Lula em uniforme de presidiário, a "Operação Lava Jato" se tornou uma espécie de "lei de linchamento" cujo objetivo é derrubar o maior símbolo do poder dos trabalhadores na América Latina. Por essa razão, isso deve ser exposto e combatido – não para proteger um deputado corrupto ou grandes empreiteiros usurpadores, mas pelo bem do Estado de Direito, pelo respeito aos direitos humanos e pela proteção contra processos que se tornam perseguições.

Geoffrey Robertson Q.C. *[Conselheiro da Rainha]*
representa Lula em seu Comunicado ao
Comitê de Direitos Humanos da ONU

APRESENTAÇÃO

Há algo novo no atual momento brasileiro. Pode-se falar em uma ruptura da institucionalidade, que se dá, fundamentalmente, por obra e graça de alguns magistrados, com o apoio decisivo de segmentos da imprensa. Trata-se de uma aliança perversa, baseada na manipulação da realidade.

Mascarar a realidade para atingir fim específico é, de fato, uma tática de *lawfare*, processo que pode ser entendido como a manipulação do sistema jurídico para perseguir um inimigo, deslegitimá-lo e, ainda, afastá-lo de sua área de atuação. É essa forma de batalha que está hoje sendo travada primordialmente contra o ex-Presidente Luiz Inácio Lula da Silva, alvo de denúncias frívolas, sem materialidade. Por meio de expedientes absurdos, risíveis aos olhos de pessoas minimamente ilustradas, tenta-se, de toda forma, manchar a honra e a reputação de Lula e eliminar a imagem de um Brasil que ousou superar a fome, construir uma diplomacia independente e lançar as bases de um desenvolvimento genuinamente nacional.

Com o tecido constitucional potencialmente esgarçado, os agentes do Estado, notadamente do Sistema de Justiça, sentem-se à vontade para pôr em prática procedimentos medievalescos, dos quais resultam seríssimas e irreversíveis vulnerações de direitos fundamentais. Não por outra razão, em julho de 2016 Lula protocolou petição no Comitê de Direitos Humanos da ONU, em Genebra, documento atualizado neste mês de novembro, subscrito por nós, seus advogados, juntamente com Geoffrey Robertson (*Queen's Counsel*), um dos maiores especialistas no mundo na defesa dos Direitos Humanos.

A petição lista diversas violações ao Pacto de Direitos Políticos e Civis adotado pela ONU – do qual o Brasil é signatário – praticadas pelo juiz Sérgio Moro e pelos procuradores da Operação Lava Jato contra Lula. Tal Pacto assegura, entre outras coisas: (a) proteção contra prisão ou detenção arbitrária (Artigo 9º); (b) direito de ser presumido inocente até que se prove a culpa na forma da lei (Artigo 14); (c) proteção contra interferências arbitrárias ou ilegais na privacidade, família, lar ou correspondência e contra ofensas ilegais à honra e à reputação (Artigo 17); e, ainda, (d) direito a um tribunal independente e imparcial (Artigo 14).

Nenhum cidadão está acima da lei. E Lula não se opõe a qualquer investigação, desde que realizada com a observância da lei e das garantias constitucionais e, ainda, daquelas previstas nos Tratados Internacionais subscritos pelo Brasil. Mas a imparcialidade é condição reconhecidamente inexistente na condução de seu processo.

A obra que o leitor ora tem em mãos pretende desvelar, de maneira técnica e desapaixonada, alguns aspectos deste complexo fenômeno que solapou as bases do Estado de Direito brasileiro. Para tanto, contamos com a colaboração de juristas que, para além dos inquestionáveis predicados teóricos, notabilizam-se pela defesa incansável da ordem democrática no Brasil.

Não se trata de uma disputa ideológica entre esquerda e direita. Em rigor, estamos, mais uma vez, diante da imemorial batalha entre a civilização e a barbárie. É o País, e não apenas Lula, que precisa de mais Justiça e menos espetáculo e perseguição.

Valeska Teixeira Zanin Martins e Cristiano Zanin Martins
Advogados do ex-Presidente Luiz Inácio Lula da Silva

Rafael Valim
Professor da Faculdade de Direito da PUC/SP. Advogado.

LUZ, CÂMERA, AÇÃO: A ESPETACULARIZAÇÃO DA OPERAÇÃO LAVA JATO NO CASO LULA OU DE COMO O DIREITO FOI PREDADO PELA MORAL

LENIO LUIZ STRECK

INTRODUÇÃO

Para resumir em pouquíssimas palavras o problema fulcral do Direito nos últimos dois séculos, é necessário fazer a seguinte pergunta: "o que fazer com a moral"? Essa é a batalha que o Estado de Direito trava há muito tempo. O século XIX "resolveu" o problema "aprisionando" a moral. Na verdade, excluiu-a do direito a partir das três formas de positivismo jurídico: o exegetismo francês, a jurisprudência dos conceitos alemã e a jurisprudência analítica inglesa. Os juízes foram transformados numa simples boca que pronunciava as palavras da lei. Foi um projeto político para impedir que o Judiciário conspurcasse o projeto revolucionário francês. Na Alemanha, ainda não unificada, as razões pelas quais o pandectismo impediu juízes de fazer juízos valorativos aproximavam-se dos motivos imperantes na Inglaterra. De todo modo, em comum havia o fato de que juízes não podiam "falar da lei". Tinham que se contentar com os fatos.

No esgotamento do positivismo clássico, exsurgiram diversas formas de sua superação. Já não era mais possível tentar aprisionar a complexa facticidade no interior das palavras da lei. E também já não era mais possível cindir direito e moral. Na verdade, foi a vitória da vontade sobre a razão. Escola do direito livre, jurisprudência dos valores, enfim, vários modos de trazer de volta a moral (sem entrar no mérito, no grau de objetividade dessa moral e no modo de sua incorporação). No século XX Kelsen foi o primeiro pós-exegetista. Procurou "resolver" o problema da moral excluindo-a não do Direito, mas, sim, da ciência jurídica. Kelsen era um pessimista. Não acreditava que fosse possível "controlar a moral". Por isso, deu um passo à frente: enquanto o positivismo clássico se preocupava com a lei, ele foi para uma espécie de "andar de cima" do Direito, passando a se preocupar com a ciência do Direito. Como, para ele, era impossível cindir o Direito da moral, contentou-se em separar a ciência do Direito da moral. Claro: o custo foi alto, porque transformou os juízes em decisionistas, porque poderiam escolher sentidos que lhes aprouvessem dentro da famosa "moldura" (Bild). E, no limite, mesmo fora da moldura, a decisão vale.

Depois veio Hart, o positivista inclusivo ou *soft* positivista. Seu aluno, Dworkin, abriu uma nova discussão sobre pós-positivismo ou não-positivismo. E os que lhe seguiram, como Raz, Shaphiro (positivistas exclusivos), Waluchow (inclusivista da cepa). No entremeio, o pós-positivismo cunhado por Friedrich Müller. E Alexy, que se diz um não-positivista inclusivo. Ainda Luhmann, Habermas e tantos outros. Veja-se quantas formas e modos de tentar enfrentar esse mostro criado pela modernidade: a moral. E, é claro, os demais predadores clássicos do direito – a política e a economia.

De minha parte, construí a Crítica Hermenêutica do Direito (CHD) para me juntar a todos esses bravos e valorosos combatentes. Também procuro dar minha contribuição para o enfrentamento dos predadores do Direito. Claro: aos predadores exógenos (moral, política

LUZ, CÂMERA, AÇÃO: A ESPETACULARIZAÇÃO DA OPERAÇÃO...

e economia), acrescentei novos inimigos, os endógenos. Na verdade, descobri esses inimigos que sempre estavam ali, escondidos: falo da discricionariedade, do decisionismo, do "decido conforme minha consciência", do positivismo jurisprudencialista (o direito é aquilo que o Judiciário diz que é), enfim, todos os "inimigos" que fragilizam o direito por dentro. Mas a moral e o moralismo são, definitivamente, a perfeita mistura dos dois tipos de predadores (externo e interno).

Veja-se: o Direito se constrói, democraticamente, a partir da moral, da ética, da política, da economia. O Direito tem com a moral uma cooriginariedade, como diz Habermas. Isto quer dizer que, construído na esfera pública, comunicado em uma linguagem pública, o Direito, para a segurança da democracia, não mais pode ser corrigido pela moral. Simples assim. Isto porque, após o segundo pós-guerra, o Direito veio a nós de forma diferente e diferenciada: trouxe um grau acentuado de autonomia. A Constituição virou norma. E a democracia passou a ser feita no Direito e a partir do Direito. A política passou a depender do Direito. Este é o compromisso social que nos "facilita" a vida: em vez de fazermos juízos morais ou dilemas morais, o Direito vem antes e nos diz como devemos agir. Portanto, juiz, na democracia, deve aplicar o Direito a partir do Direito. Dworkin vai dizer que o Direito deve ser aplicado por princípio e não por política. Isso faz com que os juízes passem a ter responsabilidade política. E é claro que isso também se aplica aos membros do Ministério Público.

Juízes e membros do Ministério Público devem fazer a coisa certa. A coisa certa é não moralizar o Direito. Direito não é política; não é religião; não é filosofia; e não é moral. Abebera-se de tudo isso. Mas depois de posto, não pode ser alterado por injunções pessoais, subjetivas ou idcológicas. A democracia não pode depender de bons ou maus juízes ou procuradores. E também não pode depender da mídia. E nem do que clamam as maiorias. Aliás, a democracia tem um lema: ela é protegida pela Constituição, que é um remédio contra maiorias eventuais. Contudo, no caso Lula, algo muito estranho ao Direito foi manifestado pela Operação Lava Jato.

CENA 1: A LEI EM MOVIMENTO DOS JUÍZES

A engenharia institucional de um sistema político é algo extremamente complexo, baseado numa série de disputas e acordos entre os diversos segmentos da sociedade a partir de um pacto constitucional. Na elaboração desse pacto encontramos diversas posições contraditórias, que, por meio de um difícil jogo de negociações de interesses, torna possível a composição de uma ordem política minimamente democrática. Assim, as disputas que sempre estarão presentes em qualquer comunidade poderão acontecer a partir da racionalidade jurídica oferecida pelo pacto constitucional, sempre baseado na ideia de limitação do poder e defesa das liberdades.

Para a organização deste complexo jogo político foi necessária a criação da ideia de freios e contra-pesos estabelecida pelos estadunidenses. O Executivo governa e tem poder de veto sobre o Legislativo; o Legislativo faz as leis e fiscaliza o Executivo; a Suprema Corte dá a última palavra sobre a Constituição, para evitar que o Legislativo faça leis inconstitucionais; o Executivo indica os juízes da Suprema Corte e o Legislativo tem a prerrogativa de confirmar ou não a indicação. Enfim, cada Poder deve atuar a partir de um conjunto de regras que impede a ascensão de superpoderes, para que nenhum destes venha assumir uma posição autoritária de reserva moral da sociedade.

Mas parece que no Brasil esta fórmula institucional ainda apresenta uma enorme dificuldade para se estabelecer. E isso pode ser observado na postura de juízes e membros do Ministério Público que, num cenário de desgaste dos políticos e seus partidos, começam a se apresentar como salvadores da pátria. Aqueles que, iluminados por uma condição quase divina, começam a acreditar que foram predestinados a salvar o país da corrupção, como se suas instituições também não fossem atingidas pelos mesmos desvios que ocorrem no Executivo e no Legislativo.

Salvadores da pátria, por mais bem-intencionados que sejam, acabam sempre assumindo uma postura voluntariosa contrária ao Estado de Direito. Simplificam os problemas políticos e oferecem como solução o uso inconstitucional da força, semelhantemente ao que Aldo Fornazieri chama de "lei em movimento". Segundo ele, no tempo do nazismo não existia segurança jurídica, pois as leis eram impostas conforme os anseios do movimento político. Ou seja, no lugar de uma racionalidade jurídica inserida na tradição do constitucionalismo, que desde o início sempre esteve baseada na ideia de defesa das liberdades e limitação do poder, o que surgiu foi uma racionalidade jurídica instrumental feita *ad hoc* conforme os interesses do momento. Nesse sentido, a ideia de lei em movimento se transforma num mecanismo de destruição do Estado de Direito e acaba por colocar em seu lugar um Estado de Exceção permanente. É claro que a crise brasileira não é idêntica ao nazismo. Mas, por outro lado, o exemplo do nazismo serve como paradigma para uma análise de como a substituição do Direito por argumentos ideológicos do tipo, "precisamos fazer uma cruzada contra a corrupção", podem comprometer seriamente o Estado de Direito.

Recentes episódios envolvendo altas autoridades demonstram que o Direito brasileiro está sendo – ou já foi – traído pela moral. O mais incrível dessa situação é que a traição ocorre pelas mãos de instituições que deveriam protegê-lo: Ministério Público e Judiciário. E o caso do ex-Presidente Lula ilustra muito bem a preocupante situação. No dia 4 de março de 2016 todos assistiram a um espetáculo lamentável. Este dia ficará marcado como "o dia em que um ex-Presidente da República foi ilegal e inconstitucionalmente preso por algumas horas", sendo o ato apelidado de "condução coercitiva".

Em um país em que já não se cumpre a própria Constituição, o que é mais uma rasgadinha no Código de Processo Penal, pois não? Há dois dispositivos aplicáveis: os artigos 218 (no caso de testemunha) e 260 (no caso de acusado) do Código de Processo Penal dizem que

> Art. 218. A testemunha regularmente intimada que não comparecer ao ato para o qual foi intimada, sem motivo justificado, poderá ser conduzida coercitivamente.
>
> Art. 260. Se o acusado não atender à intimação para o interrogatório, reconhecimento ou qualquer ato que, sem ele, não possa ser realizado, a autoridade poderá mandar conduzi-lo à sua presença.

> Parágrafo único: o mandado conterá, além da ordem de condução, os requisitos mencionados no artigo 352, no que lhes for aplicável. (grifos do autor)

Ora, até o mundo mineral sabe que, em termos de garantias, a interpretação é restritiva. Não vale fazer interpretação analógica ou extensiva ou qualquer outra forma de tergiversação sobre os dispositivos legais. A lei exige intimação prévia. Nos dois casos.

Mais: a condução coercitiva, feita fora da lei, é uma prisão por algumas horas. E prisão por um segundo já é prisão. Pior: mesmo que cumprisse o Código de Processo Penal, ainda assim haveria de ver se, parametricamente, os artigos 218 e 260 são constitucionais. A resposta é: no mínimo o artigo 260 é inconstitucional (não recepcionado) porque implica em produção de prova contra si mesmo. É írrito. Nenhum. Sei que o Supremo Tribunal Federal reconhece a condução coercitiva como possível. Mas não nos moldes do que está sendo discutido aqui. Cabe(ria) a condução nos termos do que está no Código de Processo Penal. Recusa imotivada, ao não atender a uma intimação: essa é a *ratio*. E, acrescento: o STF não foi instado para falar da (in)constitucionalidade do artigo 260. Mas, mesmo que o STF venha a dizer que o dispositivo foi recepcionado, ainda assim haveria de se superar a sua literalidade garantista e garantidora: a de que só cabe a condução nos casos em alguém foi intimado e não comparece imotivadamente.

Logo, o ex-Presidente Lula e todas as pessoas que até hoje foram "conduzidas coercitivamente" (dentro ou fora da "Lava Jato") sem intimação prévia o foram à revelia do ordenamento jurídico. Que coisa impressionante é essa que está ocorrendo no país. Desde o Supremo Tribunal Federal até o juiz do juizado especial de pequenas causas se descumpre a lei e a Constituição.

Assim, de grão em grão vamos retrocedendo no Estado Democrático de Direito. Sempre em nome da moral pública, do clamor social etc. Sim, hodiernamente para prender basta dizer a palavra mágica: clamor social e garantia da ordem pública. Não são mais conceitos jurídicos, e, sim, enunciados performativos. É como se o juiz, usando de

LUZ, CÂMERA, AÇÃO: A ESPETACULARIZAÇÃO DA OPERAÇÃO...

sua livre apreciação da prova (eis a ironia da história – a quase totalidade dos processualistas penais nunca se importaram com a livre apreciação, ao ponto de estar intacto no projeto do Novo Código de Processo Penal) – fosse autorizado a servir como reserva moral da sociedade.

A polícia diz que foi para resguardar a segurança do ex-Presidente. Agora é assim, Estado de Exceção é sempre feito para resguardar a segurança. O *establishment* juspunitivo (Ministério Públicos, Judiciário e Polícia Federal) suspendeu mais uma vez a lei. Soberano é quem decide sobre o Estado de Exceção. E o estado de exceção pode ser definido, segundo Agamben, pela máxima latina *necessitas legem non habet* (necessidade não tem lei).

Quando, há mais de 20 anos, eu alertava para o fato de que o livre convencimento e a livre apreciação eram uma carta em branco para o arbítrio, muitos processualistas me recriminavam, dizendo "mas a livre apreciação é motivada". Eu brincava e respondia com uma anedota: "o machado estava entrando na floresta e uma árvore mais nova disse: não se preocupem que o cabo é dos nossos... ao que a árvore mais velha objetou: mas a lamina, não!". Dizia eu, então: isso é um argumento retórico. Se tenho livre apreciação, é apenas em um momento posterior que busco uma motivação. O processo é transformado em instrumento. E mais: desde quando motivação é igual a fundamentação? Hoje posso dizer: eu avisei.

Consta que na decisão que determinou a oitiva de Lula e outros, o juiz Sérgio Moro ordenou que primeiro houvesse um convite para, só depois, em caso de recusa, fazer a coerção. Sendo isso verdadeiro, pode-se concluir que a polícia cometeu abuso de autoridade. De todo modo, a ressalva de "fazer o convite" não tem o condão de superar a flagrante ilegalidade/inconstitucionalidade da condução coercitiva.

CENA 2: O GRAMPO TELEFÔNICO E O MITO DA SUPREMACIA DO INTERESSE PÚBLICO

Dia 16 de março o país passou por outro furacão, sendo que, logo depois, o juiz Sérgio Moro confessou a ilegalidade dos grampos ao dizer que, efetivamente, a interceptação da conversa entre Lula e Dilma tinha sido irregular. Ele disse "irregular". Mas eu prefiro afirmar ilícita. Mas, mesmo confessando o erro, manteve a versão de que agira certo em divulgar (o famoso evento 133 – "não havia reparado antes no ponto, mas não vejo relevância" – genial, não? O juiz federal não havia reparado que tinha em mãos uma prova ilícita, mas não via "relevância" nisso...).

Vamos, então, analisar alguns detalhes de mais uma ilegalidade praticada pela Operação Lava Jato:

1. Antes do meio dia de quarta, o juiz Sérgio Moro determinou o fim das interceptações. É fato. Logo depois, a Polícia Federal foi comunicada. Há documentos.

2. Depois das 13h, Dilma liga para Lula. Essa conversa foi gravada e enviada para o juiz Sérgio Moro, que liberou todo o conteúdo para os veículos de comunicação. É fato.

3. Mais tarde, o Juiz Sérgio Moro, depois de receber várias críticas, confessa que o grampo foi "irregular" (sic). É fato.

4. Então, é possível concluir que, pela Lei n. 9.296, o magistrado divulgou um produto de crime. Por quê? Simples. Elementar. Porque a gravação foi clandestina; o próprio juiz Sérgio Moro havia decidido que o grampo cessara; mesmo assim, no mesmo dia, a Polícia Federal gravou conversa entre Dilma e Lula; e remeteu para ele, magistrado, que, então, fez a divulgação de algo que a lei diz, no art. 10 da Lei n. 9.296, ser crime. Isto, quem faz intercepção sem ordem judicial incide no tipo do art. 10. Logo, esse "produto" não poderia ter sido divulgado.

5. O que o juiz Sérgio Moro não fez e deveria ter feito? No momento em que recebeu o conteúdo do grampo, deveria ter remetido o produto do crime cometido pela Polícia Federal ao Ministério Público Federal.

6. O juiz Sérgio Moro, sabedor de que estava em suas mãos uma prova ilícita (que ele confessou ser "irregular"), assumiu o risco de ser enquadrado no artigo 325 do Código Penal (revelar fato de que tem ciência em razão do cargo e que deva permanecer em segredo, ou

facilitar-lhe a revelação). Além disso, violou no mínimo seis artigos da Resolução 59 do CNJ, mas especialmente o artigo 17.

7. Também não poderia ter divulgado as intercepções feitas com autoridades com foro especial. Quando entra alguém no grampo com um foro que não é do juiz que determinou, cessa tudo. Aliás, o STF mandou retirar dos autos a referida gravação interceptada ilicitamente.

8. Outra "irregularidade" (para usar a linguagem de Moro) cometida por ele: divulgou conversa privada (sigilo profissional) do ex-Presidente com seu advogado. Não esqueçamos que o sigilo profissional está resguardado como cláusula pétrea, artigo 5º, incisos XIII e XIV da Constituição Federal, *verbis*: "XIII – é livre o exercício de qualquer trabalho, ofício ou profissão, atendidas as qualificações profissionais que a lei estabelecer; XIV – é assegurado a todos o acesso à informação e resguardado o sigilo da fonte, quando necessário ao exercício profissional".

9. E vou fechar com o que disse o ministro Marco Aurélio:

> Ele [Moro] não é o único juiz do país e deve atuar como todo juiz. Agora, houve essa divulgação por terceiros de sigilo telefônico. Isso é crime, está na lei. Ele simplesmente deixou de lado a lei. Isso está escancarado e foi objeto, inclusive, de reportagem no exterior. Não se avança culturalmente, atropelando a ordem jurídica, principalmente a constitucional. O avanço pressupõe a observância irrestrita do que está escrito na lei de regência da matéria. Dizer que interessa ao público em geral conhecer o teor de gravações sigilosas não se sustenta. O público também está submetido à legislação.

De fato, o Brasil precisa mostrar que ninguém está acima da lei. Nem Lula, nem Dilma, nem Sérgio Moro, nem o Ministério Público Federal e nem o STF. Ninguém está. Leis que governem os homens e não homens que governem as leis. Eis o lema de Honório Lemes, um dos comandantes de uma revolução ocorrida no sul do Brasil.

Isso tudo é grave. Como graves são os fatos políticos. Só que a Constituição Federal proíbe prova ilícita. Preocupa-me também o comportamento dos advogados (e demais carreiras) que aplaudem os atos ilícitos.

Torcer é uma coisa, falar juridicamente é outra. Advogados importantes que sofrem no dia a dia as vicissitudes do autoritarismo de membros do Judiciário e do Ministério Público apóiam o uso de grampos ilícitos. Ideologicamente, neste caso, optaram por aplaudir o descumprimento das leis e da Constituição Federal. Pior: são mais "moristas" que o próprio Moro. Afinal, ele reconheceu que a escuta da conversa entre Lula e Dilma foi "irregular". Nem quiseram ler o que Moro disse. Isso é fato. Ele é quem os desmentiu.

CENA 3: A VIOLAÇÃO DO ESTADO DE DIREITO POR MEIO DE UM *POWERPOINT*

Depois de todas as ilegalidades descritas acima, parece que o *establishment* jurídico ainda não aprendeu a lição. A predação do Direito pela moral continuou, agora em mais um capítulo. Com efeito, assistindo ao espetáculo proporcionado pelos jovens Procuradores da República na apresentação da denúncia contra o ex-Presidente Lula, no dia 14 de setembro, fiquei com a certeza de que perdemos a batalha pela autonomia do Direito no Brasil. O Direito foi invadido (e quiçá, já substituído) pela moral e, pior: pelo moralismo, sua vulgata que contém tudo o que devemos afastar de uma análise jurídica na democracia – os desejos pessoais, a visão pessoal de mundo, as ideologizações etc.

Claro que os membros do Ministério Público ou juízes não são neutros. E não são alfaces. Dentro de cada um bate um coração. Subjetividades. Todos temos. Sim, sei de tudo isso. Mas se um agente político do Estado não souber suspender esse pré-juízos (*Vor-urteil*), então não poderia ter assumido cargo desse jaez. Aplica-se o Direito por princípio, como bem diz Dworkin. E não por política ou moral(ismo). Ora, em uma democracia, o réu ou a parte no juízo cível não podem depender das paixões ou idiossincrasias do acusador e/ou do julgador. Não vamos ao Judiciário para saber o que o juiz (ou o procurador) pensa pessoalmente sobre determinado assunto. Ali é o Estado que fala. E não o que o Procurador pensa sobre o mundo.

Preocupa-me – e posso falar disso porque passei longos 28 anos no Ministério Público – que hoje seus membros façam juízos morais e

LUZ, CÂMERA, AÇÃO: A ESPETACULARIZAÇÃO DA OPERAÇÃO...

políticos cada vez que convocam uma coletiva e apresentam uma denúncia. Dizer que o ex-Presidente da República – por intermédio de um espalhafatoso organograma – era o comandante de um esquema de corrupção e não o denunciar pelo crime de chefiar uma organização é no mínimo temerário. Se ele é o comandante "máximo", então o Ministério Público Federal tem de dizer, tecnicamente, a quem ele comandava e o *modus operandi*. Existem tipos penais para isso. Mas tem de apresentar isso tecnicamente. Conforme preceitua o Código de Processo Penal. Surpreso, descubro que, agora, as denúncias já têm até sumário e introdução. Já não são denúncias. São longas narrativas. Falta só terem matrizes teóricas. E metodologia.

Quantas vezes, como membro do Ministério Público, refiz minhas denúncias para tirar as adjetivações. E nunca convoquei coletiva para dizer que estava acusando alguém. Nunca chamei o praticante do pior crime de "meliante" ou adjetivos do gênero. Se eu dizia que determinado sujeito comandava o crime, denunciava-o por formação de quadrilha (na minha época era assim). Porque pensava que, antes disso, tinha uma coisa chamada "ação penal". E o devido processo legal. Sim, isso existe. E, doa a quem doer, deve ser respeitado.

Na democracia, juízes e membros do Ministério Público devem conter seus anseios, suas paixões, suas subjetividades. A sociedade não lhes paga para opinarem sobre política ou moral. A sociedade não lhes paga para dizer se a política conduzida por um governante é boa ou ruim. Tampouco os remunera para tecerem considerações morais. Um ato é criminoso ou não. Simples assim. Se a acusação vier acompanhada de adjetivos, já fica claro que a imparcialidade está viciada. Aqui vale uma feliz observação do ex-conselheiro do Tribunal Constitucional de Portugal, em entrevista concedida no dia 25 de setembro de 2016, à revista Eletrônica Consultar Jurídico, Paulo Motta Pinto, para quem "Magistrado que adentra arena do combate político perde legitimidade". E, vejam: magistrados, para ele, são membros do judiciário e do ministério público, porque assim é em Portugal.

Após a enorme quantidade de adjetivações e apreciações de cunho moral propagados pelos procuradores, numa espécie de *show* com *PowerPoint*, faltou uma explicação objetiva e técnica sobre os fatores jurídicos que motivaram a denúncia contra o ex-Presidente. Até a delação rejeitada de Léo Pinheiro serviu como base para a denúncia. O Procurador-Geral da República, Rodrigo Janot, havia desconsiderado as informações prestadas por Pinheiro, já que o mesmo teria quebrado a confidencialidade ao passar informações para uma revista semanal. Em evento público, o procurador Deltan Dallagnol também havia afirmado que os esboços apresentados por Pinheiro eram imprestáveis para a Lava Jato. Resta saber, depois do afastamento desta delação, em que lugar do inquérito encontram-se as informações sobre as relações de Lula com as empreiteiras.

Numa democracia, a acusação depende de justa causa, como está previsto no art. 395, III, do Código de Processo Penal. A acusação penal deve vir acompanhada sempre de elementos probatórios oferecidos pelo inquérito policial ou pelas peças de informação. Isso é assim não porque o Direito serve para proteger bandidos ou corruptos, mas sim porque uma acusação destituída de quaisquer limites legais pode comprometer a segurança do indivíduo diante do poder do Estado. Lembrem-se que em Thomas Hobbes a invenção do Leviatã estava associada ao dever do Estado oferecer mais segurança ao indivíduo, para que este pudesse superar o estado de natureza responsável pela guerra de todos contra todos. A partir desse momento o nascimento do Estado é visto como um movimento político responsável pelo processo civilizador. O objetivo era diminuir a violência privada por meio do estabelecimento de uma ordem política capaz de substituir a ordem tribal. Mas, por outro lado, os excessos praticados pelo Estado também passaram a exigir maior controle jurídico sobre ele, para que o mesmo também não acabasse por se transformar num inimigo das liberdades. É por isso que uma acusação não pode existir sem justa causa.

Se o Ministério Público Federal abusa das adjetivações contra o ex-Presidente, para no final basear suas acusações em delação rejeitada, o Estado começa a fugir dos limites impostos pelo Direito para se apoiar em acusações levianas que primeiro escolhem um culpado, para depois apresentar apenas argumentos morais que justifiquem sua condenação perante a opinião pública.

LUZ, CÂMERA, AÇÃO: A ESPETACULARIZAÇÃO DA OPERAÇÃO...

A falta de justa causa é um motivo jurídico para a não aceitação da denúncia. Caso contrário, o Estado inverteria o ônus da prova e colocaria seus cidadãos na terrível condição de perseguidos políticos, própria de regimes autoritários. E parece que até nesse ponto o juiz Moro não entendeu o que é um processo penal numa democracia, pois, ao aceitar a denúncia, afirmou que, "o processo é uma oportunidade para ambas as partes". Pode ser assim no Processo Civil, mas, na esfera criminal, alterar o ônus da prova e jogar sobre os ombros do acusado a responsabilidade de provar sua inocência é algo completamente fora do padrão de normalidade posto pelo Estado de Direito.

É uma situação estranha para quem se preocupa com a aplicação dos princípios democráticos estabelecidos pelo constitucionalismo, pois, em nome da guerra à corrupção, a Lava Jato coloca por terra conquistas fundamentais para a manutenção de uma democracia.

E se a situação jurídica do país já se apresentava numa condição extremamente grave devido aos fatos narrados anteriormente, o TRF4 decidiu enterrar tudo de vez ao afirmar que a Operação Lava Jato não precisa seguir as regras de casos comuns, já que estas servem apenas para situações de normalidade. Nas palavras do desembargador-relator Rômulo Pizzolatti,

> (...) a ameaça permanente à continuidade das investigações da operação 'lava jato', inclusive mediante sugestões de alterações na legislação, constitui, sem dúvida, uma situação inédita, a merecer um tratamento excepcional.

Assim, podemos relembrar o conceito de soberania em Carl Schmitt, que considerava soberano apenas quem decidisse sobre o Estado de Exceção.

CENA FINAL: O CANTO DAS SEREIAS E O RISCO DE AFOGAMENTO DO ESTADO DE DIREITO

A comunidade jurídica não pode se deixar levar pelo canto da sereia, pois a Constituição é feita em momentos de "sobriedade" política para defender o Estado e a sociedade exatamente destas erupções episódicas de paixões e desejos moralistas momentâneos. Algo que pode ser compreendido a partir de Homero e seu Ulisses. Como é sabido, na Odisséia, Ulisses, durante seu regresso a Ítaca, sabia que enfrentaria provações de toda sorte. A mais conhecida destas provações era o "canto das sereias" que, por seu efeito encantador, desviava os homens de seus objetivos e os conduzia a caminhos tortuosos, dos quais dificilmente seria possível retornar. Ocorre que, sabedor do efeito encantador do canto das sereias, Ulisses ordena aos seus subordinados que o acorrentem ao mastro do navio e que, em hipótese alguma, obedeçam qualquer ordem de soltura que ele pudesse vir a emitir posteriormente. Ou seja, Ulisses sabia que não resistiria e, por isso, criou uma auto-restrição para não sucumbir depois.

Do mesmo modo, as Constituições funcionam como as correntes de Ulisses, através das quais o corpo político estabelece algumas restrições para não sucumbir ao despotismo das futuras maiorias (parlamentares ou monocráticas) ou de juízes e promotores deslumbrados com o poder. Isso é de fundamental importância. Algo que os gregos ainda podem nos ensinar com a autoridade daqueles que forjaram o discurso democrático: entre eles as decisões mais importantes acerca dos destinos da polis só poderiam ser levadas a efeito no diálogo que se estabelecia na ágora.

Mesmo nos momentos de desespero coletivo – como ocorre em casos de Guerra, o que aparece claramente no texto de Homero – era necessário obedecer à razão e não às paixões temporárias ou aos interesses derivados das preferências pessoais de cada um dos indivíduos. Como Ulisses e suas correntes, também a democracia construída pelos gregos passava pelo desenvolvimento de mecanismos que limitavam o exercício do poder e o racionalizavam. Enfim, mecanismos de pré-compromissos, ou de auto-restrição.

No entanto, em vez de reforçar as correntes constitucionais, a dogmática jurídica vigorante no Brasil gerou o monstro da discricionariedade. E da vontade de poder (a *Wille zur Macht* ápice do voluntarismo jurídico). Contra a racionalidade jurídica, abriu as portas do moralismo.

LUZ, CÂMERA, AÇÃO: A ESPETACULARIZAÇÃO DA OPERAÇÃO...

Veja-se, por exemplo, que, para o Procurador-Coordenador da Operação Lava Jato, temos um defeito congênito histórica e culturalmente falando: para ele, foi a colonização portuguesa quem legou a corrupção ao Brasil. Quem veio de Portugal para o Brasil foram degredados, criminosos. Quem foi para os Estados Unidos foram pessoas religiosas, cristãs, que buscavam realizar seus sonhos, era um outro perfil de colono" (sic). O que fazer, então? Simples: substituir o Direito e suas garantias por uma "boa moral". A moral deve corrigir o Direito, ao que parece. Talvez por isso vejamos, cotidianamente, jovens e velhos juristas ensinando nas salas de aula que princípios são valores. Jovens e velhos processualistas ensinam que o processo é um instrumento. E que o Brasil possui um sistema de precedentes. Judiciário é que deve dizer o que o Direito é. Afinal, o povo tem um defeito de origem que adveio da colonização. Também por isso setores da doutrina propõem adotar teses do *common law* para o Brasil. E a crítica do Direito? O que ela tem a dizer? Boa pergunta.

No painel do qual participei no congresso do IBCCRIM em agosto de 2015, chamei a atenção para a necessidade da construção de uma teoria da decisão, tema que venho discutindo há muito tempo, como sabem. Sei que esse assunto desagrada parcela considerável de juristas. Alguns, por ignorância (no sentido de *ignorare*, portanto, sem ofensa), não se dão conta de que o problema do protagonismo judicial, vitaminada por discricionariedades, livre convencimento etc., é um problema da própria democracia. Outros atendem a uma espécie de razão cínica, sendo subdididos em grupos.

Vou tentar mostrar isso em poucas palavras. Primeiro, há os que são contra porque acham que "isso é assim mesmo" e que não temos como fugir do solipsismo, suas derivações ou vulgatas. Contentam-se em lidar com isso a partir de uma falácia naturalista. Há outro grupo, cujos integrantes são assumidamente pragmatistas ou pragmaticistas, achando que cada decisão é um grau zero de sentido e que o que importa mesmo é "resolver problemas". Na verdade, resolvem um problema e criam dezenas. Há ainda um terceiro grupo. Seus componentes não concebem que o Direito tenha um elevado grau de autonomia. Sim, para estes, tudo vira sociologia, economia ou política, estando ali enquadrados adeptos de um certo tipo de marxismo baseado, grosso modo, em Althusser.

Aqui um parêntese: como diz Marcelo Cattoni, temos de fazer uma leitura diferente daquela que os funcionalistas fazem de Marx. Sartre também pode ajudar, com seu *Questão de Método*, que foi publicado como ensaio introdutório à *Crítica da Razão Dialética*. Aqui vale a pena ler – e a sugestão é do Cattoni – um texto denominado A Mudança de função da lei no direito da sociedade burguesa, do marxista frankfurtiano Franz Neumann. Neumann critica o nazismo em face, justamente, da ideologia das cláusulas gerais e da livre apreciação judicial! E relê Weber com os olhos postos em Marx, vendo uma dimensão emancipatória, garantista e compromissória na tradição do Direito racional burguês positivado, perpassado por uma tensão permanente entre soberania e liberdade.

Fazem parte deste terceiro grupo também outras correntes críticas não-marxistas, como alguns sistêmicos que não entenderam corretamente Luhmann no ponto do protagonismo judicial. Não esqueçamos daqueles que Lyra Filho chamava de positivistas psicologistas, que, segundo ele, desempenham o papel de inocentes úteis, porque neles o "espírito do povo" não fica pairando na sociedade: baixa na mente de um ou mais sujeitos privilegiados que pretendem ocupar o lugar de reveladores de um "sentimento do direito" (pensemos nos pamprincipiologistas atuais); ou, (b) que deferem aos juízes, como no *judge-madelaw* (o direito criado pela magistratura), de certas ideologias norte-americanas, o poder judicial de construir normas (escopos processuais, livre convencimento etc.), além e acima do que está nas leis: um Direito mais rápido, "realista" (tudo está na decisão) e concreto do que o dos códigos.

Estes últimos três grupos dizem que a busca da construção de uma teoria da decisão é bobagem, porque-as-forças-sociais e/ou outros componentes, como os psicológicos etc., derrubam qualquer possibilidade disso. Algo como "somos terceiro mundo e, de fato, pouco resta para o direito fazer...". Ou dizem coisas como "alguém tem de decidir e temos de apostar nesse sentimento de busca de justiça". De minha parte, permito-me dizer, ironicamente, como contraponto crítico: ora, nem sei porque ainda existem pesquisas no e sobre o Direito. Poderíamos, na visão de parcela dos próprios juristas, transformar os cursos de Direito em cursos de economia política, relações de poder, gestão, estratégia etc. O que interliga esses três grupos? Simples e complexo. Mas, em uma frase, o fio condutor é o fato de que transferem o polo de tensão do Direito para a decisão. Pronto. O problema é que, ao fazerem isso, correm o risco de se transformarem em profetas do passado, como se o tempo fosse uma sucessão de agoras.

É certo que não podemos desconsiderar a práxis, como se o direito fosse um amontoado de conceitos sem coisa. Também é certo que a falta de pesquisas empíricas tende a gerar uma doutrina vazia, puramente especulativa. Mas o outro extremo, a "empiricização", pode levar a um direito cego, sem imaginação institucional, sem horizonte. Uma pessoa sem horizontes é aquela que não consegue ver nada além das coisas imediatas. Ela diz: "é assim mesmo".

A Crítica Hermenêutica do Direito é uma das matrizes jurídicas que tenta acabar com esse abismo entre teoria (vazia) e prática (cega). A Teoria não nasce do céu dos conceitos, desenhada numa prancheta, pois é desde sempre mergulhada no mundo prático. Só que a prática também não existe "em si", mas articulada num universo interpretativo. Sendo assim, a Teoria também importa! Precisamos dela para organizar os sentidos, para projetar um horizonte. Para resumir de um modo simples: a ambição descritiva não pode sufocar a prescritiva.

Não vamos esquecer que esses diversos axiologismos e pramagticismos ou o *mix* a-teórico que dominam a dogmática jurídica brasileira não deixam de ser uma forma de empirismo tardio ou mal praticado, ficando num limbo teorético. Por vezes se autodeclaram neoconstitucionalistas, argumentativistas, axiologistas que buscam os valores que estão por debaixo das leis ou até mesmo para além da Constituição e outras denominações. Difícil enquadrá-los. O que os une é a forma de decidir sem critérios e a ode ao protagonismo judicial. Esse é o ponto de estofo que liga essas teorias baseadas na vontade. Talvez o mais fácil seja enquadrá-los no plano da metaética: são cognitivistas em um discurso de primeira ordem e, em segundo momento, não consideram nenhum fator objetivo que possa demonstrar a correção de seus juízos, sendo por isso não-cognitivistas. Nesse sentido, pelas suas peculiariedades, parcela considerável da dogmática jurídica pode ser enquadrada nessa definição de duas ordens.

Em sintese: os Procuradores da República, enfim, os membros do Ministério Público e os juízes (membros do judiciário *lato sensu*) são produto de tudo isso que foi apontado acima. São filhos de boas Faculdades, bons cursos, mas também de cursinhos de baixa densidade epistêmica que proliferaram e nos quais não se discutem quaisquer questões de forma aprofundada. Livros facilitadores são o *locus* da *inteligentsia* dogmática. Juízes e promotores (e demais lidadores do direito) também são filhos dessa literatura facilitada e acrítica. São também produto e produtores de mantras como a ponderação de valores e "princípios são valores". Trocam o Direito pela moral, pelo moralismo, pela política e por análises econômicas do Direito. Também, por vezes, são filhos de cursos pagos pelos cofres públicos no exterior. Milhões são gastos em bolsas para nossos lidadores do Direito, sem qualquer criteriologia. Muitas vezes, os cursos feitos no exterior são úteis apenas para o beneficiário, que na volta se dedica a dar aulas em cursinhos, mestrados e doutorados. E por vezes, estuda-se lá fora às custas do Estado temas que são incompatíveis com a própria democracia. Tudo isso acaba resultando num caldo de cultura que forma a tempestade perfeita para que parcela da comunidade jurídica aplauda violações às garantias fundamentais de pessoas com as quais simplesmente não simpatizam. Isso se viu claramente quando do episódio em que o juiz Sérgio Moro divulgou as conversas telefônicas interceptadas, de forma ilegal, da então Presidente da República com o ex-Presidente da República. E parcela da comunidade jurídica torceu o Direito para dar uma opinião moral. A questão é saber até quando a democracia resiste, paradoxalmente, a conduta irresponsável dos juristas. Quem a deveria proteger contribui para fragilizá-la.

Numa palavra final, tentarei explicar tudo isso com uma história que li em algum lugar. Vamos ver se essa metáfora ou alegoria ajuda a nos alertar em relação ao futuro. Vamos convencionar que tudo isso que foi afirmado acima representa π (letra PI grega). Para os limites da história, π é uma entidade "metafísica" composta por todos-os-que-acham-que -a-legalidade-não-tem-valor-e-que-tudo-pode-ser-feito-à-base-do-poder (ou vontade de poder – a *Wille zur Macht*) e da substituição do direito pela moral, pela política e pela economia. Na história, π representa tudo isso e todos eles. Vejamos:

Preocupado com o futuro, π foi ao Oráculo. Primeiro perguntou: "– Oh, grande Oráculo que sabe tudo, diga o que é o mundo". E o Oráculo respondeu logo em seguida: "– Essa é fácil. O mundo é tudo..., água, mar, que cerca um grande pedaço de terra onde estamos".

"– Diga-nos, então: por quanto tempo poderemos continuar a fazer as coisas do nosso modo, enfim, por quanto tempo continuaremos reinando"?

O Oráculo coçou o queixo, mexeu no imenso cavanhaque, fechou os olhos e respondeu: "– Essa é mais difícil. Mas, vamos lá. Anotem: Enquanto houver mar, todos os senhores reinarão sobranceira e plenipotenciariamente".

A turma do π então se afasta, feliz com a profecia de que a situação ficaria como está durante milhares de anos.

No momento seguinte, um estudante de Direito, que a tudo assistia, perguntou para o Oráculo:

"– Grande Oráculo, que coisa é aquela que se aproxima ameaçadoramente no horizonte?"

E o Oráculo, passando novamente a mão no cavanhaque, candidamente respondeu:

"– Meu filho, o que você vê ao longe... são os secadores de mar!"

Implacáveis secadores de mar!

Informação bibliográfica deste texto, conforme a NBR 6023:2002 da Associação Brasileira de Normas Técnicas (ABNT):

STRECK, Lenio Luiz. "Luz, Câmera, Ação: a espetacularização da Operação Lava Jato no Caso Lula ou de como o direito foi predado pela moral". *In*: ZANIN MARTINS, Cristiano; TEIXEIRA ZANIN MARTINS, Valeska; VALIM, Rafael (Coord.). *O Caso Lula*: a luta pela afirmação dos direitos fundamentais no Brasil. São Paulo: Editora Contracorrente, 2017, pp. 31-49. ISBN. 978-85-69220-19-0.

O RISCO DOS CASTELOS TEÓRICOS DO MINISTÉRIO PÚBLICO EM INVESTIGAÇÕES COMPLEXAS

EUGÊNIO JOSÉ GUILHERME DE ARAGÃO

Was nicht passt, wird passend gemacht
(quando algo não cabe, dá-se um jeitinho de caber) –
Sabedoria popular alemã

É absolutamente legítimo, numa tentativa mais exata de explicar fatos complexos, isto é, fatos que não são apreensíveis intuitivamente em toda a sua extensão, que se busque a respeito deles construir um modelo teórico. Sugerem-se uns postulados, constroem-se hipóteses sobre suas causas e seus efeitos, que, uma vez testadas, se transformam em assertivas teóricas razoavelmente consistentes, ou seja, isentas de contradições. No seu conjunto, essas assertivas podem formar uma teoria.

Teorias são por natureza transitórias, porque construídas sobre assunções que podem mudar com a construção de novas teorias que as falseiam. A falseabilidade é, segundo Karl Popper,[1] a característica

---

[1] *A lógica da pesquisa científica*. São Paulo: Cultrix, 1993.

essencial das teorias e, uma vez falseadas, elas seriam substituídas por novas teorias, assim provocando o avanço da ciência. Essa dinâmica pressupõe, é claro, cientistas honestos, aqueles que vestem as sandálias da humildade e se reconhecem falhos, abrindo mão, com modéstia, de suas hipóteses tão custosamente testadas. Para outro estudioso da teoria da ciência, Thomas Kuhn,[2] o avanço científico se daria não por esse automático falseamento sucessivo de teorias, mas, sim, por seu abandono, quando uma nova visão do fenômeno estudado sugere novas linhas de pesquisa. É o que ele chama de "mudança de paradigma" teórico, não deixando a teoria antiga a continuar de pé, mas com pouca serventia ao que mais recentemente interessa. Assim, a física newtoniana não perdeu sua validade, mas não resolve problemas que podem ser melhor explicados com a teoria da relatividade. Ainda outro estudioso do tema da evolução das teorias, Paul Feyerabend,[3] qualificado por vezes de anarquista gnosiológico, sugere que cientistas não são santos. Estão longe de se equipararem a carmelitas de pés descalços. Eles padecem dos vícios muito encontradiços em outros seres humanos, dentre os quais a vaidade e a soberba. Longe de abrirem mão de suas teorias, quando suspeitam de seu falseamento, promovem puxadinhos de novas hipóteses por testar, sempre no esforço, não de desistir da teoria, mas de afastar suas inconsistências. Se necessário, até por meio de falácias ocultas. E isso torna todo castelo teórico muito frágil, prestes a ruir a toda hora e só mantido inteiro à custa de estacas de sustentação.

Tanto parece não ser muito diferente com o agir de investigadores criminais quando lidam com ilícitos de maior complexidade, envolvendo organizações e processos tortuosos de captação e irrigação de ganhos. A polícia se serve muito de organogramas e fluxogramas, tentando estabelecer relações entre fatos e pessoas. O ministério público, sem deixar, também, de fazer uso desses instrumentos, vai além, porque tem que elaborar uma teoria que sustente a acusação. Esse tipo de técnica foi ostensivamente aplicada na denúncia da APn 470-DF, julgada

---

[2] *The Structure of Scientific Revolutions.* 2ª ed. Chicago/Londres: University of Chicago Press, 1970.

[3] *Contra o método.* Rio de Janeiro: Livraria Francisco Alves Editora, 1977.

pelo Supremo Tribunal Federal, conhecida mais pelo caso do "mensalão". Os procuradores que elaboraram o libelo, partiram, *a priori*, da existência de uma organização criminosa, que carreava recursos para distribuí-los a partidos e parlamentares da base de sustentação do governo, seja para remunerar seu apoio em votações de projetos de lei estratégicos para o governo, seja para amortecer dívidas de campanha. Os recursos, no caso, eram definidos como públicos, supostamente advindos de bonificações da Visanet ao Banco do Brasil e de sobrepreços em contratos de publicidade, tudo, também supostamente, disfarçado em contratos de financiamento entre o Partido dos Trabalhadores (PT) e o Banco Rural, que, ao ver dos acusadores, seriam simulados. Para realizar todo esse complexo intento, os atores envolvidos, ligados a empresas, bancos, governo e partidos, se organizariam, na teoria posta, de forma complexa em núcleos com diferentes atribuições. Haveria um "núcleo operacional", um "núcleo financeiro" e um "núcleo político", todos articulados entre si para permitir o funcionamento do esquema de desvio de ativos para a empreitada da garantia da governabilidade.

A experiência do uso do modelo teórico foi tão bem recebida por uma mídia comercial, ávida por uma versão que comprometesse todo governo do PT, que virou uma coqueluche nas rodas de procuradores da república. E logo se realizou, já na gestão de Rodrigo Janot como procurador-geral, curso de "mensalão" na Escola Superior do Ministério Público da União, para os colegas aprenderem a montar seus castelos teóricos como rotina acusatória.

O problema central de teorias investigativas é que, se forem estáticas, elas incidem sobre grave violação do princípio da presunção de inocência. O processo existe como uma sucessão de atos tendentes a criar uma sólida teoria sobre um acontecimento qualificado como crime. Nessa sucessão de atos, se dá às partes, acusação e defesa, a oportunidade de promoverem "provas", isto é, demonstrações empíricas sobre a correção de suas hipóteses que são diametralmente opostas. Toda suposição prévia sobre o acontecimento (hipótese por demonstrar) é, assim, provisória e o ministério público não pode ter o compromisso inabalável com seu acerto definitivo, eis que, se constatar que sua hipótese era falsa, deverá rejeitá-la, para defender a inocência do réu. Ele é fiscal da lei e não ferrabrás implacável.

No entanto, como humanos que são, incide sobre os investigadores o problema apontado por Feyerabend. Longe de terem a disposição de rever suas hipóteses quando falseadas por contra-hipóteses ou de abandonarem aquelas com sua substituição por um novo paradigma teórico, eles insistem até o fim na sua tese inicial e, se necessário for, fazem um puxadinho cá, um puxadinho lá, para, mantendo a teoria em suas linhas mestras, esconderem eventuais inconsistências decorrentes de contradições constatadas ao longo da instrução criminal. Assim, o construto mental inicial, mesmo que não plenamente provado, é apresentado como um fato definitivo. As provas que vão chegando ao processo são empurradas, piladas, socadas para dentro das categorias pré-concebidas, para que se adaptem ao todo previamente desenhado: *"was nicht passt, wird passend gemacht"*. Não interessam as demonstrações de inocência provável do investigado/acusado, porque são antiestéticas. Sacrifica-se, com arrogância moralista, essa inocência pelo amor ao castelo teórico montado.

Foi assim que José Genoíno entrou na APn 470: apesar de nada haver contra ele a não ser duas assinaturas em contratos de financiamento com o Banco Rural, que foi obrigado, como dever estatutário de seu ofício de presidente do Partido dos Trabalhadores, a avalizar, foi socado no "núcleo político" para, ali, se desenhar uma quadrilha e chegar a José Dirceu. Todos sabiam da fragilidade da prova contra Genoíno, distante de ser *"beyond any reasonable doubt"*, a ponto de certa magistrada tê-la expresso, mas votando pela condenação desse réu "porque a doutrina lhe permitia".

Esses castelos teóricos são de uma perversão desumana. O destino daquele sacrificado, publicamente exposto e estigmatizado como "corrupto", pouco interessa. Pouco interessa que José Genoíno sempre morou na pequena casa geminada na divisa de São Paulo e Osasco, área de classe média baixa, com uma vizinhança composta de garçons e motoristas de táxi, que nunca adotou hábitos extravagantes, andando na capital de metrô e, quando em Brasília, pedindo aos amigos para buscá-lo no aeroporto para levá-lo a um dos mais baratos hotéis da capital, onde era freguês cativo. A ninguém interessou naqueles dias o tanto que Genoíno colaborara, na Constituinte de 1987-1988, com o *lobby* do ministério público para criar um órgão forte e eficiente. Ninguém se lembrou que era uma pessoa festejada por todos os procuradores-gerais, inclusive aquele que pediu sua prisão, sabendo-o inocente. O trabalho de se ter montado o "esquema" do "mensalão" era mais importante, até porque a imprensa já o havia disseminado e o relator no STF já havia publicamente destratado os colegas que pudessem estar em dúvida a respeito.

Piores ainda são os castelos construídos em "*task forces*", forças tarefas, criadas por polícia e ministério público, com todo o estardalhaço e defendidas com unhas e dentes pelo juiz, pelo Conselho Nacional do Ministério Público que a premia e, claro, pela mídia interessada no desgaste desse ou daquele ator político alvo das operações. É que a montagem de uma força tarefa é feita com tanto rapapé que ela fica sob permanente pressão de apresentar resultados. Ninguém cria força tarefa para arquivar um inquérito. Esse estardalhaço, por si só, fere mortalmente a presunção de inocência e vai consolidando na opinião pública, como um enredo de novela previsível, a certeza do acerto da teoria inicial sobre o envolvimento dos atores escolhidos nos fatos supostamente ocorridos. O castelo teórico montado em força tarefa tem mui frequentemente como fundamento delações premiadas levadas a cabo com enorme pressão psicológica exercida sobre os potenciais delatores, direcionadas a alvos previamente escolhidos pelos investigadores e pelo juiz para dar contornos de solidez ao modelo teórico concebido sobre os fatos em investigação. Torna-se, pois, inexpugnável e a teoria, por mais simplória, passa a ser tratada como infalseável. Troca-se a ciência na investigação pela ideologia doutrinária, que vê em tudo corrupção como mal a ser extirpado, custe o que custar. Passam-se a adotar até doutrinas estrangeiras fora de seu contexto e completamente deturpadas de seu significado original, como o instituto do domínio do fato ("*Tatherrschaft*"), concebido por Claus Roxin: aquilo que foi imaginado como um instrumento para medir o grau de culpabilidade de cada um num concurso eventual de agentes, num sistema que, diferentemente do nosso, trata cada tipo de concurso (coautoria, participação, instigação) de forma diferenciada, foi transmutado num instrumento de atribuir crime por responsabilidade objetiva. Mas não interessa. Isso é só mais um "legítimo" puxadinho para dar aparência de consistência ao construto mental *a priori* dos acusadores.

As forças tarefas revelam, no entanto, outro problema sério, afora a lambança dos castelos teóricos. Esse problema é tão grave, que definitivamente mostra a desumanidade de seu uso pela polícia e pelo ministério público. É que elas são um instrumento que incorporam a própria falta de *accountability* de seus atores, extraordinariamente empoderados no sistema constitucional brasileiro. Diferentemente de outros modelos organizacionais, encontradiços no direito comparado, no Brasil, a polícia, o ministério público e o juiz são personagens do processo penal que não sofrem maior supervisão sobre a substância de seu trabalho. Na Europa continental, a polícia é supervisionada pelo Ministério do Interior, que exerce sobre ela um poder de mando. Elas são "*weisungsgebunden*", vinculadas à determinação ministerial. O mesmo ocorre com o ministério público, sujeito à supervisão concreta do Ministério da Justiça, a cuja estrutura pertence. E o juiz, por sua vez, está sujeito à autoridade disciplinar do presidente do tribunal, escolhido pelo Ministro da Justiça. No Brasil, cada um desses atores bate a mão no peito e se gaba de sua independência funcional, numa extensão que se consolida nos respectivos imaginários corporativos.

Não percebem, entretanto, que sua independência é adequadamente calibrada na constituição, na lei e em regulamentos. A do juiz se restringe claramente aos limites da lide. O juiz é independente para transitar no espectro entre a tese do autor e a do réu. Ele não tem liberdade de decidir *extra petita*. O ministério público tem outro tipo de independência, que não é uma prerrogativa funcional, mas, conforme prevê o art. 127 da Constituição, é um "princípio institucional", ou seja, uma diretriz de organização interna do órgão. Nem poderia ser diferente, já que o ministério público, ao deter a iniciativa de ação, não tem sua independência balizada pela lide já construída pelas partes. A se imaginar uma tal independência sem balizamentos que há para o exercício da jurisdição, cada membro do ministério público se converteria

O RISCO DOS CASTELOS TEÓRICOS DO MINISTÉRIO PÚBLICO EM...

numa metralhadora giratória, cuspindo bala para todas as direções. E nenhum Estado poderia conviver com isso. Por isso, a independência funcional como princípio institucional encontra seus limites nos outros princípios institucionais mencionados no mesmo artigo: a unidade e a indivisibilidade do ministério público (solenemente ignorados por grande parte de seus membros). Por estes princípios pressupõe-se que o ministério público aja concertadamente em todas as instâncias e em todos os campos de atribuições. A independência funcional passa a ter um caráter negativo: ela só existe para que o membro individualmente não seja coagido a se posicionar contra sua convicção. Havendo uma tese coletivamente acertada na instituição, da qual ele venha a discordar, tem o direito de pedir a redistribuição do feito para não atuar nele contrariando a unidade de ação da instituição. E nada mais. A polícia, por outro lado, não tem independência funcional nenhuma. Seus agentes são plenamente supervisionados por suas estruturas internas e, no caso da polícia federal, também pelo Ministério da Justiça. Ocorre que se consolidou costume regulamentar de se respeitar o trabalho individual de cada delegado, com o imaginário corporativo de que essa independência se equipara à do ministério público. Mas isso, repito, é só o imaginário corporativo. No entanto, ninguém nega que, no Brasil, principalmente no plano federal, a polícia detém um poder significativo de pressão que dirige ao legislativo, onde dispõe de bancada própria, e ao executivo: é mais fácil o Ministro da Justiça cair por conta de um conflito com o diretor-geral da polícia federal, do que o contrário. Paulo Brossard foi nomeado para o Supremo como meio de tirá-lo do ministério, onde entrara em confronto com o diretor-geral Romeu Tuma.

Resumindo: com atores tão poderosos, muitas vezes além do que a lei lhes garante, o processo penal, para garantir os direitos do investigado/acusado, tem que se organizar de outra forma, criando um sistema de *checks and balances*" entre os três órgãos públicos envolvidos na persecução penal. Basicamente, se a polícia, na investigação, comete algum abuso, este pode ser prontamente corrigido pelo ministério público, que exerce o controle externo da atividade policial; se o ministério público se houver além dos limites legais, recorre-se ao juiz, que devolverá o processo ao seu leito natural; e se o juiz praticar ilegalidade, tem a segunda instância para corrigi-lo. Cada um no seu quadrado.

Por essa razão, não há previsão constitucional de investigação criminal pelo ministério público, para que as atribuições não se misturem. Ainda assim, o Supremo Tribunal Federal, ao julgar, com repercussão geral, o RE 593727/MG (rel. Min. Cezar Peluso, julgado em 14.5.2015), tem admitido *excepcionalmente* essa investigação pelo *parquet,* quando motivos extraordinários o recomendem (por ex. omissão da polícia ou envolvimento da polícia no crime). O que o acórdão omitiu é que, se essa investigação é excepcional, deve ser motivada e a motivação submetida previamente ao juiz, que reconhecerá, ou não, a hipótese de excepcionalidade. Esse controle é essencial para se ter transparência e "*accountability*" por parte do ministério público. Depois de autorizada a investigação, ela deve seguir o rito do inquérito policial, com remessa, a cada 30 dias, dos autos para o juiz, para que ele supervisione a atuação dentro do sistema de "*checks and balances*". Isso pressupõe que o juiz não seja parceiro do ministério público, combinando com este "o jogo", sob pena de colocar em sério risco as garantias fundamentais do investigado/acusado.

Forças tarefas que envolvem trabalho conjunto de polícia com ministério público na montagem do castelo teórico e na sua solidificação, sob a suspeita imiscuição do juiz em todas as etapas, são, por isso, inconstitucionais. Porque se os três atores públicos se mancomunam, ao invés de se controlarem sucessivamente, o jurisdicionado fica sem ter a quem recorrer contra eventuais abusos articulados. Isso viola o princípio do amplo acesso à justiça (nenhuma lesão de direito poderá ser subtraída da apreciação do judiciário) e inviabiliza a garantia do devido processo legal. Forças tarefas podem ser legitimamente constituídas entre órgãos da mesma administração: polícia e previdência social ou polícia e receita federal, mas jamais em atuação conjunta com órgão parajurisdicional ou jurisdicional, pois quebra a dinâmica do controle sucessivo.

O que se percebe, hoje, na força tarefa da Operação Lava Jato é precisamente isso: polícia, ministério público e juiz como parceiros de uma mesma empreitada, protegendo-se reciprocamente, tudo em nome da necessidade do rigor no combate à corrupção. Expõem-se castelos teóricos para o público que não são em absoluto conferíveis, para chegar a conclusões antecipadamente postuladas, por exemplo, de que Luiz Inácio Lula da Silva, o ex-Presidente, era o chefe de uma organização criminosa instalada em seus governos. Nenhuma prova sólida é apresentada, mas apenas suposições baseadas em duvidosas declarações de terceiros, muitos, verdadeiras testemunhas de *"hearsay"*, sem credibilidade, todas socadas nos "escaninhos" teóricos prévios. Mas fazem-se coletivas de imprensa em salas de conferências alugadas com dinheiro público, para apresentação de vistosos gráficos de *PowerPoint* de impressionante fragilidade, sempre em prol de uma teoria prévia, que desconhece a dignidade humana e a presunção de inocência do investigado exposto, por darem-se como definitivos os pressupostos hipotéticos dessa teoria montada.

Não se deve desconsiderar que o uso desse método de procurar explicar fatos complexos por uma série de hipóteses a serem testadas para formarem uma consistente teoria do crime atribuído ao investigado/acusado é um instrumento válido e legítimo, desde que, na busca da melhor verdade, se tenha flexibilidade no falseamento ou na refutação de uma ou outra hipótese e, com isso, permitir o reconhecimento da inocência de um ou outro implicado. O método não pode induzir um *"fait accompli"*, anulando o esforço da defesa. Por essa razão, os três poderosos atores públicos têm que ficar, cada um, em seu quadrado, evitando expectativas públicas por esse ou aquele modelo hipotético, precisamente para tornar real a flexibilidade do falseamento teórico ou a superação da teoria posta por outra, com fundamentos diversos, compondo novo paradigma. Só assim se garante ao jurisdicionado um *"fair trial"*.

Informação bibliográfica deste texto, conforme a NBR 6023:2002 da Associação Brasileira de Normas Técnicas (ABNT):

ARAGÃO, Eugênio José Guilherme de. "O risco dos castelos teóricos do Ministério Público em investigações complexas". *In*: ZANIN MARTINS, Cristiano; TEIXEIRA ZANIN MARTINS, Valeska; VALIM, Rafael (Coord.). *O Caso Lula*: a luta pela afirmação dos direitos fundamentais no Brasil. São Paulo: Editora Contracorrente, 2017, pp. 51-59. ISBN. 978-85-69220-19-0.

MORO CONSTRANGE E APEQUENA O SUPREMO TRIBUNAL FEDERAL

GERALDO PRADO

INTRODUÇÃO

Em 16 de março de 2016 os cidadãos Luiz Inácio Lula da Silva e Dilma Vana Rousseff tiveram sua conversa telefônica interceptada e o conteúdo foi amplamente divulgado pelos órgãos da comunicação social (televisão, rádio, jornais impressos e mídias sociais) com a autorização do juiz federal Sérgio Moro, que levantou o sigilo que incidia nos autos da investigação preliminar em curso na 13ª Vara Federal de Curitiba (Operação Lava Jato).

O fato é que o investigado Luiz Inácio Lula da Silva, ex-Presidente da República, estava sendo cogitado para o cargo de Ministro de Estado pela Presidenta Dilma Rousseff. A Presidenta da República, como estabelece a Constituição brasileira, está sujeita exclusivamente à competência do Supremo Tribunal Federal (STF), a mais alta corte brasileira, relativamente às investigações e processos por crime comum.

Isso é de conhecimento ordinário entre os profissionais do direito e, como ficou provado imediatamente, o juiz Sérgio Moro tinha inequívoca ciência de que ao surgir uma conversa envolvendo Ministros de Estado e/ou a Presidenta da República somente lhe cabia interromper desde logo a interceptação telefônica, preservar o sigilo do conteúdo apurado e enviar a investigação ao STF.

Apesar disso e de forma consciente, sem dúvida podendo prever as consequências políticas da exploração deturpada da conversa gravada – o que realmente ocorreu –, o magistrado indevidamente levantou o sigilo da interceptação e permitiu o acesso e exploração da conversa pelos meios de comunicação. Esta exploração indevida potencializou o episódio, em um cenário tenso de desenrolar de um golpe parlamentar, haja vista a instauração de processo de *impeachment* contra a Presidenta Dilma Rousseff sabidamente sem crime de responsabilidade.

Toda a atuação do juiz Sérgio Moro, orientada a interferir na vida política do país e a atingir a pessoa do ex-Presidente Lula, revelou-se violadora dos critérios objetivo e subjetivo que regem a imparcialidade dos juízes.

Isso é evidente, malgrado as circunstâncias políticas aparentem ter mais peso no momento que a força jurídica da Constituição. O juiz Sérgio Moro não ostenta o atributo da imparcialidade objetiva relativamente a quaisquer casos criminais que envolvam o ex-Presidente Lula.

Na oportunidade, a decisão ilegal do juiz Sérgio Moro repercutiu intensamente e agravou a crise política. Parte da elite brasileira nunca aceitou um presidente representante das classes populares e dos interesses nacionais e latino-americanos.

Em virtude disso escrevi e divulguei o texto que segue, com pequenas modificações, breve ensaio que também teve uma enorme repercussão.

Com a divulgação deste texto presto minhas homenagens ao ex-Presidente Luiz Inácio Lula da Silva. É oportuna a homenagem. Seguindo padrão que levou ao suicídio do Presidente Getúlio Vargas, em 1954, e à deposição dos presidentes democraticamente eleitos João Goulart (1964) e Dilma Vana Rousseff (2016), parte das nossas elites investe violentamente contra a figura pública de Lula.

MORO CONSTRANGE E APEQUENA O SUPREMO TRIBUNAL FEDERAL

Buscam destruir o ex-Presidente politicamente e com isso fechar as portas para alternativas políticas que não sejam aquelas tradicionalmente concentradoras de riquezas, com o sacrifício de direitos sociais e individuais prometidos durante a redemocratização e consagrados na Constituição de 1988.

O ódio que devotam a Lula, por ser ele um torneiro mecânico que se tornou o mais admirado presidente brasileiro de todos os tempos, é imenso e não há exagero em crer que o projeto em curso não se satisfará com a desejada destruição política de Lula.

Assim, a homenagem a Lula é também uma advertência: o respeito à Constituição da República não se submete a caprichos dos que ainda vivem inspirados na tradição autoritária que imaginávamos haver ficado no passado.

O TEXTO

A Presidenta da República Dilma Rousseff foi alvo da gravação ilícita de suas conversas telefônicas.

O que leva um juiz criminal a jogar às favas os escrúpulos e divulgar interceptações telefônicas sabidamente ilegais, que não podem estar em um processo penal e pela lei devem ser descartadas (art. 157, § 3º, do Código de Processo Penal),[1] deixando patente a inexistência de algum fiapo da imparcialidade que a Constituição lhe impõe?

Com efeito, o país está sob o impacto de gravações de conversas telefônicas da Presidenta da República Dilma Rousseff com o ex-Presidente Lula, que foram obtidas depois de ordenada pelo juiz Sérgio Moro a interrupção das interceptações, ciente de que o fato investigado

---

[1] Art. 157. São inadmissíveis, devendo ser desentranhadas do processo, as provas ilícitas, assim entendidas as obtidas em violação a normas constitucionais ou legais.

(...)

§ 3º Preclusa a decisão de desentranhamento da prova declarada inadmissível, esta será inutilizada por decisão judicial, facultado às partes acompanhar o incidente. (Incluído pela Lei n. 11.690, de 2008)

passaria, em tese, à competência do STF,[2] e mesmo em seguida à notícia desta ordem à Polícia Federal, que por sua vez se supunha responsável pela execução da medida.

Trata-se, friamente, de interceptações telefônicas ilícitas de uma Presidente da República, ao contrário do que foi divulgado pelo jornal O Globo.[3] Compreendem-se os motivos das Organizações Globo, que integram o conjunto de corporações que monopolizam a comunicação social no Brasil.[4] Mesmo com enorme boa vontade estes motivos não podem ser considerados meramente jornalísticos.

Em geral, as poucas pessoas interessadas no que escrevo são da área do Direito. Escrevo, portanto, em primeiro lugar, aos juristas – dos estudantes aos juízes. Outras pessoas poderão querer ler. Todos por certo são pessoas que reagiram e estão reagindo emocionalmente de alguma forma ao conteúdo das conversas de que tomaram conhecimento.

Reafirmo que considero legítima a tomada de posição pessoal diante dos fatos.

Todavia, dos juristas, que nesta quadra da história acreditava-se comprometidos com a Constituição e o estado de direito, não se pode exigir menos que a denúncia da grave ilegalidade praticada pelo magistrado e o repúdio a ações que remetem ao que houve de mais nocivo nas ditaduras Vargas e civil-militar de 1964: o recurso a interceptações

---

[2] Art. 102. Compete ao Supremo Tribunal Federal, precipuamente, a guarda da Constituição, cabendo-lhe:
I – processar e julgar, originariamente:
(...)
b) nas infrações penais comuns, o Presidente da República, o Vice-Presidente, os membros do Congresso Nacional, seus próprios Ministros e o Procurador-Geral da República;

[3] CASTRO, Fernando; NUNES, Samuel; NETTO, Vladimir. "Moro derruba sigilo e divulga grampo de ligação entre Lula e Dilma; Ouça". *G1*, Rio de Janeiro, 16 mar. 2016. Disponível em http://g1.globo.com/pr/parana/noticia/2016/03/pf-libera-documento-que-mostraligacao-entre-lula-e-dilma.html. Acesso em 21.09.2016.

[4] BAYMA, Israel Fernando de Carvalho. "A concentração da propriedade de meios de comunicação e o coronelismo eletrônico no Brasil". *Revista de Economia Política das Tecnologias da Informação e Comunicação*, Vol. 3, n. 3, Set/Dez. 2001. Disponível em http://docplayer.com.br/12867942-A-concentracao-da-propriedade-de-meios-decomunicacao-e-o-coronelismo-eletronico-no-brasil.html. Acesso em 21.09.2016.

MORO CONSTRANGE E APEQUENA O SUPREMO TRIBUNAL FEDERAL

telefônicas clandestinas. Um jurista que não reprova os métodos do juiz Sérgio Moro equivale aos juristas que não reprovaram as práticas arbitrárias durante o Governo militar. Houve muitos deles, alguns foram Ministros da Justiça dos generais Castello Branco, Costa e Silva e Médici.

A questão que me propus foi tentar entender a razão de o juiz Sérgio Moro ter, confessadamente, violado a lei. Por que, afinal, no lugar de cumprir a lei geral, o Código de Processo Penal, e a específica que regula as interceptações telefônicas (Lei n. 9.296/96), e descartar conversas gravadas ilicitamente[5] ou, como em sua decisão declarou que o faria, encaminhar todo o material ao Supremo Tribunal Federal, o magistrado optou por tornar pública a conversa registrada ilegalmente?

As explicações mais elementares, que circularam nas redes sociais, não me convenceram. As desfavoráveis ao ato praticado por ele – conspiração para derrubar o governo, pois as passeatas de 13 de março de 2016, expressivas, cingiram-se a um setor da sociedade e não foram transversais – não me persuadiram. Derrubar o governo poderia ser um efeito da divulgação, mas era necessário sacrificar sua condição de magistrado para isso, algo que não me parece que o juiz Sérgio Moro estivesse disposto a fazer.

As favoráveis ao ato – interesse público na divulgação – também não me convenceram, mas me chamaram atenção e este é o assunto do artigo.

O juiz Sérgio Moro, mais do que o comum dos mortais, que está influenciado pelo teor das conversas, tem pleno conhecimento de seus limites de competência e sabe que os viola quando ordena ou preserva interceptações de investigado com Deputados, advogados e a Presidente da República. O magistrado tem plena consciência de que não podia gravar estas conversas, tampouco divulgá-las, por causa de sua origem

---

[5] Art. 9º A gravação que não interessar à prova será inutilizada por decisão judicial, durante o inquérito, a instrução processual ou após esta, em virtude de requerimento do Ministério Público ou da parte interessada.

Parágrafo único. O incidente de inutilização será assistido pelo Ministério Público, sendo facultada a presença do acusado ou de seu representante legal.

ilícita, na medida em que houve invasão da competência do Supremo Tribunal Federal (STF).[6]

Se o real motivo para a divulgação houvesse consistido em evitar obstrução à justiça – que em seu despacho, sem sinceridade alguma da parte do juiz, este afirmou não ser seduzível por iniciativas antirrepublicanas – bastaria encaminhar os autos ao STF.

Mas não. Antes de enviar os autos ao STF, no qual o juiz declara confiar, o magistrado habilmente permite o acesso da comunicação social ao conteúdo obtido ilegalmente. O juiz Sérgio Moro sabia que os jornais aguardavam alguma decisão sua sobre transferência de competência e, portanto, difundiriam a notícia da conversa entre Presidenta e ex-Presidente da República e podia prever que algumas empresas de comunicação o fariam, como de fato ocorreu, sem qualquer juízo crítico acerca da ilegalidade, centrando-se no tom das conversas e não na violação da intimidade e na flagrante incompetência do juízo criminal de Curitiba.

O trecho de seu despacho em que afirma que o ex-Presidente desconfiava estar sendo monitorado em suas conversas telefônicas já entrou para a história da Ciência Política latino-americana. Claro, entrou pela porta dos fundos, porque incoerente com o teor de conversas gravadas fora do abrigo legal.

Concluo que a única explicação que faz sentido, relativamente ao ato praticado por Sérgio Moro, é a de que sabia que mesmo o mais tolerante Ministro do STF não concordaria em aproveitar em processo algum uma interceptação telefônica ilícita.

Contava o magistrado, interessado evidentemente no desfecho de um caso criminal que sequer começou – não havia denúncia contra o ex-Presidente, mas apenas uma investigação que tramitava no Paraná – que a revolta de grande parte da opinião pública constrangesse o STF a "lavar" uma prova de origem ilícita, isto é, torná-la aceitável à luz de uma

---

[6] Lei n. 9.296/96. Art. 10. Constitui crime realizar interceptação de comunicações telefônicas, de informática ou telemática, ou quebrar segredo da Justiça, sem autorização judicial ou com objetivos não autorizados em lei. Pena: Reclusão, de dois a quatro anos, e multa.

impossível ponderação entre interesses. A Constituição da República, ao estabelecer o regime jurídico da proibição das provas obtidas por meios ilícitos, de forma intencional, à vista da precedente história autoritária, não contempla exceção.

Ao longo de todo o processo da Lava Jato o magistrado buscou apequenar as garantias constitucionais. Fez pouco caso da imparcialidade nas investigações (violando indiretamente o decidido pelo STF na ADI 1.570),[7] decretou prisões em inquéritos porque convencido da culpa de investigados e assim ignorou a presunção de inocência, sustentou que a prova para condenar não haveria de necessariamente excluir a credibilidade de versões defensivas, e, por fim e pelo conjunto da obra, deu crédito à tese processual penal do período pré-1988, talvez fiel ao que defendem alguns Procuradores da República: de que é necessário relativizar a proibição de uso de prova ilícita (*male captum bene retentum*).

Em suma, na Lava Jato o magistrado construiu sua própria Constituição, à revelia daquela que dirige os atos dos juízes no estado de direito. Se confiasse na legalidade de seu ponto de vista – e sinceramente

---

[7] ADI 1570. Tribunal Pleno do Supremo Tribunal Federal. Relator: Ministro Maurício Corrêa. Requerente: Procurador-Geral da República. Julgamento em 12 de fevereiro de 2004. Neste julgamento o STF definiu a proibição de os juízes investigarem. Muito embora o juiz Sérgio Moro não aja diretamente como acusador, o conjunto de atuações que desenvolve, produzindo em cada processo elementos probatórios sem pertinência para o caso, com o propósito de utilizar estes elementos em futuros processos, caracteriza técnica indireta de investigação, de atribuição constitucional exclusiva da Polícia e do Ministério Público. Constituição da República: "Art. 129. São funções institucionais do Ministério Público:I – promover, privativamente, a ação penal pública, na forma da lei;
Art. 144. A segurança pública, dever do Estado, direito e responsabilidade de todos, é exercida para a preservação da ordem pública e da incolumidade das pessoas e do patrimônio, através dos seguintes órgãos:
[...] § 1º A polícia federal, instituída por lei como órgão permanente, organizado e mantido pela União e estruturado em carreira, destina-se a:
I – apurar infrações penais contra a ordem política e social ou em detrimento de bens, serviços e interesses da União ou de suas entidades autárquicas e empresas públicas, assim como outras infrações cuja prática tenha repercussão interestadual ou internacional e exija repressão uniforme, segundo se dispuser em lei".

confiasse no STF – o juiz simplesmente enviaria os autos ao Supremo, pois no STF seriam tomadas as medidas repressivas que reputassem necessárias.

Ao preferir preceder o envio de publicidade midiática, tornando públicas gravações ilegais, o juiz revelou sua desconfiança na possibilidade dos Ministros do STF endossarem a prova ilícita e os apequenou, ao colocar em teste a capacidade deles de julgarem contra a opinião pública.

Ficou evidente que para o juiz Sérgio Moro os fins – que fins? – justificam os meios.

Ao explodir o caldeirão da política brasileira, imiscuindo-se em temas alheios ao procedimento preliminar que conduzia, além de ferir a regra básica que estipula que o juiz deve ser objetivamente imparcial, o magistrado Sérgio Moro desafiou os Ministros da mais alta corte brasileira, hipoteticamente assim:

"– vocês, alguns citados nas conversas telefônicas, terão coragem de honrar seu juramento de defesa da Constituição, mesmo contra a opinião pública e eventual sentimento pessoal de decepção, e declararão a ilicitude de minha conduta? – ou cederão e concederão à prova ilícita o valor jurídico que ela não tem, assumindo o risco de redirecionar para o STF os protestos e a frustração de grande parte da opinião pública? 'Se o fizerem, terei vencido na tese de que os fins justificam os meios'".

Alguns juristas que leem este texto podem alinhar-se ao pensamento de Sérgio Moro. Há muitos que acreditam que advogados que defendem pessoas odiadas também devem ser odiados, que as garantias do processo são carta branca para a criminalidade, que a legitimidade das decisões judiciais é aferida pelo grau de contentamento da opinião pública. Vários destes juristas divulgaram as conversas gravadas ilegalmente.

Para estes o que posso dizer vem da poesia e da lição da história. Os torturadores de todos os tempos acreditaram-se fazedores de justiça.

No "Fado Tropical", nos anos 70, o compositor Chico Buarque de Hollanda os imortalizou:

"Sabe, no fundo eu sou um sentimental. Todos nós herdamos no sangue lusitano uma boa dosagem de lirismo (além da sífilis, é claro). Mesmo quando as minhas mãos estão ocupadas em torturar, esganar, trucidar, o meu coração fecha os olhos e sinceramente chora...".

"Meu coração tem um sereno jeito

E as minhas mãos o golpe duro e presto,

De tal maneira que, depois de feito,

Desencontrado, eu mesmo me contesto.

Se trago as mãos distantes do meu peito

É que há distância entre intenção e gesto

E se o meu coração nas mãos estreito,

Me assombra a súbita impressão de incesto".

"Quando me encontro no calor da luta

Ostento a aguda empunhadura à proa,

Mas meu peito se desabotoa.

E se a sentença se anuncia bruta

Mais que depressa a mão cega executa,

Pois que senão o coração perdoa".

Se pensas, jurista, que é o teu sentimento cívico, patriótico, que te faz ignorar os deveres da Constituição, saibas que por trás de todo gesto violador há o prazer. Te encontras com este teu prazer, essa "súbita impressão de incesto", mas não invoque o Direito e a Justiça. Eles não estão contigo.

Informação bibliográfica deste texto, conforme a NBR 6023:2002 da Associação Brasileira de Normas Técnicas (ABNT):

PRADO, Geraldo. "Moro constrange e apequena o Supremo Tribunal Federal". *In*: ZANIN MARTINS, Cristiano; TEIXEIRA ZANIN MARTINS, Valeska; VALIM, Rafael (Coord.). *O Caso Lula*: a luta pela afirmação dos direitos fundamentais no Brasil. São Paulo: Editora Contracorrente, 2017, pp. 61-69. ISBN. 978-85-69220-19-0.

O ENFRENTAMENTO DA CORRUPÇÃO NOS LIMITES DO ESTADO DE DIREITO

RAFAEL VALIM

PABLO ÁNGEL GUTIÉRREZ COLANTUONO

I. INTRODUÇÃO

Este é um texto de intervenção. Neste momento trágico da história brasileira e latino-americana, em que o autoritarismo, a intolerância, o ódio, o egoísmo e a insensatez ressurgem com grande força, impõe-se ao jurista, inelutavelmente, o engajamento, aberto e declarado, na resistência democrática.

Neste contexto, a salvaguarda dos direitos fundamentais do ex-Presidente Luiz Inácio Lula da Silva não traduz um interesse individual, partidário ou mesmo ideológico, senão que representa uma das principais bandeiras em favor do Estado Democrático de Direito no Brasil. Aliás, a temerária e, por vezes, ridícula sanha persecutória de que é vítima Lula confirma, irretorquivelmente, a transcendência de sua defesa para a preservação da ordem democrática brasileira.

Nunca é demais reforçar que os direitos fundamentais constituem um patrimônio comum da sociedade, não podendo estar jamais a serviço das ideologias dominantes. A presunção de inocência, a inviolabilidade da intimidade e da vida privada, o sigilo de comunicações, entre outros direitos fundamentais, não pertencem à esquerda ou à direita. São eles conquistas civilizatórias inegociáveis, *de que é titular toda e qualquer pessoa.*

II. ESTADO DE DIREITO: UMA BREVE APROXIMAÇÃO TEÓRICA

Antes de ingressar no tema da corrupção, convém empreender, ainda que a breve trecho, uma aproximação ao conceito de Estado de Direito.

A categoria histórico-jurídica do Estado de Direito constitui a consagração de um projeto ideológico que teve em mira assegurar a liberdade e, sobretudo, a segurança dos indivíduos, mediante a demarcação dos limites entre o poder e a prepotência, a discricionariedade e a arbitrariedade.[1]

O Estado se torna mero instrumento dos indivíduos, a cujas decisões, traduzidas na lei, deve estrita obediência. Há, portanto, uma limitação jurídica do Estado e dos titulares do poder em favor da garantia dos direitos fundamentais dos indivíduos. Na lição de Jorge Reis Novais, "Estado de Direito será, então, o Estado vinculado e limitado juridicamente em ordem à protecção, garantia e realização efectiva dos direitos fundamentais, que surgem como indisponíveis perante os detentores do poder e o próprio Estado".[2]

Não é demais encarecer que os direitos fundamentais são limites ao Poder. Nasceram com a clara finalidade de impedir que uma maioria conjuntural possa, com base em uma "legitimidade de origem", violar os direitos humanos. São, em síntese, indisponíveis, transformando-se em um limite ao próprio sistema democrático.

---

[1] VALIM, Rafael. *O princípio da segurança jurídica no Direito Administrativo brasileiro.* São Paulo: Malheiros, 2010, p. 31.

[2] NOVAIS, Jorge Reis. *Contributo para uma teoria do Estado de Direito*: do Estado de Direito liberal ao Estado Social e Democrático de Direito. Coimbra: Almedina, 2006, p. 26.

Em rigor, representam mais que um limite, já que são o próprio fundamento do sistema democrático e constitucional. A proteção transnacional reforça esta perspectiva ao apresentar-se como instância internacional de proteção dos direitos fundamentais, dada a real possibilidade de que os Estados descumpram os compromissos internacionais assumidos nos Tratados Regionais e Universais de Direitos Humanos.

Por isso afirmar-se que os direitos fundamentais são um limite à própria discricionariedade e aos poderes de todo tipo e natureza, sejam eles econômicos, políticos, sociais, midiáticos, entre outros. Cumpre recordar que o Pacto de San José da Costa Rica expressamente impõe obrigações não só aos Estados – seus principais destinatários – senão que também a todas as pessoas, com vistas à concretização dos mandamentos convencionais e éticos dos direitos humanos.

Dentro desta perspectiva, resta assinalar que, *nos quadrantes do Estado de Direito, todos os agentes públicos, indistintamente, devem observar os fins e, sobretudo, os meios previstos na ordem jurídica. Ou seja, no interior do Estado de Direito, os fins jamais justificam os meios.*

III. CORRUPÇÃO: FENÔMENO, DISSIMULAÇÃO E ENFRENTAMENTO

É um truísmo afirmar que a corrupção ocupa o centro das reflexões políticas desde a Antiguidade.[3]

Apesar do especial interesse que o tema sempre despertou, continua ele sendo, entretanto, ora mal compreendido – sob influência moralista –, ora usado de maneira *estratégica*, por meio de falsas leituras da realidade com vistas à consecução de determinados fins.

Ilustram este uso estratégico as afirmações, assustadoramente frequentes, de que a corrupção seria maior em Estados Intervencionistas que em Estados Reguladores, que ela seria um fenômeno próprio de

---

[3] ROSANVALLON, Pierre. *Le bon gouvernement*. Paris: Seuil, 2015, p. 353.

Estados subdesenvolvidos ou até mesmo que a iniciativa privada seria um reino virtuoso, infenso à práticas corruptas.

Todos estes exemplos, malgrado configurem inverdades,[4] servem ao propósito de legitimar, sob uma aparência de neutralidade, o projeto neoliberal de desmonte do Estado Social de Direito em prol da cruel dominação de uma elite financeira internacional profundamente corrupta.

Mais perigoso, porém, que o uso estratégico da corrupção, é o tratamento dispensado ao chamado "combate à corrupção". Por mais que possa parecer absurdo ou até mesmo contraditório, esta expressão vem se revelando uma seríssima ameaça aos direitos fundamentais, tendo se convertido em um verdadeiro *Cavalo de Tróia* do Estado de Direito moderno.

É de todo óbvio que a corrupção destrói a confiança que torna possível o sistema representativo e solapa as bases do Estado Democrático de Direito, na medida em que subtrai os meios financeiros indispensáveis à realização dos direitos fundamentais.[5]

Contudo, a gravidade do ato de corrupção – à semelhança de outros comportamentos odiosos, que merecem o mais veemente repúdio da sociedade – não pode, jamais, justificar o desrespeito ao Direito e, sobretudo, o amesquinhamento de direitos fundamentais.

Ainda que animados de boas intenções, aos agentes públicos incumbidos da persecução dos atos de corrupção não é dado transgredir as normas jurídicas. *Não há alternativa à legalidade democrática.* Trata-se de uma disjuntiva impossível. Em outras palavras, *só pode haver enfrentamento da corrupção dentro dos limites do Estado de Direito.*

---

[4] MAIRAL, Héctor A. *Las raíces legales de la corrupción*: o de como el derecho público fomenta la corrupción en lugar de combatirla. Buenos Aires: RAP, 2007, pp. 16-18; VALDÉS, Ernesto Garzón. Acerca del concepto de corrupción. *In*: CARBONELL, Miguel; VÁSQUEZ, Rodolfo (Coord.). *Poder, derecho y corrupción.* Cidade do México: Siglo Ventiuno, 2003, pp. 19/20; SOUZA, Jessé. *A tolice da inteligência brasileira*: ou como o país se deixa manipular pela elite. São Paulo: LeYa, 2015, p. 91.

[5] Sobre este aspecto, recomendamos a leitura do documento intitulado "The human rights case against corruption", de autoria do Escritório do Alto Comissário das Nações Unidas para os Direitos Humanos – EACDH.

IV. O CASO BRASILEIRO: SELETIVIDADE PERSECUTÓRIA E VULNERAÇÃO DOS DIREITOS FUNDAMENTAIS

No atual momento brasileiro, sob os aplausos interesseiros da mídia nativa e o êxtase moralista da classe média, assiste-se, a título de "combater a corrupção", a um combate à Constituição Federal e aos direitos fundamentais.

Há dois movimentos simultâneos, ambos presididos por agentes públicos: uma *evidente seletividade persecutória e uma escancarada investida contra os direitos fundamentais*.

A *seletividade no enfrentamento da corrupção é uma forma suprema de corrupção*. Não só subverte e mascara o processo político – separa, enganosamente, os "bons" dos "maus" –, como também contribui para o já generalizado desencanto dos indivíduos com o regime democrático.

Já em matéria de vulneração de direitos fundamentais, comparece, de um lado, o *Poder Judiciário como fonte de exceção*[6] e, de outro, *um explícito movimento de ataque às cláusulas pétreas da Constituição Federal capitaneado pelo Ministério Público Federal*.

O decisionismo de parcela do Poder Judiciário é a prova irrefutável do colapso do Estado de Direito brasileiro e a instalação, entre nós, de um insolente Estado de Exceção.

Com o esvaziamento da Constituição Federal, assalta-se, sem armas, a soberania popular. Em rigor, alguns membros do Poder Judiciário se transformaram na encarnação do soberano schmittiano ("est souverain celui qui décide de l'état d'exception").[7]

Saliente-se que o aludido Estado de Exceção não é um "delírio" dos "críticos da Operação Lava Jato". Ele foi proclamado, para o escárnio universal do Judiciário brasileiro, pelo Desembargador Federal

---

[6] SERRANO, Pedro Estevam Alves Pinto. *Autoritarismo e golpes na América Latina*: breve ensaio sobre jurisdição e exceção. São Paulo: Alameda, 2016.

[7] SCHMITT, Carl. *Théologie politique*. Paris: Gallimard, 1988, p. 15.

Rômulo Pizzollatti, ao decidir pelo arquivamento de representação contra o Juiz Federal Sérgio Moro.[8] Eis os termos da histórica decisão.[9]

> Ora, é sabido que os processos e investigações criminais decorrentes da chamada "Operação Lava-Jato", sob a direção do magistrado representado, constituem caso inédito (único, excepcional) no direito brasileiro. Em tais condições, neles haverá situações inéditas, que escaparão ao regramento genérico, destinado aos casos comuns. Assim, tendo o levantamento do sigilo das comunicações telefônicas de investigados na referida operação servido para preservá-la das sucessivas e notórias tentativas de obstrução, por parte daqueles, garantindo-se assim a futura aplicação da lei penal, é correto entender que o sigilo das comunicações telefônicas (Constituição, art. 5º, XII) pode, em casos excepcionais, ser suplantado pelo interesse geral na administração da justiça e na aplicação da lei penal. A ameaça permanente à continuidade das investigações da Operação Lava-Jato, inclusive mediante sugestões de alterações na legislação, constitui, sem dúvida, uma situação inédita, a merecer um tratamento excepcional.

Eis o alcance teratológico desta decisão: *a depender das circunstâncias, um juiz pode simplesmente recusar aplicação à Constituição Federal*. A vigência de garantias como juiz natural, presunção de inocência, ampla defesa e sigilo de comunicações passa a estar ao talante da função jurisdicional.

Neste ponto devemos ser claros: no sistema moderno do Estado Constitucional e Convencional de Direito, os juízes são os garantidores fundamentais e últimos de, ao menos, duas garantias essenciais: o devido processo legal e o princípio da presunção de inocência. É terminantemente proibido desrespeitá-las. Se o juiz as vulnera, perde independência

---

[8] A este respeito, não se pode deixar de saudar o eminente Desembargador Federal Rogério Favreto, pois foi o único membro da Corte Especial do Tribunal Regional Federal da 4ª Região que votou pela abertura de processo disciplinar contra o Juiz Federal Sergio Moro.

[9] P.A. N. 0003021-32.2016.4.04.8000/RS – Corte Especial.

e imparcialidade, condições imprescindíveis para o exercício da função jurisdicional. As "alegações" de "lutas morais" com a finalidade de justificar a debilitação das mencionadas garantias fundamentais resultam, invariavelmente, no fracasso do Estado de Direito.

Como se isso não fosse bastante, o Ministério Público Federal instalou, sob o rótulo "10 Medidas Contra a Corrupção", uma insólita cruzada *contra* as cláusulas pétreas da Constituição Federal. Embora se afigure surreal, é a triste realidade brasileira: o Ministério Público, ao qual a Constituição Federal assinou a elevada missão de "defesa da ordem jurídica, do regime democrático e dos interesses sociais e individuais indisponíveis", agora promove uma intensa campanha política e midiática contra o *núcleo imodificável da Constituição*.

Relembre-se, oportunamente, que é justamente contra maiorias ocasionais ou delírios messiânicos que o constitucionalismo avançou em direção à consagração de matérias que são subtraídas da arena democrática. A Constituição Federal, em seu art. 60, § 4º, foi enfática: "não será objeto de *deliberação a proposta de emenda tendente a abolir*" a forma federativa de Estado; o voto direto, secreto, universal e periódico; a separação dos Poderes; e os direitos e garantias individuais". É dizer: a Constituição proíbe a própria deliberação sobre propostas destinadas à abolir as cláusulas pétreas, a evidenciar o quão funestas e deploráveis são as aludidas "10 Medidas Contra a Corrupção".

Apenas a título exemplificativo, o Ministério Público Federal propõe a limitação ao uso do *habeas corpus*, a relativização do princípio da proibição da prova ilícita, o amesquinhamento do princípio da presunção de inocência e a criação de tipos penais que, na prática, invertem o ônus da prova.

V. CONCLUSÃO

Ao cabo destas reflexões, conclui-se que, diferentemente das análises laudatórias sobre o enfrentamento da corrupção no Brasil, estamos caminhando a passos largos rumo à barbárie.

Em vez de travar-se uma luta estrutural contra a corrupção, com a eliminação das "raízes legais"[10] deste fenômeno e o aprofundamento dos instrumentos de transparência administrativa em todos os Poderes – notadamente no Poder Judiciário, campeão em opacidade[11] –, prefere-se a ignóbil saída da retirada de direitos fundamentais, cujo resultado será, como sempre, a exponencial ampliação das arbitrariedades cometidas contra os pobres e miseráveis de nosso país.

Nossa América Latina já pagou com sangue a ruptura do Estado de Direito. Mas foi exatamente por meio da garantia do devido processo legal que boa parte da mesma América Latina demonstrou ao mundo a possibilidade de realizar a justiça e a verdade nos juízos de lesa-humanidade.

Excepcionar as regras gerais do devido processo legal em uma persecução criminal por considerar o caso "grave", "especial", "complexo" ou qualquer outro qualificativo, é manifestamente inconstitucional e inconvencional. Ao desrespeitar-se o devido processo legal fracassamos todos como sociedade. Não é, reiteramos, um tema que só interessa à pessoa cuja esfera jurídica é seriamente afetada. Trata-se da perda de nossa própria humanidade.

REFERÊNCIAS BIBLIOGRÁFICAS

BANDEIRA DE MELLO, Celso Antônio. *Curso de Direito Administrativo.* 33ª ed. São Paulo: Malheiros, 2016.

CARBONELL, Miguel; VÁSQUEZ, Rodolfo (Coord.). *Poder, derecho y corrupción.* Cidade do México: Siglo Ventiuno, 2003.

COLANTUONO, Pablo Ángel Gutiérrez. *Administración Pública, juridicidad y derechos humanos.* Buenos Aires: Abeledo Perrot, 2009.

---

[10] A expressão é do Professor argentino Héctor Mairal (*Las raíces legales de la corrupción:* o de como el derecho público fomenta la corrupción en lugar de combatirla. Buenos Aires: RAP, 2007).

[11] Recente relatório da Artigo 19 sobre os Tribunais de Justiça Estaduais, por ocasião do aniversário de quatro anos de vigência da Lei de Acesso à Informação (Lei n. 12.527/2011), revela que o Poder Judiciário é o mais opaco dos três Poderes.

O ENFRENTAMENTO DA CORRUPÇÃO NOS LIMITES DO ESTADO...

MAIRAL, Héctor A. *Las raíces legales de la corrupción*: o de como el derecho público fomenta la corrupción en lugar de combatirla. Buenos Aires: RAP, 2007.

NOVAIS, Jorge Reis. *Contributo para uma teoria do Estado de Direito*: do Estado de Direito liberal ao Estado Social e Democrático de Direito. Coimbra: Almedina, 2006.

ROSANVALLON, Pierre. *Le bon gouvernement*. Paris: Seuil, 2015.

SCHMITT, Carl. *Théologie politique*. Paris: Gallimard, 1988.

SERRANO, Pedro Estevam Alves Pinto. *Autoritarismo e golpes na América Latina*: breve ensaio sobre jurisdição e exceção. São Paulo: Alameda, 2016.

_____; VALIM, Rafael. "O voluntarismo à brasileira e a corrosão da República", 2016. Disponível em:<http://www.cartacapital.com.br/politica/o-voluntarismo-a-brasileira-e-a-corrosao-da-republica>. Acesso em 24 de out. 2016.

SOUZA, Jessé. *A tolice da inteligência brasileira*: ou como o país se deixa manipular pela elite. São Paulo: LeYa, 2015.

VALDÉS, Ernesto Garzón. "Acerca del concepto de corrupción". *In*: CARBONELL, Miguel; VÁSQUEZ, Rodolfo (Coord.). *Poder, derecho y corrupción*. Cidade do México: Siglo Ventiuno, 2003.

VALIM, Rafael. *O princípio da segurança jurídica no Direito Administrativo brasileiro*. São Paulo: Malheiros, 2010.

_____. "Panorama do controle da Administração Pública". *In*: DALLARI, Adilson Abreu; VALDER DO NASCIMENTO; SILVA MARTINS, Ives Gandra (Coord.). *Tratado de Direito Administrativo*. Tomo I. São Paulo: Saraiva, 2013.

_____; SERRANO, Pedro Estevam Alves Pinto. "O voluntarismo à brasileira e a corrosão da República", 2016. Disponível em:< http://www.cartacapital.com.br/politica/o-voluntarismo-a-brasileira-e-a-corrosao-da-republica>. Acesso em 24 de out. 2016.

Informação bibliográfica deste texto, conforme a NBR 6023:2002 da Associação Brasileira de Normas Técnicas (ABNT):

COLANTUONO, Pablo Ángel Gutiérrez; VALIM, Rafael. "O enfrentamento da corrupção nos limites do Estado de Direito". *In*: ZANIN MARTINS, Cristiano; TEIXEIRA ZANIN MARTINS, Valeska; VALIM, Rafael (Coord.). *O Caso Lula:* a luta pela afirmação dos direitos fundamentais no Brasil. São Paulo: Editora Contracorrente, 2017, pp. 71-79. ISBN. 978-85-69220-19-0.

ALIANÇA POLÍTICA ENTRE MÍDIA E JUDICIÁRIO (OU QUANDO A PERSEGUIÇÃO TORNA-SE IMPLACÁVEL)

GISELE CITTADINO
LUIZ MOREIRA

A ampliação do raio de ação do Poder Judiciário, uma das marcas de muitas das democracias contemporâneas, não pode representar qualquer incompatibilidade com um regime político democrático, ainda que a incidência política da justiça possa variar segundo os países. Se o atual protagonismo do Poder Judiciário pode ser visto positivamente, na medida em que hermenêuticas constitucionais podem ampliar direitos, é evidente que os princípios do estado de direito, as liberdades individuais e a soberania cidadã não podem ser violados por tal expansão. Afinal, ainda que o ativismo judicial transforme em questão problemática os princípios da separação dos poderes e da neutralidade política do Poder Judiciário e, ao mesmo tempo, inaugure um tipo inédito de espaço público[1], desvinculado das clássicas instituições político-representativas,

---

[1] Os homossexuais inauguram um tipo inédito de espaço público quando atuam no âmbito do STF, demandando que lhes seja reconhecida a união civil entre pessoas do mesmo sexo, ainda que a Constituição Federal faça referência ao casamento entre um homem e uma mulher.

isso não significa que os processos deliberativos democráticos devam conduzir as instituições judiciais, transformando os tribunais em regentes republicanos das liberdades positivas dos cidadãos ou de grupos culturalmente hegemônicos. Foi precisamente por isso que obteve ampla repercussão no Brasil a afirmação do Ministro Ricardo Lewandowski, ex-presidente do Supremo Tribunal Federal, segundo a qual "no século XXI, o protagonismo no Brasil cabe ao Judiciário". Precisamos, pois, discutir a tarefa que cabe ao Judiciário em um cenário institucional em que há crescente demanda por participação popular nas instâncias decisórias, sua possível subordinação aos interesses dos grupos que detêm hegemonia política ou cultural e a maneira pela qual essas questões interferem na produção de um consenso expresso pela opinião pública, induzido ou formulado pela mídia.

Em primeiro lugar, surge a pergunta pela tarefa do Judiciário em uma democracia constitucional, na qual se exige das instituições uma rigorosa justificação de suas funções. Assim, não se atribui ao Poder Judiciário "fazer" justiça, pois o voluntarismo ou o decisionismo judicial cede lugar a uma atuação institucional em que o "fazer justiça" significa o cumprimento correto dos procedimentos estabelecidos pelo ordenamento jurídico. Portanto, fazer justiça é o desincumbir-se de uma correção procedimental em que há uma sucessão lógica de acontecimentos, não sujeita a humores, a arbitrariedades ou a caprichos. Desse modo, aliando-se um sistema coerente de direitos a uma lógica piramidal judiciária, com primazia das decisões colegiadas sobre as individuais, há a institucionalização do Judiciário como garantidor dos direitos fundamentais dos cidadãos. Afinal, dado o pluralismo social, cultural e dos projetos individuais de vida do mundo contemporâneo, a interpretação e a prestação jurisdicional devem procurar estabelecer aquilo que é correto e não aquilo que é preferencialmente bom, dada uma ordem específica de valores.

Diferentemente da moral, o direito se aproxima de uma racionalidade procedimental completa, pois as normas e os procedimentos jurídicos estão vinculados a critérios institucionalizados, que são não apenas independentes dos participantes, como possibilitam uma avaliação – que inclui participantes e observadores – acerca da correção da

ALIANÇA POLÍTICA ENTRE MÍDIA E JUDICIÁRIO (OU QUANDO...

decisão tomada. Ao mesmo tempo, tais procedimentos e normas encontram sua legitimidade nos procedimentos legislativos democráticos que os institucionalizam. Nesta perspectiva, se as normas morais se fundamentam em procedimentos discursivos práticos, as normas jurídicas concretas encontram sua justificação no procedimento democrático de elaboração legislativa. O sentido deontológico de validade das normas jurídicas decorre precisamente desta ideia de que a legitimidade do direito deriva da sua legalidade.

As normas jurídicas possuem, portanto, um sentido deontológico de validade e desta maneira devem ser interpretadas e aplicadas, pois expressam a natureza de uma obrigação, não sendo possível um processo hermenêutico orientado por princípios substantivos, como se um juiz se destacasse por sua virtude ou por seu acesso privilegiado à verdade, especialmente quando estamos inseridos em mundos da vida em que verdades podem ser construídas por grupos culturalmente hegemônicos.

Diante da perspectiva de que os sistemas de justiça podem vir a obter sua legitimidade da opinião pública, passa ele a sofrer forte influência tanto de grupos capazes de representação quanto de consensos que traduzem modos de vida desses mesmos agrupamentos. Assim, se é verdade que o Direito só é legítimo na medida em que é produzido pela democracia, também o é a necessidade de uma contenção, a fim de distinguir o sistema de justiça das instituições políticas.

A Constituição brasileira diferenciou os poderes políticos, aos quais compete estabelecer as regras de conduta em processo majoritário de decisão, e o poder judiciário, técnico e contramajoritário, cuja tarefa é decidir os conflitos utilizando-se das normas criadas pelas decisões oriundas daqueles poderes eleitos pela soberania popular, contrariando, se necessário, opinião dos grupos hegemônicos, sejam eles econômicos, culturais, corporativos ou midiáticos.

De outra parte, como em qualquer sistema, no de justiça há uma falha estrutural que propicia o surgimento de um estado de exceção na democracia constitucional. Essa exceção autoritária, que pode conviver com o constitucionalismo democrático, permite a institucionalização da violência, transformando cidadãos em inimigos desse sistema. Na mídia, essa violência se cristaliza quando o cidadão é transformado em alvo de campanha jornalística cujo propósito é caracterizá-lo como inimigo do agrupamento hegemônico. Nessa hipótese, a pena a que o cidadão é submetido não advém de sua condenação, mas de sua permanente exposição pública como investigado ou como réu, não importando se culpado ou inocente. Afligido pelas peculiaridades burocráticas, pela linguagem própria e pela demora inerente ao processo judicial, o castigo do cidadão ocorre com sua submissão ao processo judicial.

No Brasil tem sido cada vez mais frequente que juízes e membros do ministério público emitam opiniões sobre os assuntos mais diversos da vida política nacional. Não raro essas opiniões expressam críticas a poderes, censuras a instituições, contêm até mesmo prognósticos políticos ou simplesmente antecipam suas opiniões sobre fatos e pessoas submetidas à sua jurisdição. Essas condutas não são ortodoxas, contrariam não apenas a tradição judiciária segundo a qual ao juiz compete uma atuação reservada aos feitos judiciais sob seus cuidados, como também estimulam o justiçamento dos cidadãos, reforçando a tese de que alguns podem ser inimigos do sistema de justiça. A fim de se manter equidistante das disputas, o magistrado não deve disputar a hegemonia política, não pode criar narrativas, nem antecipar juízo de culpabilidade e tampouco colaborar para que a mídia promova a execração de cidadãos.

Na medida em que magistrados angariam simpatia popular ou se constituem como fontes do noticiário, imiscuindo-se em assuntos tradicionalmente reservados aos partidos, à sociedade civil organizada, aos poderes políticos e à construção das narrativas políticas, tornam-se atores políticos como os demais, não podendo mais desfrutar do papel de árbitros das disputas. Por isso, além de imparciais, os membros do sistema de justiça devem exercer suas funções com parcimônia e, com isso, desempenharem seu papel de poder contramajoritário.

Nesse sentido, a tarefa do Judiciário é a de garantir que os direitos e as garantias fundamentais sejam efetivados enquanto perdurar o marco jurídico que os instituiu. Assim, o judiciário é, por definição, garantista. Neste ponto, uma diferenciação foi introduzida, no Brasil, em 1988,

ALIANÇA POLÍTICA ENTRE MÍDIA E JUDICIÁRIO (OU QUANDO...

com as prerrogativas conferidas ao Ministério Público, pelas quais lhe cabe promover direitos. Portanto, o sistema de justiça detém uma divisão de tarefas, cabendo ao Judiciário agir conforme um padrão de inércia e ao ministério público o de promover as ações necessárias ao cumprimento das obrigações jurídicas.

Essa diferenciação é especialmente relevante em duas searas, ou seja, no direito penal e no direito tributário, pois, como se trata da defesa da liberdade e da propriedade, as funções se especializam em decorrência da exigência de as vedações estarem rigorosamente previstas no ordenamento jurídico. Na seara penal, o Judiciário age como a instância que garante as liberdades dos cidadãos, exigindo que o acusador demonstre de forma inequívoca o que alega. Assim, a estrutura se realiza de modo dicotômico: (I) ao acusador cabe produzir o arsenal probatório apto a produzir a condenação e (II) aos cidadãos é deferida a perspectiva de defenderem-se com os meios que lhes estiverem ao alcance. Constrói-se, nesses casos, uma imunidade conceitual erguida para salvaguardar as liberdades do cidadão ante o poder persecutório do acusador.

Ora, como é o Estado que promove a acusação, por intermédio de um corpo de servidores constituído especificamente para este fim, o Judiciário distancia-se da acusação e passa a submetê-la ao marco da legalidade estrita, de modo que o método e o instrumento de suas atuações sejam diferentes. Isso ocorre para garantir às liberdades um padrão institucional que tem, no sistema de justiça, o Judiciário como seu guardião. Cabe, assim, ao Judiciário circunscrever-se ao cumprimento de seu papel constitucional de garantidor dos direitos fundamentais dos cidadãos, de se distanciar da tentativa de constatar as vontades das maiorias, de ser o porta-voz da opinião pública e de resistir às pressões midiáticas pela condenação sem provas ou absolvição com provas, sendo, por isso, garantista e contramajoritário.

Nesses últimos tempos, no entanto, um cenário preocupante tem atingido a realidade brasileira e transformado o Judiciário em uma instituição absolutamente parcial em matéria penal. Isso tem ocorrido em todas as ocasiões em que a mídia passa a defender a condenação de cidadãos, reduzindo demasiadamente a possibilidade de julgamentos imparciais, vez que o judiciário passa a se pautar pela aprovação popular de suas decisões consubstanciadas nas seguintes perspectivas:

(1) As campanhas midiáticas insistem em estabelecer um paralelo entre réus políticos e corrupção. O objetivo é encontrar na condenação um papel pedagógico, a ser difundido através de campanhas midiáticas. Desse modo, televisões, rádios, jornais e *blogs* se utilizam de métodos mercadológicos para definirem que cidadãos são culpados justamente para que sejam investigados e, finalmente, condenados pelo sistema de justiça. Como a cobertura midiática define o conteúdo de sua mensagem (a culpabilidade dos cidadãos e sua necessária condenação), segue-se a massificação dessa mensagem pela mídia nacional. Tal pressão midiática fomenta não apenas um movimento pela condenação de cidadãos, como também alinha a decisão dos juízes a essa campanha. Por conseguinte, estabelece-se uma correlação entre condenação e combate à corrupção, de modo a estabelecer que juízes contrários à corrupção devem condenar esses réus. Contrariamente, seriam favoráveis à corrupção os juízes que absolvessem os réus;

(2) Forma-se assim um ciclo vicioso em que o processo judicial passa a ser estruturado conforme uma lógica midiática, cujo roteiro se destina a estabelecer simetria entre as decisões tomadas e sua aprovação por setores da sociedade. Nesse caso, o processo judicial deixa de seguir critérios normativos e passa a se orientar por consensos fáticos; afinal, como o que se busca é a aprovação popular – razão da utilização da mídia – a conduta arbitrária desses magistrados "revoga" as garantias constitucionais do cidadão e a condenação passa a ser obtida através de sua exposição como culpado;

(3) Não por acaso as peças acusatórias passam a ter a forma de uma narrativa, estruturadas conforme um argumento verossimilhante, em que não se busca caracterizar a conduta do investigado como algo que se enquadre como crime, mas como algo apenas passível

de suspeita, de ilicitude ou de reprovação. Essa narrativa seria improdutiva se não contasse com as campanhas midiáticas, utilizadas para incutir nos cidadãos a convicção da culpa do outro e da suspeita que passa a atingir os alvos dessas campanhas.

A CONSTRUÇÃO DO INIMIGO POLÍTICO

Karl Marx cunhou uma frase que vem sendo repetida em diversos contextos e que é apropriada para expressar os diferentes modos de manifestação do mesmo fenômeno: *"Hegel observa em uma de suas obras que todos os fatos e personagens de grande importância na história do mundo ocorrem, por assim dizer, duas vezes. E esqueceu-se de acrescentar: a primeira vez como tragédia, a segunda como farsa"*. Se é certo que a conjunção de diversos fatores e inúmeras condições não permitem a simples repetição de um fenômeno histórico, também o é que a oposição (antífrase) entre tragédia e farsa reflete uma decadência entre ambos, mas também adverte que a ninguém é permitido portar-se ingenuamente ante as intrincadas relações políticas, sociais e econômicas.

Na política brasileira parece ter havido um hiato decorrente do aniquilamento praticado pelo Estado durante a última ditadura. Somente esse hiato pode explicar a visão ingênua que resultou no protagonismo atribuído ao aparato persecutório.

Embora haja consenso de que as instituições republicanas devem submissão à soberania popular, razão pela qual ocorrem eleições periódicas, foi produzida ideologia que não apenas subordina, mas que criminaliza os poderes que decorrem do voto. Como caso único, implantou-se aqui um modelo em que há supremacia do sistema de justiça sobre a política, adotando-se, ao mesmo tempo, controle difuso de constitucionalidade, como nos Estados Unidos, e concentrado, como na Alemanha, com clara preferência pelo modelo repressivo, no qual o sistema de justiça age como corretor das instituições políticas. Tal construção mitiga a democracia e fragiliza a atividade política, de modo a produzir ambiente semelhante ao vivenciado nas ditaduras. A atividade política é desprestigiada, como se decaída fosse. As articulações são tidas como espúrias, e se projeta, no lugar que cabe à democracia, um fictício primado da técnica. Há, com isso, um claro desprestígio da lei, substituída por interpretações jurídicas fundadas em princípios constitucionais "abertos". Desse modo, prospera uma ideologia que permite que manifestações individuais de magistrados e de membros do Ministério Público se sobreponham às leis.

Sabemos que a atividade política democrática foi interditada na ditadura e seus dissidentes transformados em inimigos. Um fato foi particularmente constrangedor: enquanto a sociedade reagia construindo uma rede de apoios que envolvia artistas, forças políticas clandestinas, movimentos eclesiais de base, o Movimento Democrático Brasileiro, a Ordem dos Advogados do Brasil e a Associação Brasileira de Imprensa, entre outros, o sistema de justiça convivia harmoniosamente com o regime de exceção instalado pela ditadura civil-militar. Essa conivência gerou o acatamento de ordem que proibia o STF de apreciar e de conceder *habeas corpus* em defesa das vítimas do aniquilamento promovido pela ditadura. Ante a cassação de três de seus Ministros (Hermes Lima, Victor Nunes Leal e Evandro Lins e Silva) e a aposentadoria voluntária, em solidariedade aos Ministros cassados, do Presidente e do Vice-Presidente do STF (Antônio Gonçalves de Oliveira e Antônio Carlos Lafayette de Andrada, respectivamente), os demais Ministros se mantiveram nos cargos, em ato que representou tanto a convalidação jurídica quanto o apoio do STF ao regime de exceção.

Não bastasse o aniquilamento físico e ideológico promovido pela ditadura, houve não apenas a convalidação desses atos pelo sistema de justiça, mas sua perfeita formalização jurídica, ou seja, não havia democracia, mas havia Estado de direito. Nunca foi cogitada a revisão de qualquer ato jurídico praticado durante o regime de exceção. O máximo que se produziu foi o parcial reconhecimento dos direitos de suas vítimas e a recuperação da memória desse período, além da tentativa de punir os crimes praticados.

Foi a partir desse ambiente que se gestou a Constituição de 1988, garantista, marcada pela expectativa de que as garantias e os direitos fundamentais fossem, enfim, institucionalizados e, para sempre, respeitados.

ALIANÇA POLÍTICA ENTRE MÍDIA E JUDICIÁRIO (OU QUANDO...

Os que resistiram reconquistaram a democracia e, pouco tempo depois, a história pretende se repetir como farsa, isto é, novamente inimigos são produzidos, ao mesmo tempo em que se procura criminalizar as ações da sociedade civil e da atividade política.

O INIMIGO COMO TRAGÉDIA

Em Carl Schmitt, o inimigo é o hostil e adquire contornos institucionais, tal como a ditadura brasileira: o inimigo era o estranho, o adversário, e contra ele era permitida qualquer hostilidade. Operando método de eliminação de cidadãos, o Estado brasileiro adaptou procedimentos e nomenclaturas utilizados nas guerras e os aplicou aos que se opunham ao regime. Identificados, eram apartados da comunidade política. O método de apartação consistia na formulação de lista de suspeitos, com sua posterior submissão à tortura. Os inimigos do regime eram identificados, torturados e mortos. Aos sobreviventes restavam dois caminhos: o exílio ou a clandestinidade. Ambos significavam que a hostilidade do regime os transformara em apátridas.

Nesse contexto foi produzida a campanha "Brasil, ame-o ou deixe-o", para sinalizar que o desterro era o destino a que eram encaminhados os dissidentes que resistiram à tortura.

E o que podem esperar os dissidentes? Além de vítimas de tortura física e de alvos de uma guerra psicológica, aguardavam a reprovação de suas condutas pelo sistema de justiça, isto é, além de aniquilados fisicamente foram também condenados pelo judiciário. O Estado de direito se realiza como tragédia, pois à hostilidade política sucede a decisão judicial.

O INIMIGO COMO FARSA

Günther Jakobs também formula um conceito de inimigo. Para ele, o *inimicus* é o criminoso.

Jakobs concebe dois tipos de direito penal. No direito penal dos cidadãos, a pena é um parâmetro a ser evitado e os cidadãos que se desviarem desse parâmetro devem suportar a pena como "reparação do dano", isto é, a pena é um castigo que deve ser aplicado para que seja conservada a norma penal. Já o direito penal do inimigo é a regulamentação do Estado de exceção. Criam-se os meios jurídicos para o aniquilamento dos que descumprem determinadas normas penais. Assim, se um cidadão infringir algumas normas ou se cometer determinados crimes, a ele não se aplicam as normas penais que são válidas para os demais, uma vez que se trata de eliminar o inimigo.

Para Jakobs, o cidadão que viola a norma penal, ainda que de menor potencial ofensivo, já é inimigo, ainda que provisoriamente. Mas os cidadãos que praticam certos crimes ou que os praticam mais vezes são inimigos permanentes e a eles não se aplica o direito penal do cidadão. Como inimigos do Estado deixam de ser tratados como pessoa. O criminoso transforma-se em alguém cuja conduta o aparta da comunidade jurídica. Esse apartar significa tanto ato de isolamento quanto perda de direitos. Isolamento porque deixa de ser membro da comunidade dos cidadãos e, por não participar dela, não usufrui dos direitos que nela são gestados.

Desse modo, com a criação do inimigo pelo direito penal, o que antes era circunscrito às favelas, aos presídios e às periferias passa a se generalizar. Medidas judiciais de exceção, como prisões processuais, passam a ser regra. O cidadão, transformado em inimigo, de presumivelmente inocente passa, previamente, a ser identificado como suspeito, como alvo do direito penal. Como consequência, há o estabelecimento de medidas invasivas e das prisões processuais em protocolo de atuação judicial e a transformação das polícias judiciárias (estaduais e federal) em ostensivas, confundindo suas atuações como atos de aniquilamento ao inimigo.

A LAVA JATO E A REEDIÇÃO DO INIMIGO

Com o propósito de subverter a estrutura garantista da Constituição, foi moldado um componente ideológico abstrato (o combate à corrupção) e um "exército" de combatentes que se utiliza de campanhas

ALIANÇA POLÍTICA ENTRE MÍDIA E JUDICIÁRIO (OU QUANDO...

midiáticas para obter o apoio da população às suas causas e lhes garantir a incontestabilidade dessa atuação.

O alinhamento do sistema de justiça à mídia tem garantido supremacia da primeira instância sobre as instâncias revisoras. Ou seja, os juízes dos tribunais têm evitado conceder *habeas corpus* ou mesmo decretar nulidades processuais, pois têm receio de serem tidos como coniventes com a corrupção.

Mais do que ocupar o topo do Poder Judiciário, o STF é o guardião das liberdades. Uma de suas missões é apreciar e julgar *habeas corpus*, justamente para coibir qualquer arbitrariedade praticada pelo Estado. Não é admissível que a apreciação e a concessão de *habeas corpus* dependam de percursos burocráticos, sobretudo quando são conhecidos os problemas com o tempo de duração dos processos no sistema de justiça. Assim, não faz qualquer sentido a manutenção, pelo STF, da Súmula 691, por significar primazia da burocracia judiciária ante as liberdades, da qual o *habeas corpus* é expressão.

Embora vivamos sob uma democracia constitucional, a Operação Lava Jato tem se utilizado de métodos condizentes com a transformação de cidadãos em inimigos: primeiro, com a figura da delação; em seguida, com a transformação da prisão preventiva em meio ordinário apto a produzir provas.

A delação premiada é uma adaptação, para o direito, da figura do confessionário da Igreja Católica. No catolicismo, o pecador se dirige ao confessionário para obter o perdão para suas culpas; já no direito penal, o delator é aquele que confessa ter cometido crimes e que projeta seu agir em termos utilitários, isto é, no agir do delator tudo é calculado: o crime praticado, o que confessar e o a quem envolver ou a quem proteger. Diferentemente do pecador ante o confessionário, o delator é um jogador que se utiliza do sistema de justiça para obter vantagens.

Na perspectiva adotada pela Lava Jato, ou seja, a do direito penal do inimigo, duas questões afrontam o direito penal constitucional vigente no Brasil:

(I) a transformação do depoimento do delator de indício em prova, com a consequente equiparação dos depoimentos de dois ou de mais delatores em conjunto probatório; e

(II) a tendência a se perder a diferença qualitativa, ainda existente, entre os métodos investigativos da polícia e do ministério público dos praticados por delinquentes.

Já a prisão preventiva como meio de produção de prova se classifica como modalidade de guerra ao inimigo. Embora o STF já tenha se posicionado sobre a ilegalidade dessa medida, a permanência da Súmula 691 retarda o triunfo das liberdades sobre o arbítrio. Não se pode admitir que cidadãos sejam vítimas da sanha punitiva do Estado e que as liberdades sejam sacrificadas pela incompetência investigativa do aparato persecutório estatal.

A ninguém interessa a impunidade. No entanto, o combate à impunidade não pode significar violação à Constituição. O combate à impunidade significa investigação criteriosa, com autonomia operacional da Polícia, independência institucional do Ministério Público e garantias à atuação do Judiciário. Significa também presunção de inocência, divisão entre as atividades de acusar e de julgar, devido processo legal e reconhecimento da importância do advogado para o sistema de justiça. Nas democracias constitucionais a liberdade é a regra. Nessas, cidadãos só são presos quando constatadas suas culpas em processos em que a ampla defesa e o devido processo legal são observados. Antes circunscrito geograficamente às favelas, aos presídios e às periferias, esse estado de exceção rompe essa estratificação e se generaliza, em falso movimento de universalização da exceção.

A ALIANÇA COM A MÍDIA

A tentativa de criminalização do ex-presidente Luiz Inácio Lula da Silva situa-se justamente no intercruzamento das ações da mídia e do judiciário. Essa associação produz uma narrativa contra o ex-presidente, em que a tipificação penal de sua conduta assume papel subalterno, pois importa ao aparato persecutório do Estado puni-lo por método não

ALIANÇA POLÍTICA ENTRE MÍDIA E JUDICIÁRIO (OU QUANDO...

jurídico, que pode ser designado como justiçamento, porque o ambiente de sua condenação é diuturnamente difundido pela mídia brasileira, sem que lhe seja assegurada possibilidade de defesa.

A narrativa midiática substitui provas por argumentos verossimilhantes, quando o "talvez" e a dúvida parecem ser suficientes para fundamentar uma conduta juridicamente reprovável. Não por acaso a investigação contra o ex-Presidente Lula é marcada por forte teatralização, o que reforça, como sabemos, processos alienantes naqueles que são submetidos à encenação.

Além de ter sido vítima de sequestro judicial, designado, pelas autoridades envolvidas, como "condução coercitiva", durante seu depoimento, quando ainda ocorriam buscas e apreensões em sua residência e no Instituto Lula, membros do Ministério Público, da Polícia Federal e da Receita Federal já concediam entrevista coletiva e dissertavam sobre conteúdo cercado por sigilo judicial.

Mais recentemente, o ex-Presidente Lula novamente foi vítima de uma operação marcada por forte exposição midiática, quando procuradores da Operação Lava Jato, utilizando as dependências de um hotel na cidade de Curitiba, convocaram toda a imprensa do país para uma entrevista coletiva e, através da apresentação de uma série de *slides*, tentaram atribuir ao ex-Presidente um conjunto de atos delituosos. A exposição acusatória, antecedida pelo esclarecimento de que eles não tinham "provas cabais", mas apenas convicções, terminou por se tornar motivo de piadas em todo o país.

Sem elementos comprobatórios, a denúncia usa e abusa de termos subjetivos e adjetivações espalhafatosas, chegando ao cúmulo de basear-se em delação premiada já rejeitada pela Procuradoria Geral da República. Durante algumas horas, boa parte da população do país assistiu a tal espetáculo midiático, que foi reprisado por vários jornais televisivos ao longo da tarde e da noite daquele dia.

Não é incomum que os estados de exceção utilizem a mídia para atacar a honra, a imagem e a identidade política daqueles que são considerados inimigos. A lógica adversarial da política democrática é substituída pela lógica da destruição midiática da imagem do inimigo, quando sistemas judiciais antecipam publicamente juízos que deveriam estar circunscritos aos limites do devido processo legal.

Tais arbitrariedades judiciais, cometidas na instrução do processo, associam-se a uma ilegítima pressão da mídia, evidenciando o prejuízo à defesa advindo do desequilíbrio processual existente no sistema jurídico-penal brasileiro. Isso porque não há previsão de separação entre a atividade de instrução e a atividade de julgamento. O mesmo juiz que instrui o processo julgará a ação, tendo, assim, a oportunidade de defesa da legalidade de sua atuação na fase de instrução, e confirmando o protagonismo que lhe foi dirigido pela mídia naquele momento processual. Não havendo separação entre a pessoa que instrui e a que julga, a previsibilidade dos atos processuais cede lugar à convalidação das arbitrariedades praticadas pelo Judiciário e defendidas pela imprensa.

Estamos, portanto, diante de um fenômeno judiciário em que a condenação do ex-Presidente Lula é fomentada pela mídia, através da rotineira publicação de feitos cercados por sigilos judiciais cujo acesso é negado à defesa. O constrangimento judicial consiste em sistemática e paulatinamente negar-lhe acesso aos autos, às provas, ao material probatório, ao mesmo tempo que se difunde na imprensa, com metódica periodicidade, aquilo que os advogados do acusado não têm acesso.

Informação bibliográfica deste texto, conforme a NBR 6023:2002 da Associação Brasileira de Normas Técnicas (ABNT):

CITTADINO, Gisele; MOREIRA, Luiz. "Aliança política entre mídia e judiciário (ou quando a perseguição torna-se implacável)". *In*: ZANIN MARTINS, Cristiano; TEIXEIRA ZANIN MARTINS, Valeska; VALIM, Rafael (Coord.). *O Caso Lula:* a luta pela afirmação dos direitos fundamentais no Brasil. São Paulo: Editora Contracorrente, 2017, pp. 81-94. ISBN. 978-85-69220-19-0.

ADVOCACIA EM TEMPOS SOMBRIOS

NILO BATISTA

O escasso tempo concedido para redigir um artigo destinado ao presente volume levou-me a estruturá-lo em duas partes que, em certo sentido, se complementam. Na primeira tratarei da experiência, que pude vivenciar por três meses, de advogar para Lula, na honrosa companhia de Cristiano Martins, Valeska Martins e Roberto Teixeira. Na segunda, como sugerido pelos organizadores do volume, examinarei alguns aspectos da publicidade opressiva que no Brasil a mídia exerce sobre processos criminais, tendo por base um texto parcialmente publicado num jornal de grande circulação.

I

Em dezembro de 2015 fui convidado para integrar a defesa de Lula, a quem só então pude conhecer pessoalmente, numa reunião em Brasília, na casa de José Gerardo Grossi, da qual participaram também, além de seus advogados acima referidos, Sigmaringa Seixas e Wadih Damous. Naquela reunião fui informado, em linhas gerais, das frentes investigatórias que objetivavam criminalizar o líder petista. Farta documentação, recebida nas semanas subsequentes e estudada na companhia de meus colegas de escritório André Nascimento e Rafael Borges, pormenorizava as hipóteses acusatórias, que eram basicamente três.

A primeira, cujo inquérito tramitava em Brasília, procurava vislumbrar corrupção ou exploração de prestígio simplesmente na edição de uma Medida Provisória convertida em lei pelo Congresso Nacional! Tal Medida Provisória reproduzia providência absolutamente similar, editada no governo de Fernando Henrique Cardoso, sem alarido e sem inquérito, e até com elogios na imprensa. Como sempre acontece, representantes de setores econômicos envolvidos na nova regulamentação se movimentaram – particularmente no Parlamento – tentando influenciá-la em defesa de seus interesses. Frise-se que nenhum indício apontava para qualquer contacto entre eles e Lula. Esses movimentos, que atraíram um olhar policial suspeitoso, são completamente compatíveis com a democracia representativa; quem tiver alguma dúvida poderá saná-la no verbete *Grupos de pressão* do Dicionário de Política de Bobbio, Matteucci e Pasquino. A inconsistência dessa hipótese acusatória se revelou no método de "múltipla escolha" ao qual recorreu o Delegado para inventar uma contrapartida à edição da Medida Provisória. Percebi ali com clareza que o indiciamento de Lula não seria a resultante de uma adequada valoração de provas mas constituiria um fim em si mesmo, um ato procedimental destinado a produzir efeitos publicitários e político-partidários muito mais do que jurídicos.

A segunda e a terceira hipóteses acusatórias eram investigadas em São Paulo e tinham a característica comum de atribuir ao ex-Presidente a propriedade de dois imóveis que não lhe pertencem. Antes de apresentar uma síntese de ambas, registro – na suposição de que este volume será lido também por pessoas sem formação jurídica – o espanto que me causaram inicialmente. É que nossa lei – nosso Código Civil – determina claramente que a transferência da propriedade imóvel entre vivos se realiza "*mediante o registro do título translativo no Registro de Imóveis*", acrescentando não só que enquanto isto não ocorrer "*o alienante continua a ser havido como dono do imóvel*" mas também que, enquanto o Judiciário não invalidar o registro "*o adquirente continua a ser havido como dono do imóvel*" (art. 1.245 e § § 1º e 2º CC). Portanto, um acusador menos leviano poderia cogitar de que o *uso* ou a *posse* de tal imóvel foi cedido(s) a terceiro; mas a *propriedade*, como qualquer aluno do 5º período que não seja excepcionalmente retardado sabe, só é transferida entre vivos pela averbação do título translativo no Registro de Imóveis. Vejamos as duas hipóteses acusatórias.

Em abril de 2005, a esposa de Lula, D. Marisa Letícia, aderiu ao contrato através do qual a Cooperativa Habitacional dos Bancários de São Paulo (Bancoop) objetivava proporcionar a seus associados e a outros interessados a aquisição de unidades habitacionais pelo sistema de autofinanciamento, assumindo uma cota-parte. Ao longo de mais de quatro anos, ela efetuou o pagamento de parcelas mensais no valor médio de R$ 2.500,00, investimento que, corrigido monetariamente, totaliza hoje mais de R$ 300.000,00. Dificuldades da Bancoop, que celebrou a respeito um termo de ajustamento de conduta com o Ministério Público de São Paulo, transmitiria – por decisão de assembleia dos cooperados da qual não participou a esposa de Lula – a gestão do empreendimento para uma incorporadora, a OAS. Outras incorporadoras se ocuparam de outras construções da Bancoop que viviam o mesmo impasse. Concluída a obra e observada a pendência, o então presidente da OAS propôs ao ex-Presidente que adquirisse um apartamento triplex, aproveitando-se do crédito que o investimento da esposa criara. Lula visitou o apartamento, em companhia da esposa, uma única vez, e não se encantou: o imóvel superava as necessidades e características de sua família. A OAS – proprietária do apartamento, como consta do Registro de Imóveis – realizou obras tentando viabilizar a venda; uma segunda visita, apenas da esposa e do filho Fábio Luís, confirmaria o desinteresse na aquisição. Neste momento, a esposa de Lula está processando a OAS para reaver seu investimento.

A terceira hipótese acusatória não é menos ridícula. Ao aproximar-se o final de seu segundo mandato, um problema aproximou-se igualmente de D. Marisa Letícia: onde depositar, manter e conservar a mudança presidencial. Fernando Bittar, filho de um grande amigo da família, Jacó Bittar, ex-prefeito de Campinas, havia adquirido um sítio em Atibaia em sociedade com Jonas Suassuna; a propriedade de ambos deriva, como quer a lei, da averbação dos títulos aquisitivos no Registro de Imóveis. Além de utilizar recursos próprios, a esposa de Lula aconselhou-se com um amigo que – em dezembro de 2010 – contratou uma pequena empresa para realizar benfeitorias; defeitos e atrasos na obra fizeram com que ela só se concluísse em 2011, através de outra empresa. Aqui, pedindo desculpas aos leitores com formação jurídica, cabe outra invocação da lei. Sempre que eu via na televisão um âncora em campanha dizer que aquelas obras beneficiaram Lula, eu me recordava de que *"aquele que (...) edifica em terreno alheio perde, em proveito do proprietário (...) as construções"* (art. 1.255 CC). Sim, beneficiários materiais daquela reforma foram Fernando Bittar e Jonas Suassuna, os proprietários do sítio.

Examinadas as três hipóteses acusatórias, concluí que nenhuma relação existia entre os fatos e a assim chamada "Operação Lava Jato", porque nenhum deles era vinculável a qualquer desvio de recursos da Petrobras. A participação do presidente da OAS na negociação do apartamento de Guarujá certamente não tinha o condão de atrair a competência curitibana; a primeira regra legal a respeito indica o lugar do suposto delito (art. 70 CPP) e quando tal local não for conhecido, a competência se regula pelo domicílio ou residência do réu (art. 72 CPP). Ora, apartamento e sítio situam-se em São Paulo; o domicílio do Presidente da República é Brasília; e a residência do ex-Presidente fica em São Bernardo do Campo. Por que Curitiba?

Essa preocupação se explica pelo fato de que meu Escritório de Advocacia presta serviços à Petrobras desde 2000. Fomos contratados no governo de Fernando Henrique, permanecemos nos governos Lula e Dilma, e ainda recentemente, já no governo interino Temer, renovou-se o contrato. Ao longo desses anos – como todo mundo sabe nos meios forenses – trabalhamos em centenas de processos e inquéritos policiais, entre os quais o vazamento que atingiu a Baía de Guanabara, o acidente da Repar, o da P-36 e tantos outros. Embora não representemos a Petrobras nos processos de Curitiba, atuamos no mesmo assunto no Rio de Janeiro e em Brasília. Por isso, não poderíamos participar da defesa de Lula caso se estabelecesse a competência de Curitiba, o que parecia, do ponto de vista processual penal, impossível. Quando, no início de março de 2016, aquela competência foi estabelecida, sem que os tribunais superiores se sensibilizassem para a evidente usurpação de competência, tive que me retirar da defesa. O advogado não pode defender na mesma causa, simultânea ou sucessivamente, partes contrárias, mesmo quando a desavença entre elas seja artificiosa: nesta situação, a formalidade é tudo.

Por isso, tive que deixar a defesa do Lula, não sem antes obter de dois colegas, José Gerardo Grossi e Juarez Cirino dos Santos, que passassem a integrá-la; com eles viria a colaborar uma plêiade de juristas, entre os quais arbitrariamente destaco Fabio Konder Comparato, Pedro Serrano, Celso Antônio Bandeira de Mello e José Roberto Batochio.

Se me perguntassem pela recordação mais viva ou inquietante dessa breve experiência profissional eu talvez respondesse, num ímpeto: a desonestidade do noticiário. Não sou propriamente um novato em casos de grande repercussão, porém nunca havia presenciado uma campanha de desmerecimento tão implacável e desonesta contra um homem público – e, lembrem-se, fui companheiro de Leonel Brizola, de alguém que percebeu e denunciou o partidarismo (mal) dissimulado das Organizações Globo e pagou elevado preço por isso. É claro que o problema começa com a tolerância da legislação brasileira perante as interferências da mídia em inquéritos policiais e ações penais; mas disso trataremos na segunda parte deste artigo.

Achincalhar e mesmo criminalizar advogados foi expediente comum aos autoritarismos do século XX, do nazismo aos regimes latinoamericanos da segurança nacional. Na circunstância de Roberto Teixeira ser velho amigo e advogado de Lula e de inúmeros companheiros de partido um membro do Ministério Público vislumbrou algo ilícito... No início de fevereiro a revista Época, embora cabalmente informada dos vínculos profissionais entre o Escritório de Advocacia do qual sou hoje sócio minoritário e a Petrobras, publicou matéria na qual insinuava cinicamente haver uma relação entre tais contratos e a defesa de Lula. Pior: a revista somou o valor de todos os contratos, de 2000 até 2016, publicando o valor como se o Escritório houvesse sido recentemente "contemplado" com tais pagamentos... Tudo porque, indagado quanto seriam meus honorários por integrar a defesa de Lula, respondi a verdade: nada. Quero deixar registrado aqui os nomes dos dois jornalistas que jogaram a verdade no lixo para agradar ao patrão: Murilo Ramos e Nonato Viegas Pereira.

Algum dia o noticiário sobre as investigações concernentes ao apartamento de Guarujá e ao sítio de Atibaia será objeto de estudos no âmbito acadêmico do direito e da comunicação.

No caso do apartamento era perceptível palpitar, na retórica noticiosa e nas crônicas, um fundo preconceituoso, jamais enunciado, que explorava a contradição de um operário pretender comprar um triplex, ainda que um modesto triplex. As "provas" da propriedade eram arrancadas do disse-me-disse de funcionários e moradores, excitados pela visita de Lula e Marisa Letícia ao prédio. Corretores procuravam valorizar os apartamentos do edifício argumentando que Lula seria condômino e por isso haveria mais segurança. Como observei então, num pequeno artigo que a assessoria de comunicação optou por não ser publicado, do ponto de vista legal nenhum impedimento, nenhum impedimento haveria para a compra. Ressalvada a preferência dos cooperativados que optaram por aceitar as condições da construtora sob novo regime jurídico, as demais unidades poderiam ser vendidas para qualquer pessoa. Isso nos remete a outra singularidade do caso: se Lula houvesse realmente adquirido o apartamento, não teríamos nenhum problema. Curioso delito este, no qual a cogitação é punível mas a consumação é lícita! A regra é exatamente em sentido contrário: se alguém planeja seriamente matar outrem e até mesmo obtém a faca com um terceiro, porém não chega a iniciar a execução do homicídio, sua conduta é impunível (art. 31 do Código Penal). Os criminalistas liberais da escola toscana diziam que o "pensamento não paga imposto". Mas parece que hoje paga.

Sobre o sítio de Atibaia, a "prova", como escandalosamente noticiado, foi a compra que D. Marisa Letícia fez de uma canoa, que custou cerca de R$ 3.000,00, para navegar com os netos no pequeno açude. Nas matérias jornalísticas, a humilde canoa foi tratada como iate. Sim, essa "prova" vinha adicionar-se ao fato incontrastável de que Lula passou a frequentar o sítio, franqueado por seus amigos e correligionários. Portanto, proprietários de sítios em geral, acautelem-se contra os amigos muito frequentadores; numa dessas, a propriedade do imóvel pode ser transmitida através de um inquérito policial.

ADVOCACIA EM TEMPOS SOMBRIOS

Se a desonestidade do noticiário e da crônica jornalística dominam o proscênio, um olhar mais profundo chega à articulação entre a mídia e sistema penal, e encontra aí o ovo da serpente, cuja casca entre nós talvez já esteja rompida. Há algum tempo nosso proclamado Estado de Direito convive, sem maiores apreensões, com bolsões de exceção. Os sistemas penais do capitalismo vídeo-financeiro transnacional assumem gradativamente a forma empresa, sendo suficiente recordar as companhias estadunidenses abertas (Nasdaq) que exploram a hotelaria punitiva em penitenciárias privadas. A indústria do controle do crime utiliza como matéria-prima o medo e as teorias fundamentadoras da pena, cuja inconsistência ou falsidade ninguém hoje pode desconhecer. A despeito disso, a pena – para os penalistas europeus do capitalismo industrial do pós-guerra, uma "amarga necessidade" – se converteu numa divindade, à qual toca reger a sociabilidade humana, operada por sacerdotes e, claro, exigente de sacrifícios.

Não tenho como desenvolver aqui esses tópicos. Registro apenas que o mais preocupante de todos os terrorismos – basta comparar o quantitativo de vítimas – é o terrorismo de Estado, que se manifesta, desde sua fundação histórica, através do sistema penal. No famoso discurso perante a Convenção, em 5 de fevereiro de 1794, Robespierre formulou uma síntese lapidar: *"la terreur n'est autre chose que la justice prompte, sèvère, inflexible"*. Sim, o terror não é outra coisa senão a justiça pronta, severa, inflexível – numas palavras, a justiça desumanizada, que não amadurece seus veredilos, impiedosa e orgulhosa de sê-lo. As forças políticas do campo progressista não têm conferido à política criminal a atenção especialíssima que ela merece, principalmente em fases de transição econômica, quando a mão de obra tornada ociosa passa a ser alvo de uma criminalização muito funcional para o mercado. A política criminal não é algo técnico, a ser largado em mãos de operadores tecnicamente adestrados.

No texto que se segue, tratei da interferência da mídia em confronto com os princípios de presunção de inocência e do direito a um julgamento justo, no esquadro discursivo liberal. Os acontecimentos em nosso país estão sinalizando para algo mais grave: para uma interferência estimuladora da criminalização (sempre seletiva!) da política e da violação de certos fundamentos constitucionais da República (como a independência e harmonia dos poderes – art. 2º da Constituição) e de alguns objetivos dela (como "construir uma sociedade livre" e "erradicar a pobreza e a marginalização" – art. 3º, incs. I e III da Constituição).

II

A centralidade que a questão criminal passou a assumir, comprovável seja pela vertiginosa ascensão das taxas de encarceramento seja pela criminalização do cotidiano privado e da vida pública, responde às transformações econômicas ocorridas nas últimas três décadas do século passado e especialmente em suas consequências sobre as relações sociais de produção e a estrutura do Estado. Interessa-nos aqui um só aspecto dessa centralidade: a espetacularização do processo penal e os sérios danos que dela provêm para alguns direitos fundamentais e para o próprio Estado de Direito.

Não se pense que a espetacularização do processo penal seja uma novidade, mas a de hoje em certo sentido promove uma inversão na dramaturgia de suas antecessoras. Na Inquisição moderna a colheita de provas e o julgamento eram sigilosos: afinal, depoimentos velados, falsas delações e torturas – cujas atas registravam os gemidos dos investigados – são mais eficientes na completa obscuridade. A festa era a execução pública, realizada numa praça em dia feriado. Com a predominância da pena privativa da liberdade, a execução refugiou-se numa cela e dissolveu-se em longos anos; salvo algum incidente (p. ex.: progressão ou regressão de regime), uma sonífera mesmice sem apelo jornalístico, a despeito da trágica deterioração que impõe ao condenado e a sua família; mas quem se interessa por isso? Dessa forma, o espetáculo se deslocou para a investigação, as provas, as audiências e o julgamento.

Antes de mais nada cabe mencionar esses deploráveis *reality shows* policiais do fim de tarde, nos quais suspeitos e indiciados detidos são exibidos às câmeras e achincalhados por âncoras policizados. Reza a Constituição que "*é assegurado aos presos o respeito à integridade física e moral*" (art. 5º, inc. XLIX CR), garantia repetida com idênticas palavras por duas leis, o Código Penal (art. 38) e a Lei de Execução Penal (art. 40). Por vezes, policiais levantam a cabeça envergonhada do preso para favorecer o *close-up*. Algum dia um integrante do Ministério Público ligará sua televisão no fim de tarde, e tentará pelo menos um termo de ajustamento de conduta.

Mas é naquilo que poderíamos chamar de noticiário "sério" sobre inquéritos policiais e ações penais em andamento que reside um delicado problema, que opõe de um lado a liberdade de comunicação independentemente de censura e de outro a presunção de inocência e o direito a um julgamento justo. A colisão de direitos fundamentais dispõe hoje de refinada técnica, desenvolvida pelo chamado neoconstitucionalismo, para levar a cabo sua ponderação e decidir sobre sua prevalência. À liberdade de imprensa, quando em disputa com outras garantais individuais, particularmente com o direito à privacidade, outorga-se geralmente uma posição preferencial. Contudo, quando o confronto se dá com a presunção de inocência e o direito a um julgamento justo, em muitos países de insuspeita tradição democrática a solução é distinta.

A Corte Suprema dos Estados Unidos manifestou inúmeras vezes seu desconforto por ter identificado "julgamento pela imprensa", anulando diversas condenações. "*Os julgamentos não são como eleições, a serem ganhos através do uso de comícios, de rádio e de jornal*" (Bridges v. Califórnia). Ninguém pode ser condenado sem "*uma acusação feita com justiça e com justiça julgada por um tribunal público isento de preconceito, paixão, excitação e poder tirânico*" (Chambers v. Flórida). "*O julgamento não passou de uma cerimônia legal para averbar um veredicto já ditado pela imprensa e pela opinião pública que ela gerou*" (Shepherd v. Flórida). A campanha midiática contra um médico acusado de ter espancado até a morte a esposa levou à anulação do julgamento: sua prisão ocorreu no mesmo dia em que um jornal estampava matéria intitulada "*Por que Sam Sheppard não está na cadeia*"? (Sheppard v. Maxwell). Em 1965, a Corte estabeleceu – também em decisão que anulava condenação propulsionada pela mídia – que *a publicidade do julgamento constitui uma garantia constitucional do acusado, e não um direito do público* (Estes v. Texas).

Também na Europa o assunto preocupa legisladores e tribunais. A França criminalizou a publicação de comentários, antes da sentença

NILO BATISTA

final, com a finalidade de pressionar para influir na convicção do juiz ou na declaração de testemunhas. Um dispositivo da lei de imprensa austríaca também criminaliza quem, após a acusação e antes da sentença da primeira instância, discute o provável resultado do processo ou o valor das provas num veículo capaz de influenciar. A lei processual-penal portuguesa impõe a pena do crime de desobediência a quem promover *"a publicação, por qualquer meio, de conversações ou comunicações interceptadas no âmbito de um processo, salvo se não estiverem sujeitas a segredo de justiça e os intervenientes expressamente consentirem na publicação"*; outro dispositivo afirma que *"o segredo de justiça vincula todos os sujeitos e participantes processuais, bem como as pessoas que, por qualquer título, tiverem tomado contacto com o processo ou conhecimento de elementos a ele pertencentes"*, decorrendo daí a proibição da *"divulgação da ocorrência de ato processual ou dos seus termos, independentemente do motivo que presidir a tal divulgação"*. Mais de uma vez a Corte Europeia de Direitos Humanos decidiu que a condenação de um jornalista a partir dessas bases legais não configura violação do artigo 10 da Convenção Europeia, que garante a liberdade de comunicação (Worm v. Áustria).

Certamente não será através da criminalização da publicidade opressiva que poderemos reverter o lastimável quadro em que vivemos no Brasil, onde o contubérnio entre alguns agentes do sistema penal e alguns jornalistas produz vazamentos escandalosos, frequentemente editados e descontextualizados, com extraordinária capacidade de criar uma opinião tão militante e arraigada que substitui a garantia constitucional por uma autêntica "presunção de culpa" e torna inacessível para o(s) acusado(s) um julgamento justo.

Entre nós, existem casos nos quais não apenas o julgamento mas todo o processo se desenrola pela mídia. Se for para continuar assim, pelo menos deveria ser exigido para os meios de comunicação aquilo que é exigido para os tribunais e para as repartições públicas: a observância do contraditório (art. 5º, inc. LV, da Constituição). A observação criminológica já percebeu e registrou que os relatos jornalísticos têm como fonte principal dados e concepções provindas de agências de sistema penal. Habitualmente, numa homenagem de fachada às tradições liberais da imprensa, após a longa veiculação da versão – quando não da entrevista, por vezes coletiva – da autoridade policial ou do membro do Ministério Público, segue-se breve menção a um comentário do acusado ou de seu defensor, que frequentemente desconhece a prova já então divulgada para milhões de telespectadores. Se vamos persistir neste caminho perigoso – afinal, o sistema penal é historicamente um lugar de expansão do fascismo – pelo menos o contraditório prescrito para o processo nos tribunais deveria estar presente nos processos da mídia. Se a autoridade policial ou o membro do Ministério Público divulgar sua acusação por três minutos, o acusado ou seu defensor deveria desfrutar do mesmo tempo para falar o que bem entendesse em sua defesa. Já que o processo se desenrola na mídia, que haja pelo menos paridade de armas. A prática atual é abertamente anti-democrática.

Nossa Corte Suprema é extremamente zelosa da liberdade de imprensa. Isso nos anima a esperar zelo similar pela presunção de inocência e pelo direito a um julgamento justo.

Informação bibliográfica deste texto, conforme a NBR 6023:2002 da Associação Brasileira de Normas Técnicas (ABNT):

BATISTA, Nilo. "Advocacia em tempos sombrios". *In*: ZANIN MARTINS, Cristiano; TEIXEIRA ZANIN MARTINS, Valeska; VALIM, Rafael (Coord.). *O Caso Lula:* a luta pela afirmação dos direitos fundamentais no Brasil. São Paulo: Editora Contracorrente, 2017, pp. 95-105. ISBN. 978-85-69220-19-0.

DIREITO FUNDAMENTAL AO PROCESSO JUSTO

MANOEL LAURO VOLKMER DE CASTILHO

A Constituição da República Federativa do Brasil tem como fundamento a dignidade da pessoa humana (art. 1º, III), regendo-se, inclusive nas relações internacionais, pela prevalência dos direitos humanos (art. 4º, II) e assegurando direitos e garantias individuais a todos os cidadãos em igualdade e sem distinção, de modo que ninguém será submetido *a tortura ou tratamento desumano ou degradante* (art. 5º, III); *que são invioláveis* a intimidade, a vida privada, a honra e a imagem das pessoas (art. 5º, IX); *que é inviolável o sigilo* das comunicações telefônicas com as exceções expressas (art. 5º, XII); que *não haverá juízo ou tribunal de exceção* (art. 5º, XXXVII); que ninguém será processado nem sentenciado *senão pela autoridade competente* (art. 5º, LIII); que aos acusados são assegurados *o contraditório e ampla defesa* com os *recursos inerentes* (art. 5º, LV); que *ninguém será considerado culpado* até o trânsito em julgado de sentença penal condenatória (art. 5º, LVII); assegurados ainda os *direitos decorrentes do regime e dos princípios por ela adotados ou dos tratados internacionais* em que seja parte a República do Brasil (art. 5º, § 2º).

A República do Brasil subscreveu atos internacionais que, por sua vez, acrescentam a esse estatuto nacional, e por ele são expressamente recebidos, *direitos universais* mais além de simplesmente internacionais, de proteção aos direitos humanos, nomeadamente os descritos na *Declaração Universal dos Direitos Humanos* (Resolução n. 217 da Assembleia Geral das Nações Unidas, em 10 de dezembro de 1948).[1] De acordo com seu texto, toda pessoa tem direito a remédio *efetivo* e a uma audiência *justa* com presunção de inocência, asseguradas as garantias *necessárias* à sua defesa.

Na *Convenção Interamericana de Direitos Humanos*, que o Brasil subscreveu e assim se submeteu à Corte Interamericana de Direitos Humanos – CIDH, por igual, está assente a proteção do *direito ao processo justo*[2] com recurso *efetivo*, ambas assim dispondo que o conceito de processo está ligado à compreensão de efetividade e justiça.

Esses direitos e garantias não se abatem nem mesmo na instauração do Estado de Defesa (art. 136, § 3º e incisos) ou do Estado de Sitio (art. 139 e incisos), ficando os magistrados encarregados da competência legal sujeitos, no campo administrativo, à Corregedoria pertinente e ao controle do Conselho Nacional de Justiça. Tal sistema de direitos e garantias constitui o bloco de constitucionalidade base do Estatuto Nacional de Direitos Humanos relacionados ao processo judicial.

Robora esse quadro a manifesta afirmação do Estado Democrático de Direito formal e materialmente instaurado pela Constituinte de 1988 aduzindo ao conteúdo jurídico constitucional o peso da história da civilização cifrada nos ideais da igualdade, da liberdade e da

---

[1] Artigo 8º Toda pessoa tem direito a receber dos tribunais nacionais competentes remédio efetivo para os atos que violem os direitos fundamentais (...).
Artigo 10. Toda pessoa tem direito, em plena igualdade, a uma audiência justa e pública por parte de um tribunal independente e imparcial (...).
Artigo 11. §1º. Toda pessoa acusada de um ato delituoso tem o direito de ser presumida inocente até que a sua culpabilidade tenha sido provada de acordo com a lei, em julgamento público no qual lhe tenham sido asseguradas todas as garantias necessárias à sua defesa.

[2] Artigo 25. Proteção judicial. 1 – Toda pessoa tem direito a um recurso simples e rápido ou a qualquer outro recurso efetivo, perante os juízes ou tribunais competentes, que a proteja contra atos que violem seus direitos fundamentais reconhecidos pela constituição, pela lei ou pela presente Convenção, mesmo quando tal violação seja cometida por pessoas que estejam atuando no exercício de suas funções oficiais.

DIREITO FUNDAMENTAL AO PROCESSO JUSTO

fraternidade, esta última presente, entre outras, na revelação da própria noção de lealdade processual.

Esses preceitos constituem o fundamento de justiça no sentido de sua adequação aos princípios por eles representados, e o arcabouço constitucional e os princípios universais de direitos humanos ali inseridos, por sua vez, representam a premissa básica do processo, natural e necessária, pois por definição a constitucionalidade é logicamente o padrão do justo. Em *contrario sensu*, a inadequação aos padrões constitucionais equivale à inconstitucionalidade, caso em que o processo se revela injusto.

Cuida-se, portanto, de compreender quando a inadequação se manifesta se é certo que nesse campo sempre há espaço para a variedade de interpretação. Se de um lado o discurso pode mostrar-se insuficiente quando a afirmação é positiva, de outro lado, na negativa, a violação desponta e se revela com clareza. É que, se o bloco de constitucionalidade fornece os elementos para a verificação da justeza do processo, é na verificação da inexistência, ou na sua negação, que mais se observa essa qualidade, pois pode-se não saber se o processo é justo, mas certamente existem probabilidades seguras de saber quando é injusto.

Assim porque a motivação da instauração de uma investigação ou de um processo tem de resultar da apreciação de fatos e da realidade, de regra mais ricos e mais cheio de dificuldades que a imaginação legislativa pode conceber, surgindo aí ocasião para mais de uma compreensão e então admitindo em tese mais de uma versão. Todavia, quando a motivação é desviada ou falsa, portanto injusta porque fora da curva constitucional, verifica-se pelo contexto produzido um quadro de previsibilidade dos atos processuais de constrangimento.

É possível assim vislumbrar o desvio de finalidade ou de motivação pela constatação do próprio andar do processo o que, por exemplo, se pode perfeitamente observar quando a investigação dá *prevalência ao foco na pessoa* e não nos fatos, hipótese que a doutrina costuma identificar como direito penal do autor ou Direito Penal do inimigo, e onde os fatos e sua apuração mesmo quando importantes ficam sendo relegados a um segundo plano ou plano inferior da investigação tanto na

109

cogitação investigativa mas principalmente na atuação do autor da demanda penal e por parte do julgador envolvido no dilema processual e pela politização da lide.

Também se revela o desvio cogitado quando há *excessiva exposição* dos agentes do delito ou as características da conduta do agente são mais realçadas e importantes que o respectivo resultado jurídico penal em si sendo os elementos de caráter psicológico muitas vezes mais discutidos que os dados ou elementos materiais relacionados aos fatos investigados.

Percebe-se ainda o desvio de finalidade ou de motivação quando o processo revela a prevalente *necessidade de identificação do responsável* ou a autoria mais do que a figuração dos fatos, muitas vezes invertendo a investigação para alcançar o agente e até mudando ou alterando os fatos, consciente ou inconscientemente, evento bastante comum de modo geral nos crimes ligados ao tráfico de entorpecentes, ou aos crimes contra a dignidade sexual de conhecida sensação social.

Mais recentemente, no âmbito dos crimes de corrupção, lavagem de dinheiro e crimes financeiros ou tributários de repercussão, a identificação dos autores tem assumido seguidamente mais importância para os condutores do processo que os fatos que terá de revelar como base para o julgamento num processo justo como se, desvendada a autoria, pouco restasse para o resultado da causa.

Assim, a distinção entre o processo justo do injusto está na razão direta da compatibilidade ou não do resultado, mas também das etapas autônomas e independentes da investigação ou da cognição, com os pressupostos reiteradamente repetidos pela ordem constitucional e que, em resumo, são o reflexo democrático no desenvolvimento da investigação, de modo que se estabeleça um círculo virtuoso em que a premissa é confirmada pela conclusão, ou em que a legitimidade constitucional da motivação e da finalidade do processo se reflitam em todos os passos e no veredicto final, onde a premissa pode estar contida na conclusão mas onde não pode a conclusão estar contida na premissa.

Em suma, o processo só é substancialmente justo quando as medidas e providências próprias de seu andamento correlacionam-se

DIREITO FUNDAMENTAL AO PROCESSO JUSTO

logicamente com o bloco de constitucionalidade ou quando substancialmente observados os critérios e pressupostos constitucionais relacionados acima, tendo a resultante conteúdo igualmente compatível com o rigor da premissa, da licitude e legitimidade de todo o desenvolvimento do processo, já que a evidência da injustiça é a da incompatibilidade em qualquer grau ou momento da atuação processual, com os princípios vetores dos preceitos dessa natureza. A prova do processo justo então cabe ao acusador, e não a do injusto pelo acusado.

Daí que toda a medida, toda a ordem, determinação ou providencia judicial no âmbito do processo que nesse sentido aberrar da constitucionalidade por desvio, propósito escuso ou ignorância do seu regime será causa manifesta de inconstitucionalidade substancial e, então, vulnerando o direito fundamental ao processo justo, será substancialmente injusta.

Já se disse que a lei injusta é substancialmente inconstitucional ao considerar, como aqui por igual se sugere, que não importa ter sido o processo legislativo obediente aos cânones regimentais ou concretamente obediente ao mérito dos comandos constitucionais, se o resultado de seus preceitos não se acomodar ao bloco de constitucionalidade próprio.

Como visto, não se trata de um *jusnaturalismo* tardio, mas de rigor constitucional de acordo com o qual é ao núcleo essencial dos direitos, principalmente dos direitos humanos – cuja transversalidade lógica o distribui por todas as áreas da atividade humana – que se deve absoluta e integral atenção. A substancial inconstitucionalidade da lei injusta afirmada por Juarez Freitas[3] tem exata relação com a substancial inconstitucionalidade do processo injusto uma vez que derivam da mesma vertente ontológica.

É de um magistrado idêntico registro a respeito:

> *A teoria substantiva parte da afirmação de que um processo devido em direito (processo justo ou processo equitativo) está centrado na justiça com*

---

[3] *A substancial inconstitucionalidade da lei injusta.* Petrópolis: Vozes, 1989.

relação aos direitos em si mesmos (os bens da vida no plano material, a partir dos direitos fundamentais). Isso significa dizer que o processo justo deve ser considerado a partir da criação da própria norma legislativa, ou seja, da lei justa ou da lei razoável. Daí o combate às leis injustas, leis irrazoáveis, leis absurdas que privam desnecessariamente os direitos fundamentais dos cidadãos. Nesse sentido, desrespeitariam o princípio do processo devido em direito, por exemplo, leis que permitam a Administração expropriar bens sem prévia e justa indenização, que afastem a liberdade de imprensa, que autorizem o cerceamento da intimidade do cidadão, etc sem critérios de razoabilidade. Isso significa dizer que o juiz deve, ao resolver determinado caso, examinar os direitos materiais em jogo de modo a verificar a justiça e a razoabilidade da lei material em discussão, dando a solução mais justa ao caso.[4]

Assim também ao processo judicial.

Por isso, não é de distinguir o caso difícil do caso fácil para considerar que ao fácil a resposta é certa e ao difícil a resposta pode ser variada, pois o que se demanda no processo justo é que o processo seja adequado e harmônico com os pressupostos do bloco de constitucionalidade, e o resultado necessariamente será sempre justo na medida da observância deles tanto quanto será necessariamente injusto acaso desatento deles.

Também não se cogitaria de discricionariedade para qualquer tipo de idealização subjetiva do justo como resultado ou apenas no resultado, pois a verdade, como método, observa necessariamente senão o justo procedimento. Na lição dos mestres a discricionariedade é só aparente vez que ao aplicador só se admite a melhor resposta e, desse modo, portanto, a rigor não há escolha mesmo quando há hipóteses de escolha. Da igual forma, isso se impõe ao condutor do processo, a quem só é permitido fazê-lo na exata previsão do melhor atendimento ao regime constitucional de tutela do processo justo.

---

[4] ALVES DE SOUZA. Wilson. "Acesso à Justiça e o principio do processo devido em direito". *Revista Evocati*, Aracaju, n. 28, abr. 2008. Disponível em: <http://www.evocati. com.br/evocati/artigos.wsp?tmp_codartigo=209 >. Acesso em 27.09.2016.

DIREITO FUNDAMENTAL AO PROCESSO JUSTO

Processo, conhecimento e verdade estão nessa mesma linha de perspectiva, que Foucault[5] mostra ser identificada como relações de poder. Daí porque a simples forma é insuficiente para garantir a legitimidade constitucional do processo que sequer é democrático e de direito, posto serem essas denominadas *relações de poder*, necessariamente relacionadas pela força normativa constitucional com o poder popular do art. 1º, parágrafo único, da Constituição, a que irremediavelmente, sem dúvida, o poder judiciário deve reverência necessária.

Não basta assim que a instauração de investigação ou constituição de processo seja formalmente válida ou que se observem os pressupostos e requisitos de ordem formal. É preciso que, em obediência aos princípios constitucionais da dignidade da pessoa, da presunção de inocência e todo o estatuto de direitos correspondentes, seja o processo substancialmente motivado por valores e razões absolutamente obedientes ao conteúdo constitucional do bloco de direitos e com exata e rigorosa compatibilidade com os pressupostos respectivos, sempre apoiados em fatos objetivos, concretos, provados e verdadeiros.

Desponta, todavia, aí, um aparente paradoxo cada vez mais comum na atuação diária dos trabalhadores do processo. Trata-se da constante tensão verificada entre a busca da verdade e a proteção máxima do processo justo, na qual *constantemente* observa-se uma crescente relação dos motivos com as medidas processuais, situação aliás muito presente nas hipóteses de antecipação de medidas cautelares restritivas de liberdade ou de direitos em que a visualização da condenação surge delineada pelas afirmações indiciárias – elas próprias informadas pelos pressupostos e motivações da investigação ou do julgamento os quais, por sua vez, podem ser identificados, como acima referido, pela prevalência da figura do autor ou do perigo social ou processual ao invés dos fatos – podendo a "*busca*" que não tem em si contornos definidos submeter-se por vezes ao nuto seletivo do investigador ou do Ministério Público ou a "*verdade*" submeter-se à figuração subjetiva da vontade do investigador ou julgador.

---

[5] FOUCAULT. Michel. *A verdade e as formas jurídicas*. Rio de Janeiro: Nau, 2002.

As imposições de prisão antecipada constituem no momento atual o exemplo clássico do índice de compatibilidade dela com o bloco padrão constitucional de direitos informadores do processo justo, ou, em caso contrário, ao revés, a sua negação, porque o juiz que a defere, do mesmo modo como o Ministério Público que a promove ou a autoridade policial que a reclama, consciente ou inconscientemente em boa parte realizam a visualização antecipada do resultado do processo, até porque a lei exige indícios de autoria e materialidade, e *nessa premissa* buscam o resultado já contido na premissa. A questão, na realidade, não é censurar esse juízo antecipado impregnado de subjetivações, mas sim preservar o cuidado obrigatório contra a proliferação dos desvios possíveis em face das garantias e direitos constitucionais e, sem aboli-lo, desprendê-lo criticamente dessas subjetivações.

Esse fenômeno vem se mostrando reiterado a ponto de a divulgação de medidas pelo próprio Ministério Público (particularmente em casos rumorosos) utilizar metodologia midiática segundo a qual a conclusão está mais ou menos implicitamente contida na hipótese de investigação, e, então, mostrando isso por intermédio de recursos técnicos induzem o leitor ou ouvinte à conclusão já sutilmente inserida na premissa, provocando daí grande repercussão negativa ao investigado ou processado, muitas vezes de maneira irreversível do ponto de vista da sua reputação na opinião pública sem que tenha havido processo justo.

Por outro lado, tanto isso é perceptível que na mesma linha de indução das conclusões pela construção da premissa que a comporte, é público um movimento nacional de elaboração de várias medidas idealizadas como campanha ou *"luta"* anticorrupção, na maioria orientadas pela ação do Ministério Público Federal e entregues como projeto de lei ao Congresso Nacional, as quais, na sua compreensão, mostrar-se-iam absolutamente necessárias para o *combate* à criminalidade dessa espécie.

A despeito dessa proclamação de propósitos, analisando algumas delas frente ao bloco de constitucionalidade dos direitos e garantias individuais e também em face dos atos internacionais subscritos pelo Brasil parece evidenciar-se uma *manifesta corrente de inversão da proteção do processo justo*, isto é, aquele inteiramente obediente aos comandos

DIREITO FUNDAMENTAL AO PROCESSO JUSTO

constitucionais insistentemente repetidos, obrigatoriamente exigíveis na produção da prova e na construção do juízo definitivo da culpa ou da inocência do investigado ou do processado.

Por exemplo, o *aproveitamento da prova ilícita* que em determinadas circunstâncias *"servirem para refutar ou contestar fato ou afirmação não verdadeiro deduzido pela defesa ou fizerem contraprova de fato inverídico deduzido pela defesa ou demonstrarem falsidade ou inidoneidade de prova por ela produzida, ou necessária para provar a inocência do réu"*, e assim tido como hipótese de aproveitamento lícito dela para que não incida na vedação constitucional, além de injustamente atribuir ao investigado um ônus adicional de defender-se dela e provar que é ilícita quando é ao acusador que cabe afirmar e provar a licitude dela ainda quebra o estatuto processual do réu ou investigado (art. 5º, LVI, da Constituição).

A *inversão do ônus da prova*, outro ponto mencionado como medida necessária, já em boa parte veiculada na lei de improbidade de 1992 com idêntica motivação salvacionista, desfigura claramente o princípio acusatório de notória extração constitucional empurrando o processo para um grave retrocesso histórico e a um injusto lógico a ferir seriamente o processo justo.

Mais, decorrente da banalização da aceitação de *informante confidencial e a institucionalização da delação ou colaboração* ostensiva ou sigilosa, ainda quando instrumento auxiliar da investigação ou mesmo como ferramenta vulgar na construção da verdade processual, essa prática parece consagrar a violação mais óbvia do estatuto de proteção do processo outra vez arriscando fortemente a consideração de um processo justo.

O alargamento de outras hipóteses de *prisão antecipada* fornece mais ainda ocasião de antecipação de juízos intensamente desaforáveis ao investigado, sobretudo quando na fase pré-processual, com o propósito implícito de forçar a produção de provas ou coleta de elementos, de depoimentos ou delações, abrindo espaço para constrangimentos imprevistos na lógica do processo justo.

A instituição de *testes de integridade*, assim denominado o procedimento de verificação da honestidade e capacidade do servidor de resistir ou não a ofertas futuras de corrupção, revela-se o mais claro exemplo dessa tendência de desconsideração institucional do processo justo. Aqui, sobre presumir a vulnerabilidade pessoal do servidor (ou presumi-la discriminatoriamente por estratos ou suspeitas), o pressuposto da ação administrativa viola sistematicamente a presunção da inocência, elegendo desde logo o resultado antes do fato e da prova, algo assemelhado a procedimentos muito censurados de tempos arbitrários e autoritários patentemente contrários ao modelo do Estado Democrático de Direito e do estatuto do processo justo que a Constituição claramente protege e, nessa perspectiva, condena como contrárias a seus valores.

Todas essas inovações "modernizantes", na maioria vertentes da afirmada necessidade de enfrentar diferentes graus de criminalidade – de resto, oportunamente identificadas por *"combate"* à criminalidade (a engendrar a ideia de que em situação de guerra cedem os princípios em favor do resultado) – produzem um sério refluxo negativo sobre o processo cujas amarras democrático/institucionais acabam derretendo-se ante esse poder ofensivo, praticamente irresistível quando potencializado pelo poder persuasivo da mídia e da opinião pública assim condicionada.

Esse quadro faz transportar para o processo as mesmas reações apropriadas pela política urbana de garantia da lei e da ordem tituladas sob tolerância zero, cujos exemplos na história recente também não deixam dúvida quanto à capacidade de gerar arbítrio, autoritarismo e repressão extremamente violadores dos princípios abrigados no bloco de constitucionalidade fundante do processo justo.

Dizendo de outro modo, o processo penal está tendendo a converter-se em espaço de disputas onde a aplicação dura da lei e da ordem a qualquer título está licenciada para a repressão em nome e no pressuposto incondicional da segurança da sociedade e do resultado exemplar. O investigador e o julgador, consciente ou até inconscientemente, terminam por adotar providências no processo que não escondem essa visão iluminista pretensamente legitimada pelo *"bom combate"*, e então excessos de prazo, prisões excepcionais e conduções coercitivas, restrições de liberdade ou de bens transformam-se – como as repressões policiais de rua – em medidas normais e respeitáveis, muito embora, ao contrário,

DIREITO FUNDAMENTAL AO PROCESSO JUSTO

se a interpretação deva sempre ser *restritiva* nas determinações limitativas com relação ao respeito aos cânones do bloco de constitucionalidade deve sempre ser reiteradamente *abrangente* e conglobante na proteção dos direitos.

Ao inverterem-se os princípios e perseguirem-se pessoas e não fatos; ao se exigirem provas negativas ou penalizarem-se condutas com enorme gravidade e sem proporção degrada-se irremediavelmente o processo, e a apuração de certos crimes acaba por receber tratamento inteiramente fora da matriz jurisprudencial usual dos tribunais, dando causa a aproveitamentos, desvios, oportunismos ou manipulação, seja pela velocidade incomum, seja pela subjetivação de medidas processuais sem controle (separação de processos, conexão ou recusa dela) ou de controle inviável.

No entanto, e em sentido bem diverso, regras comuns e gerais de Processo Civil (que até se aplicam subsidiariamente) recomendam – o que constitui uma obviedade numa sociedade organizada pelo Direito – que as execuções se realizem pelo modo menos gravoso, circunstância tanto ou mais evidente quando se trata do processo penal ou persecutório. Por essa razão, ainda que não se cuide de execução propriamente, o próprio processo penal constitui por si só fator de contínuo e manifesto constrangimento, a justificar, com mais razão, também aqui, o modo menos gravoso como modelo de condução.

O processo justo, repita-se, é aquele em que as garantias são substancialmente respeitadas desde a instauração inicial da investigação policial até a sentença final de mérito e o trânsito respectivo, e não pode resvalar a segundo plano onde prevaleçam a sanção, a penalização, as condenações e as prisões que satisfaçam as supostas necessidades e exigências da sociedade, tudo entretanto, em sentido contrário à inspiração fundamental do respeito à dignidade da pessoa e da fraternidade proclamada no preâmbulo da Constituição.

Assim, qualquer que seja o objeto da investigação ou do julgamento, não se pode recusar ao processo correspondente nenhuma das autoridades constitucionais próprias do Estatuto de direitos humanos no mais acurado rigor, pouco importando o acusado ou investigado, e sim os fatos e as condutas, de qualquer sorte sempre protegidos os agentes ou autores pela presunção de inocência e pela garantia dos direitos de defesa, até o esgotamento dos quais prevalecerá a inconstitucionalidade de medidas ou determinações que com ou sem justificativa ofendem o bloco de direitos fundamentais, o qual, na dúvida, também prevalecerá sempre em obséquio ao Estado de Direito.

Nessa linha, não há espaço para espetáculos e exploração de qualquer tipo com relação a providências processuais, mas, sobretudo, para medidas restritivas de pouca ou duvidosa necessidade ou de penalizações antecipadas ou desproporcionais, e muito menos de oportunismo e sensacionalismo de fatos ou ocorrências processuais, cabendo ao juiz condutor, como é intuitivo da presunção de não culpabilidade ou da inocência, coibir o mau uso dos fatos do processo para que não se converta ele em processo injusto conduzido por juiz injusto.

Informação bibliográfica deste texto, conforme a NBR 6023:2002 da Associação Brasileira de Normas Técnicas (ABNT):

CASTILHO, Manoel Lauro Volkmer de. "Direito Fundamental ao Processo Justo". *In*: ZANIN MARTINS, Cristiano; TEIXEIRA ZANIN MARTINS, Valeska; VALIM, Rafael (Coord.). *O Caso Lula:* a luta pela afirmação dos direitos fundamentais no Brasil. São Paulo: Editora Contracorrente, 2017, pp. 107-118. ISBN. 978-85-69220-19-0.

CONSIDERAÇÕES SOBRE A INVESTIGAÇÃO CRIMINAL, A ACUSAÇÃO E O PROCESSO PENAL EM FACE DA CONSTITUIÇÃO FEDERAL

ALVARO AUGUSTO RIBEIRO COSTA

Os princípios constitucionais e legais pertinentes à investigação criminal, à acusação, ao processo, à polícia judiciária, ao Ministério Público e ao juiz quanto às garantias do acusado e da validade do processo penal são de conhecimento elementar para quem estuda e atua na área jurídica.

No entanto, quando todo esse acervo é desconsiderado ou tido como inaplicável em face de procedimentos e processos politizados e desviados de sua finalidade constitucional, quando agentes públicos, membros do Ministério Público e magistrados parecem desconhecê-lo, quando a escolha do acusado parece preceder o conhecimento de eventual crime e da comprovação e demonstração de sua materialidade e autoria, quando o sentimento pessoal e convicções ideológicas, crenças religiosas ou políticas militam contra a isenção, a serenidade e a imparcialidade, quando são desprezadas a lógica e a metodologia jurídica indispensáveis à fundamentação das decisões, quando aos acusados são negados direitos e garantias essenciais *à preservação de sua dignidade*, quando o devido processo legal é ostensivamente desprezado, enfim, quando a busca da verdade e o direito ao julgamento justo são substituídos pela busca da confirmação de hipóteses acusatórias seletivamente preconcebidas, *é preciso* mais do que nunca lembrar o que é simples e fundamental.

Os constituintes fixaram no Preâmbulo da Constituição Brasileira que se reuniram para "instituir um Estado Democrático, destinado a assegurar o exercício dos direitos sociais e individuais, a liberdade, a segurança, o bem-estar, o desenvolvimento, a igualdade e a justiça como valores supremos de uma sociedade fraterna, pluralista e sem preconceitos". Para esse fim, inscreveram entre os princípios fundamentais do Estado Democrático de Direito a dignidade da pessoa humana (Art. 1º, III, da CF) e, entre os objetivos fundamentais da República, o de constituir uma sociedade livre e justa, bem como promover o bem de todos, sem preconceitos ou discriminações (Art. 3º, I e IV, da CF). O respeito e a proteção dos direitos humanos, por sua vez, ali se impõem como um dos princípios prevalentes nas relações da República Federativa do Brasil na ordem internacional (Art. 4º, II, da CF). Como decorrência necessária dos referidos preceitos, a Constituição enuncia os direitos e garantias fundamentais à luz da isonomia (Art. 5º da CF), garantindo o direito à liberdade e à segurança nos termos que proclama. Além de vedar peremptoriamente a existência de juízo ou tribunal de exceção (Art. 5º, XXXVII, da CF), o constituinte erigiu em princípios constitucionais o da competência do juízo (Art. 5º, LIII, da CF), o do devido processo legal (Art. 5º, LIV, da CF), o do contraditório e o da ampla defesa, "com os meios e recursos a ela inerentes" (Art. 5º, LV, da CF), bem como proclamou a inadmissibilidade, no processo, de provas obtidas por meios ilícitos (Art. 5º, LVI, da CF) e consagrou a presunção de inocência antes do trânsito em julgado de sentença penal condenatória (Art. 5º, LVII, da CF)[1]. E, para que nenhuma dúvida pudesse pairar sobre a clareza e abrangência do anteriormente enunciado, a

---

[1] Merecem lembrança, outrossim, os princípios constitucionais da tipicidade e da anterioridade da lei penal (Art. 5º, XXXIX, da CF).

CONSIDERAÇÕES SOBRE A INVESTIGAÇÃO CRIMINAL, A ACUSAÇÃO...

Constituição proclamou: "Os direitos e garantias expressos nesta Constituição não excluem outros decorrentes do regime e dos princípios por ela adotados, ou dos tratados internacionais em que a República Federativa do Brasil seja parte" (Art. 5º, § 2º, da CF).[2-3]

Tão exaustiva enunciação de princípios, direitos, deveres, proibições e garantias se impõe a tudo que se refira às condutas dos agentes e órgãos do Estado na investigação criminal, na promoção da ação penal e no processo. Constitui, por isso, critério de validade, referência interpretativa e de execução e aplicação de todas as normas e atos relativos às funções estatais no âmbito penal. Por conseguinte, atos e condutas contrários aos mesmos serão constitucionalmente ilícitos.

Assim, ilícito é obrigar alguém a fazer ou deixar de fazer alguma coisa, sem que tal obrigação lhe seja legalmente imposta (Art. 5º, II, da CF); submetê-lo a tratamento desumano ou degradante (Art. 5º, III, da CF); privá-lo de direitos em razão de convicção filosófica ou política (Art. 5º, VII, da CF); violar sua vida privada, honra ou imagem, causando-lhe dano material ou moral (Art. 5º, V e X, da CF); violar seu domicílio fora dos casos previstos na própria Constituição (Art. 5º, XI,

---

[2] Entre os tratados e convenções internacionais a que se refere a Constituição Federal, destacam-se a Declaração Universal dos Direitos Humanos (Resolução n. 217 da Assembleia Geral das Nações Unidas, em 10 de dezembro de 1948) e a Convenção Interamericana de Direitos Humanos. A primeira assegura a todos o "remédio efetivo para os atos que violem os direitos fundamentais" (Art. 8º), "uma audiência justa e pública por parte de um tribunal independente e imparcial" (Art. 10), "o direito de ser presumida inocente até que a sua culpabilidade tenha sido provada de acordo com a lei, em julgamento público no qual lhe tenham sido asseguradas todas as garantias necessárias à sua defesa" (Art. 11, par. 1º). A segunda, por sua vez, confere a toda pessoa o "direito a um recurso simples e rápido ou a qualquer outro recurso efetivo, perante os juízes ou tribunais competentes, que a proteja contra atos que violem seus direitos fundamentais reconhecidos pela constituição, pela lei ou pela presente Convenção, mesmo quando tal violação seja cometida por pessoas que estejam atuando no exercício de suas funções oficiais". (Art. 25, 1).

[3] Completando o sistema, o § 3º do mesmo art. 5º equiparou a emendas constitucionais os "tratados e convenções internacionais sobre direitos humanos que forem aprovados, em cada Casa do Congresso Nacional, em dois turnos, por três quintos dos votos dos respectivos membros".

da CF); violar o sigilo de sua correspondência ou comunicações de dados ou telefônicas sem observância das formas e hipóteses constitucional e legalmente admissíveis (Art. 5º, XII, da CF); cercear ilegalmente sua liberdade de locomoção (Art. 5º XV, da CF) e de associação (Art. 5º, XVII e XVIII, da CF).[4]

De todos esses princípios e garantias emerge o devido processo legal, que pressupõe: a) promotor natural e isento: b) juiz competente e imparcial; c) atos processuais praticados para o fim exclusivo da obtenção da justiça no caso concreto (sem desvio de finalidade nem objetivos extraprocessuais); d) respeito absoluto ao princípio da presunção da inocência e pleno exercício do contraditório e da defesa. O devido processo legal não é, portanto, apenas um conjunto de atos formalmente ordenados; é substancialmente uma totalidade dinâmica, cuja adequada compreensão e aferição de validade deve ser feita mediante visão abrangente, à luz da Lei Maior. Sob igual perspectiva encontram-se as definições institucionais, funções, atribuições e instrumentos de atuação da polícia judiciária, do Ministério Público e do Juiz, expressa ou implicitamente contidas no texto constitucional. O devido processo legal, por conseguinte, é aquele em que o exercício de tais funções e o uso daqueles instrumentos ocorre em sintonia com a letra e o espírito da Lei Fundamental. Quando isso não acontece, a consequência não é apenas a nulidade da investigação ou do processo em que isso tenha se verificado. É a própria credibilidade do sistema judiciário e de suas instituições que resta comprometida.

Importante é lembrar que a segurança pública está constitucionalmente inserida no Título V da Lei Fundamental (que trata da defesa do

---

[4] Em consideração aos mencionados princípios e garantias, a Constituição assegura a todos o direito de petição contra ilegalidade ou abuso de poder (Art. 5º, XXXVIII, da CF) e o *habeas corpus* sempre que alguém sofrer ou se achar ameaçado de sofrer violência ou coação em sua liberdade de locomoção, por ilegalidade ou abuso de poder" (Art. 5º, LVIII, da CF). A par disso, depois de garantir a apreciação, pelo Poder Judiciário, de qualquer lesão ou ameaça a direito (Art. 5º, XXXV, da CF), o texto constitucional determina que "a lei punirá qualquer discriminação atentatória dos direitos e liberdades fundamentais" (Art. 5º, XLI, da CF).

CONSIDERAÇÕES SOBRE A INVESTIGAÇÃO CRIMINAL, A ACUSAÇÃO...

Estado e das instituições democráticas), submetendo-se ao Preâmbulo da Carta, onde reside a razão e a finalidade última da organização do Estado Democrático de Direito e de seus Poderes, órgãos e instituições.[5] A polícia judiciária, por sua vez, é função estatal inserida no âmbito da segurança pública, "dever do Estado, direito e responsabilidade de todos" (Art. 144 da CF), "para a preservação da ordem pública e da incolumidade das pessoas e do patrimônio. Daí se vê que a polícia judiciária tem existência, atribuições e instrumentos unicamente em vista dos valores supremos e fins gravados no Preâmbulo da Lei Maior, bem como dos princípios e garantias nela inscritos. Ali se encontram, pois, a referência primeira a orientar o exercício de suas funções e o critério fixado para aferição da validade dos atos e da responsabilidade de seus agentes.

Sob essa ótica podem ser considerados alguns aspectos do exercício das funções da polícia judiciária. O primeiro diz respeito aos fins a que se destina a autoridade policial e o uso dos instrumentos que lhe são conferidos. É relevante saber se – ou em que medida – o exercício das funções da polícia judiciária se mantém fiel aos referidos valores e fins. Quando tal exercício não os observa, configura-se o desvio de finalidade. Alguns aspectos devem ser a propósito considerados. O primeiro deles diz respeito à imparcialidade. Sendo exigível tanto do juiz como do órgão do Ministério Público, também o é da autoridade policial (Arts. 95, 104 e 107 do CPP). Sua inobservância pode ser a causa do desvio de finalidade, sempre que a busca da realização da justiça não seja o único fim orientador da conduta dos agentes estatais.

O desvio de finalidade pode ocorrer desde o início da investigação criminal quando, desprezando-se o princípio da busca da verdade real, adota-se como objetivo único a confirmação de uma hipótese relativa

---

[5] (...)"assegurar o exercício dos direitos sociais e individuais, a liberdade, a segurança, o bem-estar, o desenvolvimento, a igualdade e a justiça como valores supremos de uma sociedade fraterna, pluralista e sem preconceitos, fundada na harmonia social e comprometida, na ordem interna e internacional, com a solução pacífica das controvérsias" No caso, o art. 239 do Código de Processo Penal, onde se lê: Considera-se indício a circunstância conhecida e provada, que, tendo relação com o fato, autorize, por indução, concluir-se a existência de outra ou outras circunstâncias.

à existência e à autoria de um fato considerado delituoso. Em tal situação, incriminar alguém pode se tornar o fim da investigação; é vício de origem, podendo contaminar igualmente a acusação que dela venha a resultar, bem como as decisões judiciais subsequentes. Fatos relevantes deixam de ser considerados ou são subestimados, simplesmente porque não se ajustam à hipótese predeterminada ou não apontam na direção da autoria prefixada. Tal vício, se não corrigido oportunamente, faz previsível o oferecimento da denúncia, o seu recebimento e a sentença condenatória. Qualquer defesa, em consequência, torna-se inócua, meramente formal, anulando-se o contraditório, a presunção de inocência e o devido processo legal.

No âmbito do mesmo tema podem ser lembradas as "operações" policiais e as denominadas "forças tarefas" a elas vinculadas. A constituição e atuação de "forças tarefas" e a realização de "operações" no âmbito da investigação criminal não são em si mesmas questionáveis. No entanto, algumas ponderações devem ser feitas. Em primeiro lugar, não se pode esquecer que são meros procedimentos dentro de um mais amplo, a investigação. Assim, não constituem entidades com existências próprias e personalizadas que, do ponto de vista jurídico, possam ser sacralizadas ou impugnadas em tese. O que importa considerar é apenas a validade dos respectivos atos – isoladamente ou em conjunto – em face do sistema constitucional. São inválidos, por exemplo, se, afastando-se do princípio da busca da verdade real e da realização da justiça, seus agentes visam obter a qualquer custo a comprovação de hipóteses ("teorias do fato") elaboradas com o intuito de alcançar pessoas previamente "eleitas" para eventual acusação. Igualmente inválidos são tais procedimentos quando motivados por fins políticos – revelados pela conduta dos agentes e órgãos neles envolvidos, bem como pelo conjunto dos indícios pertinentes (coincidências de tempo, lugar e modo, com as pessoas e resultados das ações, por exemplo). Caracteriza-se, assim, o desvio de finalidade que, por si só, é causa de nulidade. Saliente-se, a propósito, que eventual acusação formulada com base em procedimentos desse modo viciados vem a se tornar, ela mesma, igualmente inválida, contaminando também a subsequente decisão que a receba, bem como o processo que lhes dê acolhida.

CONSIDERAÇÕES SOBRE A INVESTIGAÇÃO CRIMINAL, A ACUSAÇÃO...

É certo que, em tese, não há compromisso do acusador (o órgão do Ministério Público) com a investigação, nem do julgador (o juiz), com esta ou com a acusação. Mas o contrário acontece quando o investigador, o acusador e o juiz passam a atuar de modo integrado em propósito único – como uma verdadeira equipe –, na busca da confirmação da hipótese que todos passam a adotar. Essa integração de métodos e objetivos pode resultar de diversos fatores (afinidades ou interesses comuns de natureza ideológica, política, religiosa, classista etc.). Mas o que importa considerar do ponto de vista exclusivamente lógico e jurídico é o comprometimento dos atores ao longo da investigação – especialmente no tocante aos pressupostos e juízos subjacentes às medidas cautelares decretadas em seu curso –, antes e depois da formal acusação (a denúncia) e durante todo o processo e até à sentença. Identifica-se aí um vício original: o desvio de finalidade; investigação dirigida contra alguém "a priori" apontado como autor de fato hipoteticamente criminoso. Desprezam-se, em razão desse vício capital, quaisquer evidências, circunstâncias e provas que não se ajustem à hipótese originalmente fixada. Por outro lado, são supervalorizados os elementos que a ela possam aproveitar, suprindo-se as lacunas do quadro daí resultante com ilações, paralogismos e meras opiniões ou convicções. Em suma, o raciocínio indispensável à fundamentação jurídica é substituído pela ficção construída sob a inspiração de uma vontade compartilhada na busca de seu reconhecimento como verdade. A conclusão do processo já está na premissa que desde o início da investigação tenha sido adotada.

Esse tipo de procedimento constitui manifesta afronta a todo o sistema de princípios e garantias essenciais à validade da investigação e do processo penal. O direito inalienável a um julgamento justo passa a ser um nada. Os atos do processo, por si e no conjunto, traduzem intrínseca e irremediável inconstitucionalidade.

Incumbe ao Ministério Público, como "instituição permanente, essencial à função jurisdicional do Estado", "a defesa da ordem jurídica, do regime democrático e dos interesses sociais e individuais indisponíveis" (Art. 127, *caput*, da CF). Assim, o titular de função essencial à justiça não é mero agente investigador ou acusador. É instituição defensora da ordem jurídica constitucional e democrática, de onde extrai sua própria essência, teologicamente dirigida à defesa dos direitos individuais, sob inspiração dos princípios e valores a eles pertinentes. Por isso, no exercício de qualquer das funções e no uso de qualquer dos instrumentos que a Constituição Federal e as leis lhe conferem, especialmente para promover a ação penal pública (Art. 129 da CF), o órgão do Ministério Público (uno, indivisível e independente) não pode se desviar dos fins que lhe são constitucionalmente prescritos. Aliás, em sintonia com a mencionada definição constitucional, acha-se a proibição ao membro do Ministério Público de exercer atividade político-partidária (Art. 128, § 5º, II, e, da CF), evidenciando, no particular, a preocupação do constituinte no sentido de evitar parcialidades, preservando a isenção como essencial ao desempenho das funções institucionais.

No exercício da função de promover a ação penal, a decisão mais importante a ser tomada pelo órgão do Ministério Público é a que diz respeito à denúncia. Daí, a indispensabilidade do exame do tema em face dos princípios e normas constitucionais pertinentes. Quanto ao conteúdo da peça inicial acusatória, nada mais claro do que o art. 41 do Código de Processo Penal, que nela exige "a exposição do fato criminoso, com todas as suas circunstâncias", bem como "a classificação do crime". Lúcida e objetiva exposição do fato criminoso logicamente vinculado aos elementos do tipo penal imputado constitui exigência capital. Trata-se de requisito cuja ausência ou deficiência configura não apenas a inépcia da peça acusatória, mas também a inviabilidade do pleno exercício das garantias constitucionais do contraditório e da ampla defesa. Por essa razão, é ilícita a denúncia obscura, contraditória ou omissa. A obediência à lógica jurídica surge, assim, como elemento essencial ao enunciado da acusação. Se necessita de esclarecimentos, é porque se mostra obscura. Ademais, se esses esclarecimentos precisam ser feitos em espetáculo midiático recheado de juízos impertinentes, sua deficiência e invalidade não são supridas por esse meio; ao contrário, apenas revela parcialidade e transmite-se ao público a ideia de um produto a ser consumido, digerido ou usado para fins outros que não os próprios do devido processo legal; uma peça de "marketing" destinada ao que se passou a chamar de "processo midiático".

CONSIDERAÇÕES SOBRE A INVESTIGAÇÃO CRIMINAL, A ACUSAÇÃO...

Não é suficiente, contudo, que a denúncia se apresente formalmente perfeita. É indispensável que revele substancialmente, por seu conteúdo e documentos anexos, a inequívoca justa causa para a ação penal. A conduta nela descrita deve ser necessariamente típica. Vale dizer, deve corresponder, em tese, a um tipo penal, que é exatamente a descrição, na lei, de uma conduta que esta considera crime. Não basta, porém, a descrição hipotética de uma conduta. É preciso situá-la objetivamente com todas as suas circunstâncias de tempo, lugar e modo, indicando concreta e especificamente em que teria consistido a atuação ilícita do imputado.

Por fim, além de descrever um fato típico, é indispensável que a denúncia indique as provas em que se funda para afirmar sua efetiva ocorrência e autoria. É certo que, quanto a esta, é bastante a existência de indícios suficientes. Lembre-se contudo que os indícios suficientes de autoria legalmente exigidos para a configuração da justa causa para a ação penal não se confundem com o que midiaticamente se costuma chamar de "evidências". Como indícios podem ser considerados apenas aqueles que a lei assim considera (Art. 239 do CPP).[6] Devem ter precisa e indispensável pertinência com o objeto da imputação, relacionando-se direta e especificamente a um ou mais atos praticados pelo acusado.

A objetividade da narrativa contida na denúncia, bem como dos elementos que a acompanham, é condição de sua validade. Narrativas que não tenham direta e necessária relação com o fato e a conduta tipificada na lei penal, bem como ilações e opiniões frutos de mero subjetivismo, não são fundamentos válidos para a acusação. Além de não propiciarem o contraditório e o pleno exercício da defesa, podem revelar o desvio de finalidade e a falta de isenção e de impessoalidade na conduta do órgão acusador. Em suma, nenhum valor podem ter quanto à indispensável demonstração da justa causa para a ação penal.

---

[6] No caso, o art. 239 do Código de Processo Penal, onde se lê: Considera-se indício a circunstância conhecida e provada, que, tendo relação com o fato, autorize, por indução, concluir-se a existência de outra ou outras circunstâncias.

A existência e a demonstração da justa causa para a ação penal são, pois, condições absolutamente necessárias para legitimar a persecução penal e a instauração do processo. Sem que as mesmas se cumpram, o contraditório e a defesa se tornam substancialmente inviáveis.

Mas não é só. O respeito às garantias constitucionais pertinentes à acusação e ao processo no tocante ao Ministério Público requer a consideração de outros princípios e aspectos. Um deles consiste na obrigatoriedade da ação penal pública. Havendo prova do crime e de sua autoria, não pode o Ministério Público deixar de apresentar a denúncia ou fazê-lo seletivamente. A justa causa para a ação penal impõe ao Ministério Público, cumprindo obrigação que lhe é constitucionalmente atribuída (Art. 127, *caput*, e 129, I, da CF), apresentar a denúncia contra todos os autores do crime. Essa obrigação é infringida, porém, quando a acusação é feita seletivamente; denunciando-se algumas e excluindo-se outras, em manifesta ofensa ao princípio da isonomia. Outra consideração necessária diz respeito à finalidade da ação penal, que não pode ser outra que não a realização da justiça. O oferecimento da denúncia, portanto, não pode desviar-se desse objetivo. Somente um fim é admissível perante a Constituição: um julgamento justo. Aliás, quando ocorre o desvio – e suas consequências (ilegalidades, abusos etc.) – pode configurar-se até mesmo a hipótese do crime de prevaricação (CP, art. 319).

O desvio de finalidade da acusação pode ser a consequência direta do desvio ocorrido na investigação precedente, que, viciada pela busca da pessoa a ser incriminada e não do fato criminoso, vem a ser acolhida pelo órgão do Ministério Público ao formular a denúncia. Esse nocivo efeito, aliás, torna-se plenamente previsível quando o Ministério Público tenha atuado integral e solidariamente com a polícia judiciária no curso do inquérito e de seus incidentes. Nessa hipótese, o órgão ministerial se desvia de sua identidade constitucional (Art. 127 da CF) e se identifica – compartindo o mesmo vício – com os sujeitos da investigação.

De absoluta relevância, igualmente, é o princípio da imparcialidade, a ser abordado mais adiante. De logo, porém, deve ser assinalado que o

CONSIDERAÇÕES SOBRE A INVESTIGAÇÃO CRIMINAL, A ACUSAÇÃO...

exercício da ação penal há de ser feito com absoluta isenção e sem qualquer eiva de subjetividade.

Todos têm direito a julgamento pelo juiz natural, competente e imparcial (Art. 5º, XXXVII, LIII, LIV e parágrafo 2º, da CF). Sem isso não há devido processo legal.

A competência penal é estabelecida na Constituição e nas leis com base em critérios objetivos; em razão do lugar da infração, do domicílio ou residência do réu, da natureza da infração, da distribuição, da conexão ou continência, da prevenção e da prerrogativa de função (Art. 69 do CPP). Assim, não cabe nenhum subjetivismo em sua fixação. A competência não é criação mental; não pode ser fruto de teorias, ficções, suposições ou convicções. Outrossim, no sistema constitucional e legal brasileiro não existe a figura do juízo universal penal ou – muito menos – do juiz universal temático (da corrupção, por exemplo). Por isso, afirmar indevidamente competência inexistente – mediante qualquer artifício ou criação mental – ou ampliar desmedidamente a própria competência – é inadmissível. Pode, sim, evidenciar facciosismo e comprometer a validade de toda a persecução penal, usurpando outras competências ou até mesmo invertendo de fato a pirâmide do sistema judiciário.

Além de competente, o juiz deve ser imparcial. Imparcialidade é elemento nuclear do exercício da magistratura e do devido processo legal. Sem ela não há processo válido em face da Constituição. Para preservá-la, princípios constitucionais e legais consideram nulos os atos praticados por juiz impedido ou suspeito. A ausência de isenção – vale dizer, parcialidade –, em alguns casos chega ser legalmente presumida (CPP, arts. 252 e 254). A enumeração das hipóteses legais, no entanto, não esgota o critério de sua aferição. É apenas exemplificativo, visto que decorre do próprio texto constitucional a exigência da imparcialidade. É um princípio contra o qual não pode prevalecer norma de hierarquia inferior.

A falta de isenção (ou perda dela em algum momento processual) pode ser constatada objetivamente. É o que ocorre, por exemplo, quando o juiz, tendo decidido a respeito de medidas (cautelares ou não) em procedimento anterior ao oferecimento da denúncia, compromete-se com os fundamentos adotados que, muitas vezes, pressupõem a afirmação da existência de fato delituoso e de sua autoria, temas esses que constituem justamente o cerne da acusação a ser posteriormente questionada em juízo mediante o contraditório e a ampla defesa. Nessas hipóteses, a decisão do juiz pode traduzir um prejulgamento. Isso torna o magistrado vinculado à afirmação e à confirmação daqueles pressupostos, o que lhe retira a indispensável imparcialidade. A parcialidade também se revela no desvio de finalidade quando o magistrado se deixa contaminar pelo mesmo defeito originalmente verificado na investigação policial e na acusação que nela se haja baseado. Trata-se, nessas situações, de parcialidade intrínseca à da conduta do juiz, em detrimento do devido processo legal, do contraditório, da ampla defesa e da presunção de inocência do acusado.

Os princípios e normas acima enunciados se impõem aos sujeitos da investigação e do processo penal (Polícia, Ministério Público e Juiz) não só por força da própria definição constitucional da instituição e do Poder que exercem, mas também pelo dever de preservar a validade de seus atos.

Neste ponto, destaque-se a inconfundível e inalienável identidade funcional de cada um deles. A investigação criminal, a acusação e a condução e o julgamento da ação penal não se confundem. Distintas funções, distintos titulares. Se confusão ocorre entre uns e outros, disso resulta a ilicitude e a nulidade dos respectivos atos e dos que deles dependam. É o que se vê quando policiais se arvoram em julgadores, membros do Ministério Público antecipam juízos sobre fatos cuja apuração sequer teve início ou ainda não terminou; e juízes se apresentam como investigadores ou acusadores, revelando parcialidades, desvios e deixando entrever a quase absoluta previsibilidade de suas decisões, antes mesmo de proposta a ação penal ou concluída a instrução processual. Nesse contexto, o investigador prejulga e acusa, o acusador investiga e prejulga, e o juiz investiga, acusa e prejulga. Outrossim, quando no decorrer de procedimentos ou processos eles atuam como parceiros vinculados por um mesmo objetivo (a condenação do suspeito ou

CONSIDERAÇÕES SOBRE A INVESTIGAÇÃO CRIMINAL, A ACUSAÇÃO...

acusado), igualmente atentam contra a ordem constitucional. Ao desprezarem os princípios da separação dos poderes e os limites das respectivas funções constitucionais, revelam também um subjacente desvio de finalidade compartilhado. Em consequência, a presunção de inocência, o contraditório e a ampla defesa desaparecem e o devido processo legal resulta impossível.

As funções e instrumentos que a Lei Maior atribui aos mencionados entes estatais são decorrência das respectivas definições. Por isso, necessariamente vinculados à realização da justiça mediante o devido processo legal. Sua utilização descabida, ilegal, abusiva ou com desvio de finalidade é manifestamente inconstitucional. Isso pode ocorrer, por exemplo, quanto a prisões e conduções coercitivas desnecessárias e carentes dos pressupostos legais ou de substancial fundamentação. Aliás, em tais situações, não socorre a quem as requer ou determina a denominação que pretenda atribuir à própria conduta, cuja realidade afronta por si mesma a liberdade e a dignidade da pessoa humana (*vide* Art. 5º, LXI, da CF). Diga-se o mesmo quanto à manipulação de provas ou evidências; a gravações ilegais; a vazamentos seletivos de atos sigilosos com favorecimento a selecionados setores da mídia, para satisfação de interesses e fins diversos, especialmente políticos. Reveladora, no particular, pode ser a coincidência temporal precisa e reiterada entre a prática de tais atos e o calendário politico, bem como a indevida publicidade de delações sigilosas ou não, por vezes obtidas sem a plena voluntariedade dos delatores ou mediante "prêmios" descabidos ou desproporcionais – tudo constituindo um quadro de irresistível constrangimento ou estímulo a falsas acusações. De todo inadmissível, ainda, quanto à pessoa dos acusados – ou meros suspeitos ou terceiros – é a sua excessiva, humilhante, degradante e cruel exposição à execração pública, em flagrante ofensa à dignidade do ser humano. Tudo isso pode se tornar ainda mais grave quando o desvio de finalidade mostra-se orientado para objetivos políticos, em detrimento da democracia, da impessoalidade, da imparcialidade e probidade dos agentes e órgãos estatais.

Atuando contra a Constituição, de nada pode aproveitar àqueles agentes e órgãos a eventual alegação de terem cumprido as formalidades legais ou agido de boa-fé; nem lhes cabe invocar situações inéditas ou excepcionalidades. Tais alegações, além de trazerem implícita (ou mesmo explícita) a confissão da afronta à Lei Maior, são absolutamente incompatíveis com o Estado Democrático de Direito, a supremacia da Constituição e os princípios da isonomia e da legalidade, que lhe são inerentes. A propósito, não existe em nosso ordenamento constitucional a hipótese de "situação inédita", excludente de sua incidência e aplicação. Inexistente, também, é a figura do "juiz excepcional", senhor da lei e acima dela, posto como único árbitro de sua aplicação e de si mesmo, superior ao sistema judiciário (como se dele ocupasse o ápice) e imune à Constituição.[7] Por conseguinte, em face da incontestável supremacia da Lei Maior, a responsabilidade política, administrativa, penal e civil dos agentes e órgãos infratores da ordem constitucional mostra-se em toda plenitude; e os respectivos atos ilícitos, de nenhum valor jurídico.

Também é importante, do ponto de vista constitucional, considerar a relevância jurídica das condutas do órgão do Ministério Público e do juiz fora dos autos processuais. Quando se cuida de lembrar o direito do acusado a um julgamento justo, em que se observa o devido processo legal, o assunto aflora naturalmente. É que tal conduta pode interferir decisivamente no processo, seja pelos prejulgamentos que ela pode envolver, seja pela revelação de afinidades, idiossincrasias ou convicções (teóricas, ideológicas, religiosas ou políticas), em face das quais não é de se esperar do membro do Ministério Público e do magistrado a promoção da ação penal e a condução isenta e descomprometida no processo e nas decisões a serem tomadas.

Exemplo de desvio de finalidade e falta de isenção de magistrado, membro do Ministério Público ou autoridade policial, revelada por conduta externa à investigação ou ao processo penal, seria aquele em que qualquer deles – isolada ou coletivamente –, em entrevistas, escritos ou quaisquer manifestações extraprocessuais, viesse a propugnar pela interação com o ambiente social ou o uso de meios ilícitos ("de boa-fé") com o

---

[7] A CF, tendo em vista as situações verdadeiramente excepcionais, delas cuidou ao disciplinar o estado de defesa e o estado de sítio (Arts. 136 a 139 da CF), submetendo -os, todavia aos princípios da necessidade, da temporariedade e da proporcionalidade.

CONSIDERAÇÕES SOBRE A INVESTIGAÇÃO CRIMINAL, A ACUSAÇÃO...

objetivo de "desconstruir" a imagem ou enfraquecer o poder de acusados que considerasse "poderosos"; ou, ainda, pela necessidade de normas e condutas excepcionais para casos ou situações assim também consideradas.

De fato e de direito, ao contrário do que afirma uma antiga máxima – segundo a qual o que não está nos autos não está no mundo –, é necessário observar o que se passa aparentemente fora da persecução penal propriamente dita, mas com inegável influência e repercussão nela. O contexto social e político em que tem lugar e tempo a persecução muitas vezes lhe dá causa e determina seu desenrolar e final.

É notória, quanto a isso, a influência que se pode observar entre o que vem a ser chamado de "processo midiático" e o que acontece na investigação criminal e no processo judicial. É parte do noticiário cotidiano, aliás, o cenário em que policiais, membros do Ministério Público e magistrados atuam em conexão com os meios de comunicação (inclusive nas denominadas redes sociais), transferindo para ambientes alheios ao do juízo natural e competente o conteúdo e as questões integrantes da lide penal; ou seja, para onde as regras do devido processo legal não têm nenhum valor. Nessa arena universal – porque ilimitada – intentam impor suas hipóteses acusatórias e a condenação moral dos acusados ou meramente suspeitos; revelam promiscuidade entre o "processo midiático" e o processo judicial e abdicam, em última análise, do regular exercício das funções institucionais que lhes são próprias. A influência que essa nociva interação exerce no processo é inegável. Em casos de menor proporção, traduzem constrangimentos que um isento órgão do Ministério Público ou juiz pode superar; em outros, porém, estes podem sucumbir ao que lhes pareça insuportável. Às vezes, porque lhes falta a imparcialidade, porquanto suas condutas já o comprometera previamente com o resultado do litígio; noutros casos, e em face da exacerbada magnitude das pressões externas, porque lhes falta coragem ou efetiva lealdade à ordem constitucional, requisitos indispensáveis ao exercício das respectivas funções. Isso pode acontecer, de fato, em um contexto em que o "processo midiático" – movido por interesses absolutamente alheios (ou mesmo contrários) à finalidade do processo legal – pretenda substituir ou transformar em mera chancela de seus prejulgamentos a sequência dos atos processuais e as respectivas decisões.

Em conclusão e síntese, policiais, membros do Ministério Público e juízes devem obediência absoluta aos princípios constitucionais, desde a investigação policial até à decisão final no processo. Violam a Constituição e seus respectivos estatutos quando atentam contra o exercício dos direitos e garantias constitucionais da pessoa humana e dão causa à nulidade de seus próprios atos. Tais afrontas traduzem a negação da própria razão de ser dessas instituições, ferem a dignidade humana e o Estado Democrático de Direito e desacreditam a Justiça.

Informação bibliográfica deste texto, conforme a NBR 6023:2002 da Associação Brasileira de Normas Técnicas (ABNT):

COSTA, Alvaro Augusto Ribeiro. "Considerações sobre a investigação criminal, a acusação e o processo penal em face da Constituição Federal". *In*: ZANIN MARTINS, Cristiano; TEIXEIRA ZANIN MARTINS, Valeska; VALIM, Rafael (Coord.). *O Caso Lula:* a luta pela afirmação dos direitos fundamentais no Brasil. São Paulo: Editora Contracorrente, 2017, pp. 119-134. ISBN. 978-85-69220-19-0.

A GUERRA JUSTA DE LULA

FERNANDO TIBÚRCIO PEÑA

Não foram poucos os que viram motivos para comemorar na imagem do ex-Presidente Luiz Inácio Lula da Silva sendo levado pela polícia para depor e, particularmente, quando foram exibidas na coletiva de imprensa da força-tarefa da Operação Lava Jato em um hotel em Curitiba as exaustivamente televisionadas apresentações gráficas que o apontavam como o "comandante máximo" do esquema de corrupção naquela que foi até o ano passado a maior empresa brasileira.[1] Ou que riram de um Lula acuado e assustado nos grampos telefônicos autorizados pela Justiça.

Num sentido contrário, tomados pelo mesmo tipo de emoção, alguns simpatizantes mais exaltados do projeto político do seu partido criticaram duramente o juiz Sérgio Moro, argumentando que uma violência havia sido cometida contra o homem que mais tirou brasileiros da pobreza – como se esse tipo de discurso fosse capaz de criar uma espécie de escudo protetor –, o mesmo tipo de retórica que eu já havia ouvido de apoiadores do chavismo, quando ajudei na defesa de líderes políticos de oposição da Venezuela.

---

[1] LEITÃO, Matheus. "Lava Jato acusa Lula de ser chefe do esquema; Para defesa, MP faz ato político. Jornais de quinta (15)". *G1*, Rio de Janeiro, 5 out. 2016. Disponível em: <http://g1.globo.com/politica/ blog/matheus-leitao/post/lava-jato-acusa-lula-de-ser-chefe-do-esquema-para-defesa-mp-faz-ato-politico-jornais-de-quinta-15.html>. Acesso em 5.10. 2016.

Existiram aqueles, no entanto, que se mantiveram distantes das paixões ideológicas e viram o infortúnio de Lula por um prisma totalmente diferente. Para estes, entre os quais me incluo, não era possível ignorar o fato de que excessos poderiam estar sendo praticados com a condução coercitiva de um cidadão sem prévia intimação, com a divulgação de gravações que revelavam conversas íntimas e que guardavam pouca ou nenhuma relação com os fatos apurados e com a pouco usual exposição ao escrutínio público de um denunciado.

A pergunta que ficou no ar foi se a Operação Lava Jato não estaria extrapolando limites previstos na nossa Constituição e, assim, passando por cima de garantias tão duramente conquistadas por um povo que, não faz muito tempo, viveu anos de chumbo.

Há eventos que, pela sua transcendência, mudam os destinos de uma nação, e um lugar nessa lista – o futuro dirá – poderá ser reservado à Operação Lava Jato. Não propriamente pelo fato de que as investigações vêm descortinando um gigantesco esquema de corrupção e lavagem de dinheiro relacionado ao pagamento de propina para que grandes empreiteiras obtivessem contratos bilionários na maior estatal do país. O seu verdadeiro significado está no fato de que ela pode ser um passo firme na direção de mudanças positivas na forma como hoje o setor privado e o público se relacionam no Brasil.

O problema é que uma sociedade não evolui do dia para noite e – puxando a outra ponta da corda – a natureza humana é pródiga em exigir respostas rápidas. Em períodos de grande comoção, na ânsia de recolocar o trem nos trilhos, o inconsciente coletivo busca socorro num elegido, dando-lhe uma espécie de *carte blanche* para travar a guerra que reputar justa. Em algum momento próximo ao *Anno Domini*, Tito Lívio percebeu essa faceta da natureza humana – essa propensão das pessoas sem esperança de ver na guerra justa a única saída –, algo que também não passaria despercebido a Nicolau Maquiavel quinze séculos mais tarde. Maquiavel entendia ou queria fazer entender que "A guerra é justa para aqueles a quem é necessária; e as armas são sagradas quando nelas reside a última esperança".[2]

---

[2] MAQUIAVEL, Nicolau. *O Príncipe*. São Paulo: Martin Claret, 2000, p. 144.

A GUERRA JUSTA DE LULA

Adolf Hitler e George W. Bush ultrapassaram o campo da teoria e colocaram o conceito de guerra justa de Tito Lívio e Maquiavel em prática. O mesmo pode se dizer de Antonio Di Pietro, que conduziu – pelo menos na opinião dos seus críticos – com punho de ferro a Operação Mãos Limpas, que desvendou um enorme esquema de corrupção na Itália. É forçoso especular que também na Lava Jato pode estar sendo travada uma guerra justa, nos moldes do conceito oportunisticamente cunhado pelo grande historiador romano e referendado pelo fundador da ciência política moderna. Uma guerra onde o mal seria tolerado, desde que estivesse a serviço do bem.

Aqui cabe uma pausa: faço questão de ressaltar que o objetivo destas minhas linhas não é comparar Moro, Di Pietro ou George W. Bush a Hitler (embora, no caso do ex-Presidente americano, pelo rastro de sangue que deixou o seu governo, eu me sinta compelido a fazê-lo). Tenho o cuidado sempre de não cair na tentação de me deixar levar pela estratégia perniciosa de fazer uso do argumento falacioso que Leo Strauss chamou de *reductio ad Hitlerum*[3], uma armadilha perigosa, na medida em que pode desqualificar mais severamente quem faz uso do estratagema do que aquele para o qual as palavras são dirigidas. Seria leviano e reducionista tratar as coisas dessa maneira, para não dizer desonesto da minha parte.

Retomando o rumo da conversa, se assim for, se estivermos tolerando que o mal seja colocado a serviço do bem, isso pode gerar consequências danosas para o futuro da nação brasileira, na medida em que os meios empregados podem agravar num futuro não muito distante o quadro de corrupção pré-existente (a partir de uma reação do *establishment*). Muito pior, a impropriedade dos meios empregados pode criar precedentes que permitam flexibilizar garantias constitucionais que hoje – na visão equivocada daqueles que acreditam que é possível impor pela via judicial um novo padrão moral à sociedade – atrapalhariam o exercício do bem. A minha experiência em terras bolivarianas me diz

---

[3] STRAUSS, Leo. "The Social Science of Max Weber". *Measure*: a critical journal. Vol. 2. Chicago: Henry Regnery Company, 1951, p. 206.

que essa é uma estratégia arriscada e a mesma flexibilização que serve para facilitar o exercício do bem no dia de amanhã servirá para que seja facilitado – aos ditadores, Deus nos acuda – o exercício do mal.

São Tomás de Aquino um dia advertiu que os que em caso de necessidade julgam em desacordo com a lei não julgam a própria lei, mas sim o caso singular em que acham que a lei não deve ser aplicada.[4] Essa é uma constatação importante, na medida em que o *caso de necessidade* a que se refere o grande teólogo dominicano é um conceito amplo e subjetivo, que pode servir aos mais variados propósitos, inclusive ao de fazer o bem através do mal.

O que pretendo aqui demonstrar é que se a luta contra a corrupção no Brasil se fizer às custas dos direitos e garantias individuais, a sociedade brasileira vai colher o mesmo tipo de resultado desastroso alcançado por outras sociedades que em determinados momentos da História construíram mitos e permitiram a eles que gerissem o *day after* de acontecimentos que tiveram enorme impacto sobre a vida de seus cidadãos e de suas estruturas institucionais.

Não são poucos os exemplos históricos em que a máxima de que "os fins justificam os meios", aplaudida pelo povo, gerou consequências nefastas, resultando na piora das liberdades civis ou, como no caso da Alemanha Nazista, na degeneração completa dessas liberdades.

Adolf Hitler certamente não era a melhor solução para combater a situação de bancarrota iminente e caos social vivida pela Alemanha naquele começo da década de 30 do século passado, mas uma espécie de alucinação coletiva não permitiu que os seus cidadãos enxergassem a realidade.

A Itália aplaudiu a eliminação da classe política durante a Operação Mãos Limpas, confiando cegamente os destinos da nação ao procurador Di Pietro e ao juiz Giovanni Falcone – este barbaramente assassinado no

---

[4] AURÉLIO, Diogo Pires. "O 'caso de necessidade' na Ordem Política". *Cadernos de História e Filosofia da Ciência*, série 3, Vol. 12, n. 1-2, Campinas: Centro de Lógica, Epistemologia e História da Ciência da UNICAMP, jan./dez., 2002, p. 78.

A GUERRA JUSTA DE LULA

início das investigações – e até hoje paga o preço da ascensão de Silvio Berlusconi ao poder.

Muitas vidas poderiam ter sido poupadas no Iraque, Afeganistão e Paquistão e ninguém nos Estados Unidos precisaria ter aberto mão de sua privacidade, mas naqueles dias difíceis o desejo de vingança e a desconfiança em relação aos vizinhos de muro – não estou me referindo aos vizinhos que ficam do outro lado do muro fronteiriço Estados Unidos-México, mas aos vizinhos que moram na casa ao lado – foi maior que a razão e o povo americano optou por dar um cheque em branco para o presidente George W. Bush.

Mandatos que geraram e ainda geram graves e duradouras consequências e que nos obrigam a estudar mais detidamente o quanto as liberdades civis foram ou estão ainda sendo afetadas nesses países, como resultado das equivocadas contraofensivas a cada um dos eventos transcendentais aqui mencionados.

Antes, devemos mencionar que Hitler, Di Pietro e Bush representaram em suas devidas épocas as esperanças de uma nação. Moro ainda está fazendo história e se há algo que une a Alemanha Nazista, a Itália dos tempos da *mani pulite*, e os Estados Unidos da era Bush ao Brasil de hoje é a certeza de que uma sociedade não pode e não deve compactuar com qualquer circunstância que represente uma ameaça para as liberdades civis. E parece claro que no Brasil, após a deflagração da Operação Lava Jato e independente das boas intenções dos que estão à frente dela, as coisas estão caminhando para esse poço sem fundo.

Vamos discutir inicialmente o caso da Alemanha Nazista: nos anos que antecederam a invasão da Polônia, o país estava mergulhado em problemas sociais e econômicos, muito longe de se recuperar moral e financeiramente da derrota sofrida na Primeira Guerra Mundial. O país vivia um momento de desilusão e desesperança. Sem opções à vista, somente alguém com poderes mitológicos poderia restabelecer o orgulho do povo alemão. Foi nesse contexto que Hitler acabou ungido ao comando da nação, um evento para o qual podemos buscar as origens no turbulento 24 de outubro de 1929, quando a bolsa de Nova Iorque

139

quebrou e fez com que boa parte dos americanos fosse para a cama mais pobre, muitos sem um único *penny* no bolso (não demorou muito para que os efeitos da Terça-Feira Negra atravessassem o Atlântico e fossem bater na porta da República de Weimar).

A grave crise econômica ajudou a criar o substrato perfeito para que o líder nazista chegasse ao comando da nação alemã. Hitler não teve muito trabalho: como lembra Friedrich Hayek, o Estado de Direito estava carcomido naquela época e muito já se havia avançado em direção à planificação totalitária, cabendo ao ditador apenas completar a obra.[5]

Hitler contava com amplo apoio popular e era hábil em falar o que o povo queria ouvir. A ameaça comunista e a praga da corrupção eram temas recorrentes em seus discursos. Assim como hoje vemos nas redes sociais tanta gente postar comentários no sentido de que os "direitos humanos" são um obstáculo para o combate à criminalidade, naquela época havia uma percepção idêntica de parte da população alemã de que as liberdades civis eram obstáculos ao projeto reformador de Hitler. Dentre as ideias reformistas de Hitler, estava promover mudanças na legislação, de forma a que pudessem ser retirados os entraves (leia-se: direitos e garantias individuais) que dificultavam levar os criminosos para a cadeia. O apoio dos meios de comunicação foi parte importante do seu projeto político e foram esses mesmos meios de comunicação – na condição de porta-vozes da opinião pública – que ajudaram a manter os juízes sob pressão.[6]

O certo é que, doze anos depois da ascensão ao poder do Partido Nacional-Socialista dos Trabalhadores Alemães, o mundo contabilizava entre setenta e oitenta e cinco milhões de mortos na Segunda Guerra Mundial.

---

[5] HAYEK, Friedrich A. *The Road to Serfdom*. Londres/Nova Iorque: Routledge, 2001, pp. 81/82.

[6] CASARA, Rubens. "Vamos comemorar um tribunal que julga de acordo com a opinião pública?" *Justificando*, São Paulo, 12 de março de 2016. Disponível em: <http://justificando.com/2016/03/12/vamos-comemorar-um-tribunal-que-julga-de-acordo--com-a-opiniao-publica/#contato>. Acesso em 5.10.2016.

A GUERRA JUSTA DE LULA

A Operação Mãos Limpas começou numa manhã de inverno de fevereiro de 1992, quando Mario Chiesa, um integrante das fileiras do Partido Socialista Italiano, foi abordado pela polícia milanesa no exato momento em que embolsava metade do suborno acertado com o proprietário de uma pequena firma de limpeza. Ali foi dado o pontapé inicial para uma enorme cruzada judicial contra a corrupção, que nos quatro anos seguintes liquidou os quatro principais partidos da Itália e criou um vazio político que possibilitou a ascensão de Silvio Berlusconi à presidência do Conselho de Ministros da República Italiana, o mais alto cargo da nação.

É claro que Berlusconi ascendeu ao poder não por culpa dos juízes, mas sim por conta de que não sobraram políticos ou empresários importantes que reunissem melhores condições de fazê-lo (já que muitos estavam presos e alguns cometeram suicídio). Mas o fato é que Berlusconi foi aclamado primeiro-ministro e com ele veio a incongruente realidade de ter no poder um líder político que controlava a mídia.[7]

Di Pietro, por sua vez, foi alçado à condição de mito pela população italiana:

> La propensione di "Mani pulite" ad entrare in concorrenza col potere politico per l'approvazione pubblica ha indiscutibilmente in Di Pietro il suo interprete più rappresentativo, colui che più compiutamente ne incarna l'animus antipolitico. Promotore instancabile della sua immagine di intransigente inquisitore, Di Pietro, dopo il suo abbandono della magistratura in seguito a vicende mai del tutto chiarite, si dimostra capace di riconvertire in consenso elettorale il "consenso pubblico" capitalizzato nella fase eroica di "Mani pulite", canalizzando verso la sua persona buona parte delle simpatie del fronte pro-magistrati, di cui peraltro continuerà ad accreditarsi in Parlamento come il difensore più conseguente e il garante. La sua popolarità, che resiste ai ripetuti tentativi di delegittimarlo da parte di Procure ostili, combinandosi

---

[7] BARBACETTO, Gianni; GOMEZ, Peter; TRAVAGLIO, Marco. *Mani pulite*: la vera storia, 20 anni dopo. 4ª ed. Milão: Chiarelettere, 2012, p. 617.

FERNANDO TIBÚRCIO PEÑA

con il sostegno derivatogli dal suo attivismo referendario e da un sempre più accentuato antipartitismo, ne fa il principale antagonista mediatico di Berlusconi, uno dei pochi politici in grado di contrastarne con successo il carisma.[8]

As mesmas críticas que a Operação Lava Jato sofre hoje foram reservadas na época à Operação Mãos Limpas: o uso sistemático da delação premiada e das prisões cautelares, o vazamento seletivo de informações, a execração pública de acusados. Mas há de ser reconhecido que aqueles foram tempos de esperança para os italianos. Os julgamentos se tornaram sucessos televisivos e a impressão geral era de que a corrupção desapareceria do cotidiano do país.

O professor Alberto Vannucci, da Universidade de Pisa, usa a expressão *anomalia italiana* para designar a corrupção sistêmica hoje vigente na Itália.[9] Para ele, o fato dos índices de corrupção numa democracia avançada serem maiores do que os que são encontrados em alguns países em desenvolvimento encontra explicação numa série de fatores (fatores que encontram repercussão ainda maior na arena política). O familismo amoral, a falta de capital social e senso de civismo e a existência de uma cultura política alienada, fragmentada e particularista explicariam o clientelismo, o nepotismo e a sonegação fiscal, que representam verdadeiros traços culturais da sociedade italiana e que obviamente não seriam mudados por obra pura e simples da intervenção da Justiça daquele país. Traços culturais igualmente presentes na conjuntura brasileira.

Além disso, Vannucci ressalta a influência que teve a economia informal nessa engrenagem, num país que ainda hoje tem – assim como ocorre no Brasil – uma alta proporção de *shadow economy* em relação ao Produto Interno Bruto. É por isso que, de acordo com o catedrático italiano, a *mani pulite* teve apenas um impacto de curto prazo e não

---

[8] BELLIGNI, Silvano. "Magistrati e politici nella crisi italiana: democrazia dei guardiani e neopopulismo". *Political Theory Series Working Paper*, n. 11. Piemonte: Università del Piemonte Orientale, 2000, p. 16.

[9] VANNUCCI, Alberto. *L'infelice anomalia italiana*: la corruzione come sistema. Roma: Questione Giustizia, 2013, pp. 147-167.

A GUERRA JUSTA DE LULA

resolveu o problema da corrupção generalizada na Itália.[10] Mais que isso, "The overemphasis on the role of magistrates, to whom civil society after 1992 delegated the task of renewing the political class and purifying the whole system, turned out to be a boomerang".[11]

Vannucci, no intento de traçar os contornos do que seria esse efeito bumerangue, conclui a sua linha de raciocínio comentando o legado social deixado pela Operação Mãos Limpas:

> Its social legacy has been a deep-rooted pessimism concerning the integrity of political and economic elites; a delegitimation of almost all institutional authorities; reinforcement of the widespread tolerance of illegal practices. Its economic legacy has been a blurring of the lines of division between the market and state activities; deregulation and the emergence of mixed public/private arrangements in the delivery of public services, especially at local level; a multiplication of conflicts of interest due to the political careers of entrepreneurs, and the entrepreneurial vocations of politicians – factors which have made corruption more difficult to detect and sanction.[12]

O ministro do Supremo Tribunal Federal, Dias Toffoli, tem razão quando alerta para o risco do Poder Judiciário exagerar no seu ativismo.[13] É preciso ter em conta que a metodologia utilizada nas megaoperações

---

[10] VANNUCCI, Alberto. "The Controversial Legacy of 'Mani Pulite': a Critical Analysis of Italian Corruption and Anti-Corruption Policies". *Bulletin of Italian Politics*, Vol. 1, n. 2. Glasgow: University of Glasgow, 2009, pp. 233-264.

[11] VANNUCCI, Alberto. "The Controversial Legacy of 'Mani Pulite': a Critical Analysis of Italian Corruption and Anti-Corruption Policies". *Bulletin of Italian Politics*, Vol. 1, n. 2. Glasgow: University of Glasgow, 2009, p. 258.

[12] VANNUCCI, Alberto. "The Controversial Legacy of 'Mani Pulite': a Critical Analysis of Italian Corruption and Anti-Corruption Policies". *Bulletin of Italian Politics*, Vol. 1, n. 2. Glasgow: University of Glasgow, 2009, pp. 257/258.

[13] MARQUES, José. "Judiciário pode 'cometer o mesmo erro de militares em 1964', diz Toffoli". *Folha de S.Paulo*, São Paulo, 5 out. 2016. Disponível em: <http://www1.folha.uol.com.br/poder/2016/09/1813937-judiciario-pode-cometer-o-mesmo-erro--de-militares-em-1964-diz-toffoli.shtml>. Acesso em 5.10.2016.

FERNANDO TIBÚRCIO PEÑA

derivadas das inúmeras fases da Operação Lava Jato, que autoriza, por exemplo, buscas e apreensões pouco criteriosas em empresas, escritórios de advocacia, contabilidade e residências de pessoas que em muitos casos têm ligações apenas circunstanciais com os crimes investigados, pode produzir uma ordem tal de desdobramentos que certamente a fará chegar ao cidadão comum. Nessas devassas, pequenos sonegadores vão ser descobertos, um imóvel cuja escritura foi passada por um valor menor vai ser identificado, uma remessa não declarada de dinheiro para o filho que mora no exterior vai ser encontrada... E aí a Operação Lava Jato poderá chegar ao cidadão comum, como de fato chegou a Operação Mãos Limpas.

Aliás, o fim da maior investigação de corrupção da história da Itália foi decretado quando as investigações avançaram a tal ponto que alcançaram pequenos corruptos e corruptores. Gherardo Colombo, um ex-integrante da Corte de Cassação italiana e um dos principais expoentes da Operação Mãos Limpas, explica o quão importante foi o papel dos cidadãos comuns nesse processo de erosão da *mani pulite*:

> Para mim, a cidadania, os cidadãos comuns, tiveram uma parte importante na decretação do fim da Mãos Limpas porque, no início, eram todos entusiastas na Itália das investigações, pois elas nos levavam a descobrir a corrupção de pessoas que estavam lá em cima. Mas, conforme elas prosseguiram, chegamos à corrupção dos cidadãos comuns: o fiscal da prefeitura que fazia compras de graça, que não fiscalizava a balança do vendedor de frios, que continuava a vender apresuntado como se fosse presunto...[14]

Essa particularidade deve ser levada em conta quando da avaliação dos prováveis efeitos futuros da Operação Lava Jato sobre a sociedade brasileira.

---

[14] GODOY, Marcelo. "Quem acabou com a Operação Mãos Limpas foi o cidadão comum". *Estadão*, São Paulo, 27 mar. 2016. Disponível em: <http://politica.estadao.com.br/noticias/geral,quem-acabou-com-a-operacao-maos-limpas-foi-o-cidadao-comum,10000023323>. Acesso em 5.10.2016.

A Lava Jato, penso, pode acabar ultrapassando os seus efeitos econômicos diretos, derivados principalmente da retirada de cena das grandes empreiteiras (o que talvez seja um mal necessário). Refiro-me aos efeitos que a Lava Jato poderá produzir num ambiente onde há uma percepção de insegurança jurídica, derivada sobretudo dessa questão da inobservância de garantias constitucionais. Ao quanto essa percepção poderá contribuir para engessar a burocracia ou a vida política do país. Ao medo incutido num funcionário de uma repartição pública de Não-Me-Toque, no Rio Grande do Sul, de colocar a sua assinatura em qualquer expediente ou ao temor de um vereador em Pacaraima, em Roraima, de exercer determinadas funções do seu mandato. À sensação que tem hoje o cidadão comum de que alguém mais o está escutando falar ao telefone.

Dias Toffoli nos brinda com uma análise contundente, porém bastante razoável do problema:

> Se criminalizar a política e achar que o sistema judicial vai solucionar os problemas da nação brasileira, com moralismos, com pessoas batendo palma para doido dançar e destruindo a nação brasileira e a classe política... É o sistema judicial que vai salvar a nação brasileira?[15]

Federico Varese, professor da Universidade de Oxford, especialista na Operação Mãos Limpas, cita em elucidativo artigo[16] um exemplo bastante interessante, coletado por outros autores, de como a corrupção estava disseminada nos mais variados estratos sociais de nações do Leste Europeu, focos do seu estudo, assim como sempre esteve na Itália, sua terra natal. Varese traz à luz o caso da cultura enraizada nos

---

[15] MOURA E SOUZA, Marcos. "Toffoli: 'É o sistema judicial que vai salvar a nação brasileira?'". *Valor Econômico*, São Paulo, 27 mar. 2016. Disponível em: <http://www.valor.com.br/politica/4712327/toffoli-e-o-sistema-judicial-que-vai-salvar-nacao-brasileira>. Acesso em 5.10.2016.

[16] VARESE, Federico. "Pervasive Corruption". *In*: LEDENEVA, Alena V.; KURKCHIYAN, Marina (Coord.). *Economic Crime in Russia*. Londres: Kluwer Law International, 2000, pp. 106/107.

médicos dos países pós-comunistas de que receber presentes dos seus pacientes era algo natural:

> (...) hospital doctors in post-communist countries expect presents from patients ('especially expensive gifts'). If the doctors do not receive gifts, they either delay or refuse to deliver the medical service. Furthermore, 71 per cent of the doctors interviewed believe that their government regarded gifts of 'money or expensive presents' as an acceptable, informal way to pay officials. As time goes by, the memory of a no-corruption equilibrium fades away.[17]

Na Itália, o conflito entre magistrados e os atores políticos, num primeiro momento, e com uma sociedade tomada pela corrupção, num segundo momento, produziu uma deslegitimação institucional tal que resultou na desconfiança do povo em relação ao sistema legal.

Varese é didático ao dizer que lições o Brasil poderia aprender a partir da experiência italiana:

> Vocês não devem acreditar que essa investigação vai resolver o problema da corrupção. A operação Lava Jato não é a cura do Brasil. Tomem cuidado com partidos populistas tentando atrair promotores e juízes nas próximas eleições. Façam as reformas políticas e administrativas que são necessárias. Modernizem a forma como governo contrata obras públicas.[18]

Vannucci segue na mesma direção: "Não percam a chance de fazer as reformas necessárias. A corrupção não pode ser combatida apenas na Justiça, prendendo e processando pessoas. É preciso preveni-la".

---

[17] MILLER, William L.; GRØDELAND, Åse B.; KOSHECHKINA, Tatyana Y. "If You Pay, We'll Operate Immediately". *Journal of Medical Ethics*, Londres: BMJ, Vol. 26, pp. 305–311, 2000.

[18] PRAZERES, Leandro. "Estudiosos da Operação Mãos Limpas alertam: Lava jato não é a cura do Brasil". *UOL*, São Paulo, 10 mar. 2016. Disponível em: <http://noticias.uol.com.br/politica/ultimas-noticias/ 2016/03/10/analise-a-operacao-lava-jato--nao-e-a-cura-do-brasil.htm>. Acesso em 5.10.2016.

A GUERRA JUSTA DE LULA

O problema, segundo Vannucci, é que não foram feitas as mudanças administrativas e estruturais que a Itália precisava e, desde então, leis que tornaram mais difícil o trabalho de juízes e promotores foram criadas. O país viu nascer uma nova geração de corruptos, que passou a se valer de métodos mais sofisticados.[19]

O certo é que vinte anos se passaram desde que a Operação Mãos Limpas chegou ao fim e a Itália continua sendo um dos países mais corruptos da Europa. Se levarmos em conta as vinte maiores economias do mundo, a Itália só está melhor no quesito percepção da corrupção do que a China, a Índia, a Rússia, o México, a Indonésia, a Turquia e o Brasil.[20]

O terceiro e último evento a ser aqui analisado ainda está fresco nas nossas memórias. Quase três mil pessoas perderam suas vidas abruptamente em Lower Manhattan naquela manhã de 11 de setembro de 2001. Estima-se que nos anos seguintes um milhão e trezentos mil civis morreram no Iraque, Afeganistão e Paquistão na guerra promovida pelo Ocidente contra o terror, um milhão só no Iraque. Também as liberdades civis dos cidadãos americanos sofreriam duros golpes, algo que tomou uma dimensão tal que hoje assusta desde liberais na Califórnia a um fazendeiro em Nebraska.

Enquanto os Estados Unidos ainda contavam as vítimas do 11 de setembro, foi aprovado pelo Congresso o *Uniting and Strengthening America by Providing Appropriate Tools Required to Intercept and Obstruct Terrorism Act of 2001*, mais conhecido pelo engenhoso acrônimo USA PATRIOT Act, um salvo-conduto que autorizava o governo, dentre outras excrescências, bisbilhotar a vida de qualquer cidadão sem autorização judicial.

Quatro anos depois, o Congresso aprovou o *Detainee Treatment Act of 2005* (DTA) e, posteriormente, o *Military Commissions Act of 2006* (MCA), que trouxe à luz a figura singular do *combatente inimigo*. Essas leis

---

[19] PRAZERES, Leandro. "Estudiosos da Operação Mãos Limpas alertam: Lava jato não é a cura do Brasil". *UOL*, São Paulo, 10 mar. 2016. Disponível em: <http://noticias. uol.com.br/politica/ultimas-noticias/2016/03/10/analise-a- operacao-lava-jato--nao-e-a-cura-do-brasil.htm>. Acesso em 4.10.2016

[20] "Transparência Internacional". *Índice de Percepção de Corrupção 2015*. Disponível em: <http://www.transparency.org/cpi2015>. Acesso em 5.10.2016.

excepcionais retiraram dos prisioneiros da Guerra ao Terror do presidente Bush filho direitos que eram comumente assegurados aos prisioneiros de guerra pela Convenção de Genebra. Com isso, ficaram impossibilitados de recorrer às Cortes americanas, sendo-lhes negado o direito de impetrar *habeas corpus* por conta de uma construção jurídica abominável. Ainda que estivessem obviamente sob a jurisdição *de facto* dos Estados Unidos, a *United States District Court for the District of Columbia* havia decidido que a base naval de Guantánamo Bay era uma zona isenta de jurisdição.

Os prisioneiros de Guantánamo Bay ficaram então literalmente no limbo. Não podiam recorrer à Justiça americana, porque os tribunais daquele país entendiam que os Estados Unidos não tinham jurisdição sobre a base naval em que se encontravam detidos. Mesmo levando-se em conta o fato de Guantánamo estar encravado em território cubano, não podiam recorrer à Justiça cubana, por questões que dispensam comentários. A situação foi se arrastando até que Lakhdar Boumediene, um prisioneiro de origem bósnia, conseguiu levar o seu caso até a Suprema Corte dos Estados Unidos, que considerou inconstitucional as disposições da MCA que vedavam o exercício do direito de impetrar um *habeas corpus*.

Depois de enxergar com olhos mais atentos as consequências indesejáveis desses três importantes eventos históricos, devemos ainda acrescentar que há um risco grande da Lava Jato aprofundar um fenômeno que já vem acontecendo no Brasil, o fenômeno da transferência de uma parte importante do poder do Legislativo para o Judiciário, como consequência do ativismo judicial. Essa mudança na ordem das coisas pode nos transformar – se é que já não fomos transformados – numa juristocracia.

Se, por um lado, a proteção dos direitos constitucionais serviu de barreira ao hiperpresidencialismo na América Latina, a democracia representativa não evoluiu nessa região, inclusive no Brasil. Muito pelo contrário, houve uma perda ainda maior de poder por parte do Legislativo nos últimos anos.[21]

---

[21] PULIDO, Carlos Libardo Bernal. "Direitos fundamentais, juristocracia constitucional e hiperpresidencialismo na América Latina". *Revista Jurídica da Presidência*, Brasília: Centro de Estudos Jurídicos da Presidência, Vol. 17, n. 111, pp. 15-34, fev./mai. 2015.

As consequências do Brasil se transformar em uma juristocracia não podem e não devem ser desprezadas. Esse é um processo que pode paralisar a máquina pública e levar à criminalização sistemática da política e à destruição da classe política, lembrando mais uma vez as palavras do ministro Dias Toffoli. No campo teórico, devemos ter em conta que numa juristocracia – sobretudo quando determinadas decisões judiciais têm ampla cobertura midiática – sempre existirá um campo fértil para que alguns se lancem em projetos individuais de natureza eleitoral. Isso, como vimos, aconteceu na Itália e ajudou – depois que a poeira baixou – a colocar em xeque a credibilidade da *mani pulite*.

Hoje, os que ingressam na magistratura ou no ministério público representam uma elite econômica e intelectual. Exceções existem, mas como regra geral só aqueles que estudaram nas melhores escolas têm uma chance real de se tornarem juízes ou promotores.

Pouco mais de um por cento dos juízes são negros[22] (a magistratura uma das últimas carreiras a aceitar o sistema de cotas)[23] e há quem acredite – como o ex-presidente do Conselho Federal da OAB, Cezar Britto – que o fato dos novos ingressantes pertencerem a uma elite econômica e intelectual está por trás da onda conservadora que se verifica nos dias atuais no Judiciário brasileiro,[24] o mesmo tipo de onda que em algum momento tomou conta, como vimos, da Alemanha, da Itália e dos Estados Unidos. Seguindo na contramão dos preceitos liberais, claramente estamos vivendo uma onda punitivista, que pode

---

[22] RICHTER, André. "Juízes pretos são 1,4% dos magistrados, aponta censo do CNJ". *Agência Brasil*, Brasília, 16 jun. 2014. Disponível em: <http://agenciabrasil.ebc.com.br/geral/noticia/2014-06/juizes-negros-sao-14-dos-magistrados-aponta-censo-do--cnj>. Acesso em 5.10.2016.

[23] "PLENÁRIO do CNJ aprova cotas de acesso a negros para cargos no Judiciário". *Conselho Nacional de Justiça, Brasília*, 9 jun. 2015. Disponível em: < http://www.cnj.jus.br/noticias/cnj/79590-plenario-do-cnj-aprova-cotas-de-acesso-a-negros-para-cargos-no-judiciario>. Acesso em 5.10.2016.

[24] HOSHINO, Camila; GHISI, Ednubia. "Se não houver limites, teremos uma ditadura do Judiciário". *Brasil de Fato*, Curitiba, 17 jun. 2016. Disponível em: <https://www.brasildefato.com.br/2016/06/17/se-nao-houver-limites-teremos-uma-ditadura--do-judiciario/>. Acesso em 5.10.2016.

estar por trás da diminuição no Brasil do valor de um instituto tão sagrado como o da presunção da inocência (a partir do posicionamento do Supremo Tribunal Federal no sentido de que é cabível o início do cumprimento da pena com uma decisão de segundo grau). A mesma onda que, no caso das "10 medidas de combate à corrupção" apresentadas pelo Ministério Público Federal na forma de projeto de lei de iniciativa popular (com mais de 1,5 milhão de assinaturas), resultou em sugestões como o estreitamento da via do *habeas corpus*, o reconhecimento de provas ilícitas em determinadas situações e a limitação ou ampliação de prazos prescricionais.

Mas talvez o pior legado dessa onda punitivista seja agravar o problema da radicalização do discurso. Estamos assumindo posições sectárias, fundamentalistas por assim dizer, em quase tudo o que diz respeito ao nosso dia a dia. Vejo os comentários deixados na Internet e me assusto, ouço pessoas conversando na fila do supermercado e me assusto ainda mais. Dia desses fiz um pequeno exercício: comparei um caso em que um esquizofrênico havia empurrado e jogado uma mulher – que infelizmente acabou perdendo um dos braços – nos trilhos do metrô de São Paulo, com casos parecidos ocorridos na Espanha e nos Estados Unidos. No nosso exemplo local, dos quase duzentos comentários (a maioria pedindo coisas como pena de morte ou que os braços do agressor fossem amputados pelo Estado), só um único comentário racional lembrou que estávamos diante de alguém que tinha um transtorno mental grave. Nos exemplos alienígenas, a proporção de insensatos era bem diferente e o que incomodava os internautas eram coisas como, por exemplo, o corte feito pela administração Obama nos subsídios para a saúde mental.

Existe um vocábulo que anda perdido entre as páginas mofadas dos velhos dicionários: quididade. Essa palavra meio esquisita, com raízes na Filosofia, diz respeito à essência de alguma coisa, ao que é determinante para que essa coisa tenha a sua realidade própria. Pode soar redundante, mas uma zebra é listrada porque tem listras. Nada vai mudar isso e nem mesmo o cientista que criou a ovelha Dolly vai conseguir subverter a natureza a ponto de fazê-la produzir zebras quadriculadas. Então, não adianta recorrer ao argumento de que Lula foi conduzido coercitivamente para depor porque a sua integridade física estava em jogo ou que não houve "espetacularização" – usando o mesmo adjetivo empregado pelo relator da Lava Jato no STF, o ministro Teori Zavascki[25] – por ocasião da citada entrevista coletiva da força-tarefa. Nem tentar achar alguma justificativa para o telefone de um de seus advogados ter sido grampeado ou a interceptação de suas conversas e as de sua esposa ter sido tornada pública. As coisas são o que são.

O certo é que tudo isso reduziu as possibilidades de defesa e da defesa de Lula. É por essa razão que não tratei com desdém – como parte significativa dos articulistas dos nossos meios de imprensa tratou – a estratégia do ex-Presidente de levar o seu caso ao Comitê de Direitos Humanos da ONU.

Não há democracia sem respeito aos direitos humanos. O preâmbulo da nossa Constituição declara textualmente a existência desse estreito vínculo, uma premissa que é igualmente reconhecida no preâmbulo da Declaração Universal dos Direitos Humanos. A Assembleia Geral da Organização das Nações Unidas, nos primeiros anos que se seguiram ao fim da Segunda Guerra Mundial, fez questão de deixar claro que "(...) o reconhecimento da dignidade inerente e dos direitos iguais e inalienáveis de todos os membros da família humana é o fundamento da liberdade, justiça e paz no mundo".

Tal orientação se tornou ainda mais explícita na Convenção Americana sobre Direitos Humanos, que reafirma o propósito dos Estados americanos "(...) de consolidar neste Continente, dentro do quadro das instituições democráticas, um regime de liberdade pessoal e de justiça social, fundado no respeito dos direitos essenciais do homem".

Com a Carta Democrática Interamericana não podia ser diferente. O seu artigo 3º enumera dentre os elementos essenciais da democracia

---

[25] MASCARENHAS, Gabriel. "STF nega recurso de Lula e critica 'espetacularização' na Lava Jato. 'Quem acabou com a Operação Mãos Limpas foi o cidadão comum'". *Folha de S. Paulo*, São Paulo, 4 out. 2016. Disponível em: <http://www1.folha.uol.com.br/poder/2016/10/1819758-stf-nega-recurso-de-lula-e-teori-critica-espetacularizacao-na-lava-jato.shtml>. Acesso em 5.10.2016.

representativa o respeito aos direitos humanos e às liberdades fundamentais, o acesso ao poder e seu exercício com sujeição ao Estado de Direito e a independência dos poderes públicos.

Ideal que é compartilhado por Ivan Šimonović, Secretário-Geral Adjunto para Assuntos Políticos da ONU:

> (…) successful democratic governance must inevitably focus on promotion and protection of human rights and fundamental freedoms. For without this protection there can be no democracy in any meaningful sense. Only a State committed to protecting individual liberties, equality and human dignity can ultimately be a free and democratic country in practice.[26]

Só nos Estados plenamente democráticos há plena vigência dos direitos humanos. Democracia e direitos humanos são conceitos que evoluíram juntos ao longo da História. Fábio Konder Comparato nos recorda que

> Toda a "primeira geração" de direitos humanos, nos documentos normativos produzidos pelos Estados Unidos recém independentes, ou pela Revolução Francesa, foi composta de direitos que protegiam as liberdades civis e políticas dos cidadãos, contra a prepotência dos órgãos estatais.[27]

Mas não deixa de observar que a moeda tem outro lado, ao nos lembrar que,

> Por outro lado, se se admite que o Estado Nacional pode criar direitos humanos, e não apenas reconhecer a sua existência, é irrecusável admitir que o mesmo Estado também pode suprimi-los,

---

[26] TOMMASOLI, Massimo (Coord.). *Democracy and Human Rights*: the Role of the UN. International IDEA, Departamento de Assuntos Políticos da ONU e Escritório do Alto Comissariado da ONU para os Direitos Humanos (Coord.). Nova Iorque, 2013, p. 39.

[27] COMPARATO, Fábio Konder. *A afirmação histórica dos direitos humanos*. 7ª ed. São Paulo: Saraiva, 2010, pp. 71/72.

ou alterar de tal maneira o seu conteúdo a ponto de torná-los irreconhecíveis.[28]

O que faz oportuno transcrever o alerta de Brimmer, no sentido de que a democracia não precisa necessariamente de um evento radical – como um golpe – para entrar em colapso:

> (…) the coup is not the only form an interruption of democracy can take. Democracy also can erode over time under pressure from a series of subtle events that undermine its quality and, eventually, its very existence.[29]

E se há algo que aprendi nessas minhas andanças bolivarianas é que esses eventos que vão solapando lentamente a democracia nem sempre são produzidos num ambiente de instituições enfraquecidas. Instituições excessivamente empoderadas são igualmente perigosas para a democracia.

É forçoso dizer que Lula dificilmente reunirá as condições para ter um julgamento isento em terras tupiniquins, levando-se em conta o quadro político-institucional do Brasil e, sobretudo, o fato – sem que eu esteja colocando em dúvida a reputação do juiz Moro – de que a nossa legislação concentra numa só pessoa as figuras do juiz que conduz as investigações e a do juiz encarregado de julgar. Nos casos em que o ativismo judicial é a mola propulsora, esse contrassenso pode levar a um paradoxal estado de coisas onde aquele que julga acaba ficando sob a sombra da bandeira que empunha.

É como imaginar que, em um cenário de comoção nacional parecido com o que estamos vivendo hoje no Brasil, fosse possível a Hans Litten, o obstinado advogado antinazista que levou Hitler a depor num tribunal,

---

[28] COMPARATO, Fábio Konder. *A afirmação histórica dos direitos humanos*. 7ª ed. São Paulo: Saraiva, 2010, p. 72.

[29] BRIMMER, Esther. "Vigilance: recognizing the Erosion of Democracy". *In*: HALPERIN, Morton H.; GALIC, Mirna (Coord.). *Protecting Democracy*: international Responses. Lanham: Lexington Books, 2005, p. 233.

ter recebido um julgamento justo (talvez já fosse injusto o fato dele estar sendo julgado) e com isso ter vivido mais que os seus trinta e poucos anos.

Em que pesem as diferenças que separam o meu posicionamento político do de Lula – até porque essa não é uma questão de política –, torço para que o ex-Presidente receba um tratamento que passe ao largo das questões ideológicas, seja em Curitiba, em Brasília, Genebra, Washington ou San José, para que não precise esperar pelo julgamento da História ou para que não tenha de aguardar o Juízo Final para contar com um julgamento verdadeiramente justo.

Vários juristas com quem conversei apontam fragilidades importantes nas acusações feitas contra Lula, inclusive os seus advogados, que sustentam brilhantemente a tese de "lawfare", um tipo de guerra jurídica que já me acostumei a ver na Venezuela e na Bolívia e que consiste no uso massivo e sistemático de procedimentos legais, bem como de táticas de relações públicas e de comunicação social, com o objetivo de dificultar a defesa de um oponente.

Ainda assim, quero deixar claro que esta não é uma ode em favor da absolvição de Lula, mas uma ode em favor do pleno exercício do seu direito de defesa. Aqueles que o estão acusando ou que ficarão responsáveis pelo seu julgamento devem ser os primeiros com aulos e liras a acompanhar o recital, uma vez que o cerceamento de defesa pode proporcionar no futuro a anulação – pelas instâncias superiores – dos processos contra o ex-Presidente. E, olhando exclusivamente pela ótica dos seus acusadores, se isso acontecer e se Lula de fato tiver contas para acertar com a Justiça, produzir-se-á no mínimo uma situação curiosa: seus próprios acusadores terão ajudado a fomentar a sensação de impunidade que tanto causa repulsa na nossa sociedade.

Informação bibliográfica deste texto, conforme a NBR 6023:2002 da Associação Brasileira de Normas Técnicas (ABNT):

PEÑA, Fernando Tibúrcio. "A Guerra justa de Lula". *In*: ZANIN MARTINS, Cristiano; TEIXEIRA ZANIN MARTINS, Valeska; VALIM, Rafael (Coord.). *O Caso Lula:* a luta pela afirmação dos direitos fundamentais no Brasil. São Paulo: Editora Contracorrente, 2017, pp. 135-154. ISBN. 978-85-69220-19-0.

AUTONOMIA E IMPARCIALIDADE DO PODER JUDICIÁRIO

CELSO ANTÔNIO BANDEIRA DE MELLO

É da mais vetusta tradição jurídica a de que o Poder Judiciário deve ser independente e liberto de influências de quaisquer órgãos ou entidades públicas ou privadas, pois sua atuação haverá de se pautar pelo cumprimento das normas vigentes, cuja interpretação não pode ficar subordinada a interesses externos.

Sem embargo, ninguém duvida de que, como quaisquer integrantes do corpo social, os membros do Judiciário não conseguem escapar dos condicionantes que envolvem todo e qualquer sujeito imerso no ambiente em que se situam. Logo, por esta via, ao menos, serão sempre influenciados por aquilo que circunda seu próprio universo e as interpretações que façam não têm como alhear-se disto.

Ora, em países ainda subdesenvolvidos, caso do Brasil, notoriamente o nível cultural de toda a Sociedade (nela se incluindo evidentemente também os membros do Poder Judiciário) não vai muito acima daquilo que se lê nos jornais e revistas ou do que se vê na televisão.

Consequência inevitável disto é que os chamados meios de comunicação adquirem um imenso poder de influenciar todas as instituições do País e não apenas o Judiciário. Se tais meios fossem diversificados, de maneira a expressar o ponto de vista dos diversos segmentos sociais, não haveria grande problema nisto, sobretudo se tivessem um alto nível. Mas não é o que ocorre entre nós. Além de expressivas de um patamar cultural baixo, um número muito reduzido de famílias domina inteiramente as vias de comunicação e é claro que se trata justamente das mais abonadas e que, bem por isto, representam muito fielmente os interesses das classes dominantes e cumprem um papel eficiente na domesticação das camadas sociais dominadas. Estamos a falar da chamada Grande Imprensa, a qual foi apelidada por um respeitável jornalista de "PIG" (Partido da Imprensa Golpista).

Segue daí que o Poder Judiciário muito dificilmente escapará de refletir esta situação e, pois, irá também ele concorrer para que os mesmos resultados e interesses se imponham. Assim, quando se fala em autonomia deste Poder é preciso ter bem presente no espírito o risco de imaginar uma neutralidade e isenção que a realidade desmente. Para que não se diga que esta é uma visão excessivamente pessimista, nada mais aconselhável do que confrontar as dicções constitucionais com a prática jurisdicional que estamos vivendo nestes últimos tempos.

Veja-se: o Texto Constitucional Brasileiro registra em seu artigo 5º, XLIII, que se considera inafiançável e insuscetível de graça ou anistia a prática da tortura. Ora, manter alguém encarcerado, fora das hipóteses legais ou, como forma de constrangimento até que este confesse o que o juiz deseje ou para que delate alguém, evidentemente é uma forma de tortura. É, pois, um manifesto desacato ao preceito contido na Constituição. Sem embargo é o que tem sido sistematicamente feito na chamada República de Curitiba, por obra e graça de um membro do Judiciário. Aliás, um Ministro do Supremo Tribunal Federal referiu-se aos métodos ali utilizados como "medievais". Sem embargo, o responsável por tais métodos não foi punido por isto, nem afastado do exercício de suas funções judicantes, o que seria a consequência óbvia pela incursão em tais práticas, incompatíveis com a Lei Magna e com a civilização dos tempos presentes, mas novas "vítimas" foram a ele submetidas.

O artigo 5º, LXIII, da Constituição assegura ao preso o direito de permanecer calado. É da mais meridiana obviedade que tal direito fica induvidosamente pisoteado se o preso for mantido encarcerado enquanto não delatar alguém ou confessar a prática do crime que lhe é imputado. Até mesmo um retardado mental é capaz de entender isto, donde não se haverá de supor que um magistrado é incapaz de percebê-lo. Ressalte-se que ainda de acordo com a Lei Magna "são inadmissíveis, no processo, as provas obtidas por meios ilícitos".

É sabido e ressabido que ninguém poderá ser conduzido à força para depor, salvo se, quando intimado, se recusar a fazê-lo. Até mesmo um ex-Presidente da República foi submetido a tal violência e quem a praticou não negou a incursão em tal crime. Sem embargo, não lhe foi aplicada sanção alguma pelos órgãos superiores da magistratura e – de quebra – ao mencionado transgressor do Direito foi encaminhada uma investigação criminal no qual sua vítima será eventualmente acusada. Os fatos relatados são públicos e notórios.

Como harmonizar a presumível independência e imparcialidade do Poder Judiciário com estes fatos notórios? Talvez a explicação seja a que foi de início alvitrada: a força dos meios de comunicação, cujo poder supera até mesmo o da Constituição Federal e o do suposto senso de Justiça que residiria no coração dos homens...

Informação bibliográfica deste texto, conforme a NBR 6023:2002 da Associação Brasileira de Normas Técnicas (ABNT):

BANDEIRA DE MELLO, Celso Antônio. "Autonomia e imparcialidade do Poder Judiciário". *In*: ZANIN MARTINS, Cristiano; TEIXEIRA ZANIN MARTINS, Valeska; VALIM, Rafael (Coord.). *O Caso Lula:* a luta pela afirmação dos direitos fundamentais no Brasil. São Paulo: Editora Contracorrente, 2017, pp. 155-157. ISBN. 978-85-69220-19-0.

A IMPARCIALIDADE DO JUIZ

SILVIO LUÍS FERREIRA DA ROCHA

*Todo juiz em relação ao qual possa haver razões
legítimas para duvidar de sua imparcialidade deve
abster-se de julgar o processo.*

INTRODUÇÃO

A agenda anticorrupção, muito bem-vinda em países como o nosso, possui, basicamente, duas frentes: a) a prevenção e b) a repressão, tanto em relação aos agentes públicos, como em relação aos agentes privados.

A atuação estatal de repressão à corrupção deve ser feita, no entanto, dentro de uma perspectiva garantidora do Direito Penal e Processual Penal, em absoluto respeito aos direitos fundamentais dos acusados.

Hoje, no entanto, notamos uma tendência em certas escolas penais que podem ser resumidos no binômio "Lei e Ordem" e que, em matéria de política criminal, colocam o interesse coletivo sobre o individual, relativizam os direitos humanos e fundamentais, bem como aumentam as forças de repressão com o propósito de combater a criminalidade e, com isso, produzem um processo penal em que os reais direitos dos acusados são desrespeitados.

Tais fenômenos alimentam um grande número de ideias autoritárias e antidemocráticas que colocam em perigo as conquistas democráticas e garantidoras das últimas décadas. No Poder Judiciário, o risco maior está associado à perda da imparcialidade do magistrado e sua associação aos órgãos de repressão e persecução criminal para aquilo que se denomina de *enfrentamento da corrupção*.

No entanto, o sistema judicial brasileiro é um *sistema democrático*, fortemente alicerçado em garantias formais e materiais, que buscam assegurar ao acusado um *julgamento justo*, bem jurídico que somente será obtido com a estrita observância de um rol de direitos fundamentais e garantias estabelecidas em favor do acusado, entre elas:

a) O princípio do juiz natural (art. 5º, inciso XXXVII);

b) A legalidade em direito penal (art. 5º, inciso XXXIX);

c) A irretroatividade da lei penal (art. 5º, inciso XL);

d) A pessoalidade ou intransmissibilidade da pena (art. 5º, inciso XLV);

e) A individualização da pena (art. 5º, inciso XLVI);

f) A impossibilidade de aplicação de determinadas espécies de penas (art. 5º, inciso XLVIII);

g) O respeito à integridade física e moral do acusado (art. 5º, inciso XLIX);

h) O devido processo legal (art. 5º, inciso LIV);

i) O contraditório e a ampla defesa (art. 5º, inciso LV);

j) A proibição de provas ilícitas (art. 5º, inciso LVI);

k) A presunção de inocência (art. 5º, inciso LVII);

l) A imparcialidade do magistrado, tema que será tratado no presente capítulo.

A IMPARCIALIDADE DO JUIZ

Como regra, ao Poder Judiciário foi concedido o monopólio da jurisdição. O próprio da jurisdição é o de resolver conflitos intersubjetivos de interesses, substituída a força pela razão na resolução do conflito de interesses; mas para que isso funcione, seja aceito e tenha credibilidade é necessário que o magistrado, isto é, o agente público legitimamente investido na função de aplicar o direito, *seja imparcial*, isto é, não tenha nenhum interesse próprio, particular, pessoal, na resolução daquela lide e a julgue de acordo com sua convicção racionalmente demonstrada.

Essa ideia valor se aplica na jurisdição penal com maior rigor, na medida em que ela – a jurisdição penal – decide se acolhe ou não a pretensão punitiva do Estado de aplicar sanções privativas de liberdade ao indivíduo. Não é à toa, portanto, que toda a estrutura do Poder Judiciário está alicerçada sobre o valor da imparcialidade do magistrado, pois ela constitui a principal fonte de legitimidade do Poder Judiciário para solucionar conflitos de interesse.

O sistema constitucional brasileiro, ciente dessa escolha, optou por uma magistratura profissional, menos politizada, motivo pelo qual entendeu desnecessário aplicar-lhe o princípio da representatividade, consoante lúcida lição de Geraldo Ataliba:

> Deveras, a teoria da tripartição do poder – tal como formulada classicamente no moderno constitucionalismo e tal como por nós adotada – demonstra que não há nenhuma necessidade – mas, pelo contrário, até inconvenientes – em os membros do Poder Judiciário serem escolhidos pelo povo. Se a função judicial restringe-se à interpretação das leis – no sentido amplo, começando pela lei constitucional, então não há razão para que o instituto representativo se faça sentir na seleção dos cidadãos que irão servir no Poder Judiciário. As funções técnicas não devem ser *representativas*, porque são não-políticas.[1]

---

[1] ATALIBA, Geraldo. *República e Constituição*. 2ª ed. São Paulo: Malheiros Editores, 2004, p. 112.

SILVIO LUÍS FERREIRA DA ROCHA

A magistratura brasileira, em sua essência, pode ser qualificada de profissional, porque o recrutamento ocorre por meio de concurso de provas e títulos, conforme determina o artigo 93, I, da Constituição Federal. Outros critérios poderiam ter sido acolhidos, como o da nomeação ou a eleição.

PRERROGATIVAS E GARANTIAS INSTITUCIONAIS

A Magistratura é agraciada no texto constitucional com uma série de prerrogativas instituídas para fortalecê-la, para assegurar a autoridade de suas decisões e dar ao magistrado a tranquilidade para exercer suas atribuições com independência e imparcialidade. Isto porque o magistrado, por definição, deve ser um terceiro imparcial, isto é, não deve ter interesse no resultado daquela controvérsia, inteiramente alheia a ele. Para assegurar sua imparcialidade e a independência o artigo 95 da Constituição Federal assegura aos juízes um conjunto de garantias ou prerrogativas, que não podem ser alteradas, entre elas a vitaliciedade, a inamovibilidade e a irredutibilidade de subsídios.

Além das garantias constitucionais acima mencionadas, podemos citar como garantia implícita da magistratura a ausência de subordinação hierárquica do magistrado no exercício de suas atividades funcionais, de modo que a decisão proferida ampara-se na formação de seu convencimento e na sua consciência, salvo as hipóteses constitucionalmente previstas de vinculação decisória, como as súmulas vinculantes e as decisões proferidas em ações declaratórias de constitucionalidade.

Dentre as garantias institucionais reservadas aos Tribunais podemos destacar a autoadministração da Magistratura, assegurada por uma série de competências ou prerrogativas, entre elas, a eleição de seus órgãos diretivos, a organização de suas secretarias, o provimento dos cargos de carreira e serviços auxiliares, a possibilidade de elaborar seus regimentos internos, a autonomia orçamentária e financeira expressa pela prerrogativa de elaborar sua proposta orçamentária, respeitadas as diretrizes orçamentárias.

162

DEVERES

A Lei Orgânica da Magistratura em seu artigo 35 discorre sobre alguns deveres dos magistrados, isto é, comportamentos que todos os magistrados estão obrigados a observar. Tais comportamentos ora estão relacionados à atividade judicial dos magistrados, art. 35, incisos I a VI.

Tais dispositivos, no entanto, foram aprofundados pelo Código de Ética da Magistratura, promulgado pelo Conselho Nacional de Justiça, que trata, então, da independência, imparcialidade, transparência, integridade pessoal e profissional, diligência, dedicação, cortesia e prudência.

A independência judicial, segundo os Princípios de Bangalore de Conduta Judicial, é um pré-requisito do Estado de Direito e uma garantia fundamental de um julgamento justo. O cerne do princípio da independência judicial é a completa liberdade do juiz para ouvir e decidir as ações impetradas na Corte. Nenhum estranho, seja governo, grupo de pressão, indivíduo ou mesmo outro juiz deve interferir, ou tentar interferir, na maneira como um juiz conduz um litígio e o sentencia.

No que diz respeito à imparcialidade o artigo 8º do Código de Ética define *o magistrado imparcial como aquele que busca nas provas a verdade dos fatos, com objetividade e fundamento e mantém ao longo de todo o processo uma distância equivalente das partes e evita todo o tipo de comportamento que possa refletir favoritismo, predisposição ou preconceito.* Cabe ao magistrado, segundo o art. 9º do Código de Ética, no desempenho de sua atividade, dispensar às partes igualdade de tratamento, vedada qualquer espécie de injustificada discriminação.

TRATAMENTO DOUTRINÁRIO DADO À IMPARCIALIDADE

O Juiz, como agente estatal que exerce a jurisdição, atua em caráter impessoal e apenas por facilidade de linguagem fala-se nele como sujeito do processo. A impessoalidade é uma das notas características mais importantes da jurisdição e dela decorrem desdobramentos sistemáticos como a imparcialidade.[2] O direito a um juiz imparcial constitui garantia fundamental na administração da Justiça em um Estado Democrático de Direito e, por essa razão, a previsão em legislação ordinária de hipóteses de impedimento e suspeição do órgão julgador.

A imparcialidade é uma das características da jurisdição. A jurisdição é atividade estatal imparcial porque o Estado-Juiz está acima das relações que julga e não tem interesse no litígio submetido a julgamento e por essa razão permite-se à parte requerer o afastamento da lide de juiz considerado impedido (art. 144 do CPC) ou suspeito (art. 145 do CPC) pela forma prevista no artigo 146 do CPC.

A imparcialidade é uma garantia processual de que o processo será justo. A imparcialidade judicial reclama a neutralidade do órgão julgador; ela significa desinteresse e neutralidade; consiste em colocar entre parênteses as considerações subjetivas do julgador. É a ausência de preconceitos.

O impedimento ou a parcialidade absoluta tem os seus motivos indicados objetivamente no art. 144 do CPC. Todos constituem presunção absoluta (*juris et de jure*) de parcialidade do magistrado e por isso podem ser conhecidos de ofício; sobre eles não se opera preclusão; se violados resultam na nulidade dos atos decisórios; e a sentença ou o acórdão podem ser rescindidos.

A suspeição ou a parcialidade relativa tem os motivos indicados de forma subjetiva no art. 145 do CPC. Todos configuram presunção relativa (*juris tantum*) de parcialidade do magistrado e por isso pode ocorrer preclusão sobre o assunto pela inércia da parte, com a consequente validade dos atos decisórios, caso os motivos para a suspeição não sejam alegados por meio da forma prevista no artigo 146 do CPC. A suspeição do magistrado está relacionada a situações pessoais que nem sempre são objetivas.

Por dois modos a lei processual resguarda as partes contra os males da parcialidade. Preventivamente, ao estabelecer os conceitos de

---

[2] DINAMARCO, Cândido Rangel. *Instituições de Direito Processual Civil*. Vol. 2. Malheiros: São Paulo, p. 221.

A IMPARCIALIDADE DO JUIZ

impedimento e de suspeição e instituir mecanismos para o afastamento do juiz; repressivamente, sancionando as consequências da participação de um juiz que não reunisse plenamente as condições para ser imparcial ou que efetivamente haja atuado de modo parcial.[3]

No *âmbito penal* também se afasta a imparcialidade nos casos de impedimento ou suspeição e isso porque em lides penais, com maior razão, a imparcialidade é uma espécie de garantia reconhecida como consequência lógica do devido processo legal, da *garantia de um julgamento justo* e prevista expressamente na Convenção Americana sobre Direitos Humanos incorporada em nosso ordenamento pelo Decreto n. 678/92, que no art. 8º, n. 1, dispõe: *"que toda a pessoa tem o direito a ser ouvida, com as devidas garantias e dentro de um prazo razoável, por um juiz ou tribunal competente, independente e imparcial (...)"*.

Para Luigi Ferrajoli

> *o juiz não deve ter qualquer interesse, nem geral nem particular, em uma ou outra solução de controvérsia que é chamado a resolver, sendo sua função decidir qual delas é verdadeira qual é falsa. Ao mesmo tempo ele não deve ser um sujeito 'representativo', não devendo nenhum interesse ou desejo – nem mesmo da maioria da totalidade dos cidadãos – condicionar seu julgamento que está unicamente em tutela dos direitos subjetivos lesados.*[4]

De acordo com a doutrina processualista penal, *o juiz é impedido quando tem interesse no desfecho da causa e o juiz é suspeito quando se interessa por qualquer das partes*. Enquanto o impedimento veda ao magistrado o exercício da jurisdição no caso indicado, a suspeição produz a incompetência do magistrado para conhecer e julgar aquela ação e nulifica o processo a contar do primeiro ato em que houve intervenção do juiz suspeito.

---

[3] DINAMARCO, Cândido Rangel. *Instituições de Direito Processual Civil*. Vol. 2. Malheiros: São Paulo, p. 221.

[4] FERRAJOLI, Luigi. *Direito e Razão:* Teoria do Garantismo Penal. São Paulo: Editora Revista dos Tribunais, p. 534.

Os motivos de impedimento estão previstos no artigo 252 do Código de Processo Penal, enquanto os motivos de suspeição foram previstos no artigo 254 do Código de Processo Penal.

Dispõe o artigo 252 do Código de Processo Penal que o

> *juiz não poderá exercer jurisdição no processo em que: I- tiver funcionado seu cônjuge ou parente, consanguíneo ou afim, em linha reta ou colateral até o terceiro grau, inclusive, como defensor ou advogado, órgão do Ministério Público, autoridade policial, auxiliar da justiça ou perito; II – ele próprio houver desempenhado qualquer dessas funções ou servido como testemunha; III – tiver funcionado como juiz de outra instância, pronunciando-se de fato ou de direito, sobre a questão; IV – ele próprio ou seu cônjuge ou parente, consanguíneo ou afim em linha reta ou colateral até o terceiro grau, inclusive, for parte ou diretamente interessado no feito.*

Nas hipóteses acima o legislador presume que, presentes certas circunstâncias, o juiz é parcial. Impedido está o juiz que tem relação com o objeto da causa, de modo que o impedimento o inabilita para o exercício de suas funções na causa, sendo que os atos praticados por ele são inexistentes.[5]

Por outro lado, dispõe o artigo 254 do Código de Processo Penal que o

> *juiz dar-se-á por suspeito e, se não o fizer, poderá ser recusado por qualquer das partes: I) Se for amigo íntimo ou inimigo capital de qualquer deles; II) Se ele, seu cônjuge, ascendente ou descendente, estiver respondendo a processo por fato análogo, sobre cujo caráter criminoso haja controvérsia; III) Se ele, seu cônjuge, ou parente consanguíneo, ou afim, até o terceiro grau, inclusive sustentar demanda ou responder a processo que tenha de ser julgado; IV) Se tiver aconselhado qualquer das partes; V) Se for credor ou devedor, tutor ou curador, de qualquer das partes; VI) Se for sócio, acionista ou administrador de sociedade interessada no processo.*

---

[5] TORNAGHI, Helio. *Curso de Processo Penal*. Vol. 1. São Paulo: Saraiva, p. 476.

A IMPARCIALIDADE DO JUIZ

De acordo com a doutrina, a suspeição é causa de parcialidade do juiz e vicia o processo caso haja a sua atuação; a suspeição ocorre pelo vínculo estabelecido entre o juiz e a parte ou entre o juiz e a questão discutida no feito.[6]

A distinção entre o impedimento e a suspeição seria a presunção absoluta de parcialidade que existe no impedimento em casos específicos em torno do objeto do litígio e a presunção relativa de parcialidade que existe na suspeição em hipóteses específicas vinculatórias entre o juiz e a parte ou entre o juiz e a questão discutida no processo, conforme a lição de Guilherme de Sousa Nucci:

> "Divide-se essa modalidade de defesa (contra a parcialidade do juiz) em exceção de suspeição propriamente dita, quando há um vínculo do julgador com alguma das partes (amizade íntima, inimizade capital, sustentação de demanda por si ou por parente, conselhos emitidos, relação de crédito ou débito, tutela ou curatela, sociedade) ou um vínculo com o assunto debatido no feito (por si ou parente seu que responda por fato análogo), e exceção de impedimento, não mencionado expressamente no Código de Processo Penal com essa desinência, representando um vínculo, direto ou indireto, com o processo em julgamento (tenha por si ou parente seu atuado no feito, embora em outra função, tendo servido como testemunha, tenha funcionado como juiz em outra instância, tenha por si ou por parente interesse no deslinde da causa).[7]

A par disso, a violação da regra de impedimento conduziria à inexistência do processo, enquanto a violação da regra de suspeição conduziria à nulidade da ação.

Concentremo-nos, por haver maior interesse, na suspeição. Em regra, as causas de suspeição enumeradas no Código de Processo Penal

---

[6] NUCCI, Guilherme de Sousa. *Código de Processo Penal Comentado*. Rio de Janeiro: Forense, p. 632.

[7] NUCCI, Guilherme de Sousa. *Código de Processo Penal Comentado*. Rio de Janeiro: Forense, p. 298.

são *circunstâncias subjetivas relacionadas a fatos externos capazes de prejudicar a imparcialidade do magistrado*, também chamadas de *causas de incapacidade subjetiva do juiz*, cuja ocorrência resulta na nulidade absoluta do processo porque a hipótese do art. 564, I, do Código de Processo Penal, não foi incluída no rol das nulidades sanáveis descritas no art. 572 do mesmo diploma legal, conforme lição de Renato Brasileiro de Lima, quem defende que *"a despeito de haver certa controvérsia quanto à natureza da nulidade − se absoluta ou relativa − tratar-se-ia de nulidade absoluta porque não incluída no rol das nulidades sanáveis previstas no artigo 572 do CPP"*.[8]

Partilho do entendimento doutrinário daqueles que sustentam que o rol do artigo 254 não é um rol taxativo, mas exemplificativo e, portanto, outras situações podem revelar a quebra da imparcialidade do magistrado. Nesse sentido, por exemplo, a lição de Guilherme de Souza Nucci:

> Embora muitos sustentem ser taxativo, preferimos considerá-lo exemplificativo. Afinal, este rol não cuida dos motivos de impedimento, que vedam o exercício jurisdicional, como ocorre com o disposto no art. 252, mas, sim, da enumeração de hipóteses que tornam o juiz não isento. Outras situações podem surgir que retirem do julgador o que ele tem de mais caro às partes: sua imparcialidade. Assim, é de se admitir que possa haver outra razão qualquer, não expressamente enumerada neste artigo, fundamentando causa de suspeição.[9]

Além disso, a pretensão de considerar taxativo o rol de hipóteses configuradoras de suspeição encontraria obstáculo nos diversos diplomas internacionais, entre eles o Pacto de San José da Costa Rica, que consideraram a imparcialidade como um direito subjetivo fundamental do acusado, bem como um pressuposto para obtenção por parte do acusado de um julgamento justo.

---

[8] LIMA, Renato Brasileiro de. *Curso de Direito Penal*. Salvador: Juspodivm, p. 1186.

[9] NUCCI, Guilherme de Sousa. *Código de Processo Penal Comentado*. Rio de Janeiro: Forense, p. 632.

A IMPARCIALIDADE DO JUIZ

TRATAMENTO DADO À IMPARCIALIDADE PELOS PRINCÍPIOS DE BANGALORE DE CONDUTA JUDICIAL

A imparcialidade é um valor e um princípio caro ao sistema jurisdicional democrático, de modo que as hipóteses de suspeição devem ser consideradas além daquelas enunciadas nos Códigos de Processo Civil e Processo Penal para abarcar condutas que constituem graves violações da imparcialidade. Evitar-se-ia, com isso, a debilitação inculcada ao princípio do juiz imparcial por obra de um legislador nada inovador nesse terreno, por obra de uma jurisprudência excessivamente atrelada aos enunciados legais e por obra da pouca receptividade à dimensão supranacional dos tratados internacionais de direitos humanos que regulam o processo judicial.

Por reputar a imparcialidade o fundamento de legitimidade do poder de julgar, parece-nos que poderia ser devotado a ele um estudo mais aprofundado. Considero, nesse ponto, adequado o tratamento dado à imparcialidade pelos princípios de Bangalore aplicáveis à magistratura.

Os princípios de Bangalore de Conduta Judicial e os argumentos que os desenvolveram são, para nós, um dos mais importantes documentos acerca da deontologia judicial, em especial pela seriedade e abrangência das pesquisas e consultas que foram realizadas, constituindo, assim, um código universal de preceitos a ser observados pela magistratura.

Basta a leitura da apresentação feita por ocasião da publicação de tais princípios no Brasil para se constatar a seriedade com que tais princípios e comentários foram elaborados:

> Em abril de 2000, a convite do Centro para Prevenção do Crime Internacional das Nações Unidas e dentro da estrutura do Programa Global contra a Corrupção foi convocado encontro preparatório de um grupo de Presidentes de Tribunais Superiores e de juízes seniores em Viena, juntamente com o Tenth United Nations Congress on the Prevention of Crime and the Treatment of Offenders (Décimo Congresso das Nações Unidas para a Prevenção do Crime e o Tratamento dos Réus). O objetivo do

SILVIO LUÍS FERREIRA DA ROCHA

encontro foi debater o problema criado pela evidência de que, em vários países, em todos os continentes, muitas pessoas estavam perdendo a confiança nos seus sistemas judiciais, por serem tidos como corruptos ou parciais em algumas circunstâncias.

Essa evidência emergiu por meio de comentários entre as pessoas e de pesquisas de opinião pública, bem como por meio de investigação instituída pelos governos. Muitas soluções foram oferecidas e algumas reformas foram tentadas, mas o problema persistiu. Aquele encontro pretendeu ser uma nova abordagem. Foi a primeira ocasião sob os auspícios das Nações Unidas em que os juízes foram chamados a desenvolver um conceito de responsabilidade judicial que complementaria o princípio da independência judicial, e, por meio disso, fazer crescer o nível de confiança no sistema judicial. No estágio inicial, reconheceu-se a existência de diferentes tradições legais no mundo e decidiu-se limitar o exercício do sistema legal ao *common law*. Por conseguinte, os participantes iniciais são originários de nove países na Ásia, África e Pacífico, que aplicam um grande número de diferentes leis, mas dividem uma tradição judicial comum.

O primeiro encontro do Grupo para o Fortalecimento da Integridade Judicial (ou o Grupo da Integridade Judicial, como se tornou conhecido) foi sediado no Escritório das Nações Unidas em Viena, em 15 e 16 de abril de 2000 (...).

Nesse encontro, o Grupo da Integridade Judicial tomou duas decisões. Primeiro, concordou que o princípio da responsabilidade demandava que os judiciários nacionais deveriam assumir um papel ativo no fortalecimento da integridade judicial, por meio da efetivação de reformas sistêmicas em sua competência e capacidade. Segundo, reconheceu a urgente necessidade de uma declaração universalmente aceita do padrão judicial que, compatível com o princípio da independência, seria capaz de ser respeitada e, em último caso, obedecida pelo Judiciário em nível nacional, sem a intervenção quer do Executivo, quer do Legislativo. Os juízes participantes enfatizaram que, ao adotar e colocar em prática os padrões apropriados de conduta judicial entre seus membros, o Judiciário estaria traçando uma significante etapa no sentido de ganhar e reter o respeito da comunidade. Nesse sentido, requisitaram que os códigos de conduta judicial que tivessem

A IMPARCIALIDADE DO JUIZ

sido adotados em algumas jurisdições fossem analisados e um relatório fosse preparado pelo Coordenador do Grupo da Integridade Judicial, Dr. Nihal Jayawickrama, consistente em: a) considerações centrais que se repetem nesses códigos; e b) considerações opcionais ou adicionais que ocorrem em alguns, mas não em todos esses códigos e que podem ou não ser adequadas para adoção em países específicos.

O rascunho de um código de conduta judicial de acordo com as diretrizes definidas acima se inspirou em vários códigos e instrumentos internacionais existentes.

A segunda reunião do Grupo da Integridade Judicial foi sediada em Bangalore, Índia, de 24 a 26 de fevereiro de 2001. O encontro foi facilitado pelo Departamento para o Desenvolvimento Internacional (DDI), Reino Unido, recepcionado pela Corte Superior e pelo Governo do Estado de Karnataka, Índia, e apoiado pelo Comissário Superior das Nações Unidas para Direitos Humanos. Nesse encontro o Grupo, reexaminando o esboço diante de si, identificou os valores centrais, formulou os princípios relevantes e concordou com o anteprojeto do Código de Bangalore de Conduta Judicial (o anteprojeto de Bangalore).

O grupo reconheceu, todavia, que, uma vez que o referido anteprojeto havia sido redigido por juízes oriundos de países da *common law*, essencial que fosse cuidadosamente examinado por juízes de outras tradições legais, a fim de torná-lo capaz de assumir o status de um código de conduta judicial devidamente autenticado. Nos vinte meses seguintes, o anteprojeto de Bangalore foi amplamente disseminado entre juízes, tanto do sistema da *common law* quanto do sistema da *civil law*. Ele foi apresentado e discutido em várias conferências de juízes e reuniões envolvendo a participação de Presidentes de Tribunais Superiores e magistrados de 75 países de ambos os sistemas.

Em junho de 2002, em encontro sediado em Estrasburgo, França, o anteprojeto de Bangalore foi revisto pelo Grupo de Trabalho do Conselho Consultivo de Juízes Europeus (GTCCE) em uma completa e franca discussão sob a perspectiva do sistema da *civil law*. Uma versão revisada do anteprojeto de Bangalore foi discutida em uma Mesa Redonda de Presidentes de Tribunais Superiores (ou seus representantes) de países pertencentes ao *civil law* ocorrida no Salão Japonês do Palácio da Paz, em Haia, Holanda, sede da Corte Internacional de Justiça, em 25 e 26 de novembro de 2002.

Houve um significante consenso entre os juízes dos sistemas do *common law* e do *civil law,* participantes do encontro, acerca dos valores de referência, embora houvesse alguma discordância sobre o projeto e a ordem em que ele deveria ser colocado.

Os Princípios de Bangalore de Conduta Judicial emergiram daquele encontro. Os principais valores reconhecidos naquele documento são independência, imparcialidade, integridade, decoro, igualdade, competência e diligência. Estes valores são seguidos pelos princípios relevantes e pelas indicações mais detalhadas de sua aplicação.

Os Princípios de Bangalore de Conduta Judicial foram anexados ao relatório apresentado na 59ª Sessão da Comissão de Diretos Humanos das Nações Unidas em abril de 2003 pelo Relator Especial das Nações Unidas para a Independência dos Juízes e Advogados. Em 29 de abril de 2003, a Comissão adotou, por unanimidade, a Resolução 2003/43, que anotou os Princípios de Bangalore de Conduta Judicial e os trouxe à atenção de Estados-membros, relevantes órgãos das Nações Unidas e organizações intergovernamentais e não-governamentais para consideração.

Na sua quarta reunião, ocorrida em Viena, em outubro de 2005, o Grupo da Integridade Judicial anotou que, após vários encontros de juízes e advogados assim como de reformadores da lei, a necessidade de um comentário ou de um memorando explanatório na forma de um guia autorizado para a aplicação dos Princípios de Bangalore tinha-se tornado essencial. O Grupo concordou que tal comentário ou guia habilitaria juízes e professores de ética judicial a entender não apenas o anteprojeto e o processo de consulta multicultural dos Princípios de Bangalore e as razões dos valores e princípios nele incorporados, mas facilitaria também um amplo entendimento da aplicabilidade desses valores e princípios aplicados a pontos de vista, situações e problemas que pudessem ser levantados ou que emergissem.[10]

---

[10] *Comentários aos Princípios de Bangalore de Conduta Judicial.* Tradução de Marlon S. Maia e Ariane E. Kloth. Brasília: Conselho da Justiça Federal, 2008, pp. 12-27.

A IMPARCIALIDADE DO JUIZ

Acerca da imparcialidade, estabelecem os princípios de Bangalore:

> *A imparcialidade é essencial para o apropriado cumprimento dos deveres do cargo de juiz. Aplica-se não somente à decisão, mas também ao processo de tomada de decisão.*

Os comentários são enriquecedores.

Acerca da percepção da imparcialidade afirma, por exemplo:

> *a imparcialidade é a qualidade fundamental requerida de um juiz e o principal atributo do Judiciário. A imparcialidade deve existir tanto como uma questão de fato como uma questão de razoável percepção (g.n).*[11]
>
> *Se a parcialidade é razoavelmente percebida, essa percepção provavelmente deixará um senso de pesar e de injustiça realizados destruindo, consequentemente, a confiança no sistema judicial.*[12]
>
> *A percepção de imparcialidade é medida pelos padrões de um observador razoável. A percepção de que o juiz não é imparcial pode surgir de diversos modos, por exemplo, da percepção de um conflito de interesses, do comportamento do juiz na corte, ou das associações e atividades do juiz fora dela.*[13]

Nesse contexto mais amplo nota-se, portanto, que a imparcialidade não deriva, tão somente, de fatos, mas, também, de *circunstâncias que envolvam a atuação do magistrado* e que serão captadas e percebidas por um *observador ideal* que atue no plano da razoabilidade. Assim, basta a percepção de que o juiz não é imparcial para afastá-lo da condução do processo; percepção essa que pode derivar de um conflito de interesses; do comportamento do juiz na Corte; ou das atividades do magistrado fora da Corte.

---

[11] *Comentários aos Princípios de Bangalore de Conduta Judicial*. Tradução de Marlon S. Maia e Ariane E. Kloth. Brasília: Conselho da Justiça Federal, 2008, p. 65.

[12] *Comentários aos Princípios de Bangalore de Conduta Judicial*. Tradução de Marlon S. Maia e Ariane E. Kloth. Brasília: Conselho da Justiça Federal, 2008, p. 65.

[13] *Comentários aos Princípios de Bangalore de Conduta Judicial*. Tradução de Marlon S. Maia e Ariane E. Kloth. Brasília: Conselho da Justiça Federal, 2008, p. 65.

Tal orientação foi prevista nos comentários dos citados princípios de integridade judicial porque *"se um juiz parece ser parcial, a confiança do público no Judiciário é erodida. Desse modo, um juiz deve evitar toda atividade que insinue que sua decisão pode ser influenciada por fatores externos, ais como relações pessoais do juiz com uma parte ou interesse no resultado do processo"*.[14]

Os comentários acolheram ideias-força da jurisprudência do Tribunal Europeu de Direitos Humanos de que *Justice must not only be done, it must also be seen to be done* o que reafirma que as aparências são importantes para avaliar a imparcialidade de um tribunal.

Ainda de acordo com os comentários *"o teste usualmente adotado é o de saber se um observador sensato poderia, vendo o problema realística e praticamente, apreender uma falta de imparcialidade no juiz. Se houver apreensão de parcialidade, ela deve ser analisada do ponto de vista de um observador sensato"*.

A Corte Europeia realça o aspecto subjetivo e objetivo da exigência de imparcialidade. Primeiro, o tribunal deve ser subjetivamente imparcial, *i.e.*, nenhum membro do tribunal deve deter qualquer preconceito ou parcialidade pessoal em relação às partes. A imparcialidade pessoal deve ser presumida a menos que haja evidência em contrário.

Segundo, o tribunal deve ser imparcial a partir de um ponto de vista objetivo, isto é, *"ele deve oferecer garantias suficientes para excluir qualquer dúvida legítima a seu respeito. Sob esta análise, deve-se determinar se, não obstante a conduta pessoal do juiz, há determinados fatos que podem levantar dúvidas acerca de sua imparcialidade. Desse modo, até mesmo aparências podem ser de certa importância"*.[15]

Para aquela Corte:

---

[14] *Comentários aos Princípios de Bangalore de Conduta Judicial.* Tradução de Marlon S. Maia e Ariane E. Kloth. Brasília: Conselho da Justiça Federal, 2008, p. 67.

[15] *Comentários aos Princípios de Bangalore de Conduta Judicial.* Tradução de Marlon S. Maia e Ariane E. Kloth. Brasília: Conselho da Justiça Federal, 2008, p. 66.

A IMPARCIALIDADE DO JUIZ

La existencia de imparcialidad, a los fines del art. 6.1, debe ser determinada de acuerdo con un *test subjetivo*, esto es, sobre las bases de una convicción personal de un Juez concreto en un caso particular y también de acuerdo con un test objetivo, esto es, averiguando si el Juez ofrece garantías suficientes para excluir cualquier duda legítima a este respecto. La imparcialidad subjetiva debe presumirse salvo prueba en contrario. Bajo el test objetivo, debe considerarse si, al margen de la conducta personal del Juez, hay ciertos hechos que podrían plantear dudas sobre su imparcialidad. A este respecto incluso las apariencias podrían ser de cierta importancia. Lo que está en juego es la confianza que los Tribunales deben inspirar en una sociedad democrática en la ciudadanía y, sobre todo, en la medida en que se trate de procedimientos penales, en el acusado. Esto implica que al decidir en un caso particular si hay una legítima razón para temer que un Juez concreto carece de imparcialidad, el punto de vista del acusado es importante, pero no decisivo. Lo determinante es si el temor puede considerarse objetivamente justificado.[16]

Não basta, portanto, para reconhecer-se a imparcialidade, simplesmente afirmá-la; é preciso verificar se acontecimentos e circunstâncias objetivas não induzem num observador razoável a opinião de que a imparcialidade não mais existe, pois o *"que está em questão é a confiança com que as Cortes, em uma sociedade democrática, devem inspirar no público, incluindo uma pessoa acusada. Consequentemente, qualquer juiz a cujo respeito houver razão legítima para temer uma falta de imparcialidade deve retirar-se".*[17]

De acordo com os comentários

parcialidade ou preconceito tem sido definido como inclinação ou predisposição em direção a um lado ou a um resultado particular. Em sua aplicação aos processos judiciais ela representa a predisposição para decidir

---

[16] ROCA, Javier Garcia; ZAPATERO, José Miguel Vidal. "El Derecho a un Tribunal Independiente e Imparcial". *Revista de Direito Constitucional e Internacional*, Vol. 57, 2006, pp. 269-309.

[17] *Comentários aos Princípios de Bangalore de Conduta Judicial.* Tradução de Marlon S. Maia e Ariane E. Kloth. Brasília: Conselho da Justiça Federal, 2008, p. 66.

um assunto ou causa de certo modo que não deixa a mente judicial perfeitamente aberta à convicção.[18]

Parcialidade é uma condição ou estado de espírito, uma atitude ou ponto de vista que influencia o julgamento e torna o juiz incapaz de exercer suas funções imparcialmente em um dado caso.[19]

A parcialidade assume diversas formas. Ela pode se manifestar por atos, palavras, gestos; até uma simples expressão facial ou corporal pode ser indicativo de parcialidade a um observador razoável.

De acordo com os comentários,

a parcialidade pode se manifestar verbalmente ou fisicamente. Epítetos, injúria, apelidos humilhantes, estereótipos negativos, humor baseado em estereótipos, talvez relacionado a gênero, cultura ou raça, ameaça, intimidação ou atos hostis sugerindo uma conexão entre raça, nacionalidade e crime e referências irrelevantes a características pessoais são alguns dos exemplos.

A parcialidade ou o preconceito podem se manifestar na linguagem corporal, na aparência ou no comportamento dentro ou fora da corte. A expressão facial pode deixar transparecer a aparência de parcialidade às partes ou advogados no processo, jurados, à mídia e outros. A parcialidade ou preconceito podem se dirigir contra a parte, testemunha ou advogado.[20]

O abuso de autoridade também é uma manifestação de parcialidade e preconceito. Nesse aspecto, os comentários aos Princípios de Bangalore de Conduta Judicial, corretamente, *recomendam que a privação da liberdade deve dar-se de acordo com a lei* e, portanto, *"um juiz não deve privar uma pessoa de sua liberdade, exceto sob certos fundamentos e de*

---

[18] *Comentários aos Princípios de Bangalore de Conduta Judicial.* Tradução de Marlon S. Maia e Ariane E. Kloth. Brasília: Conselho da Justiça Federal, 2008, p. 67.

[19] *Comentários aos Princípios de Bangalore de Conduta Judicial.* Tradução de Marlon S. Maia e Ariane E. Kloth. Brasília: Conselho da Justiça Federal, 2008, p. 67.

[20] *Comentários aos Princípios de Bangalore de Conduta Judicial.* Tradução de Marlon S. Maia e Ariane E. Kloth. Brasília: Conselho da Justiça Federal, 2008, p. 68.

A IMPARCIALIDADE DO JUIZ

acordo com os procedimentos estabelecidos em lei". Por conseguinte, prosseguem os referidos comentários,

> *ordem judicial privando uma pessoa de sua liberdade não deve ser feita sem uma análise objetiva de sua necessidade e razoabilidade.* Semelhantemente, *a detenção ordenada com a má-fé ou com negligência na aplicação da lei, é arbitrária, assim como a condução a julgamento sem um processo objetivo de verificação das evidências relevantes.*[21]

Até a jurisdição de decoro, no Brasil o poder de polícia concedido ao magistrado para ordenar os atos processuais públicos, exercida imoderadamente, pode configurar parcialidade.

> *A jurisdição de decoro, onde ela existe, habilita o juiz a controlar a sala de sessões e a manter a retidão. Por conter penalidades que são criminais em natureza e efeito, o decoro deve ser usado como um último recurso, somente por razões legalmente válidas e em estrita conformidade com as exigências procedimentais. É um poder que deve ser usado com grande prudência. O abuso de autoridade é uma manifestação de parcialidade. Isso pode ocorrer quando um juiz perde o controle de sua própria compostura e decoro e torna-se pessoal especialmente em relação a uma parte, advogado ou testemunha com quem o juiz tenha entrado em conflito pessoal.*[22]

Para dirimir a questão acerca da falta de imparcialidade do magistrado, o ponto de vista do acusado é importante, mas não relevante. No entanto, deve-se levar em conta o fato de que as expectativas dos litigantes em relação à imparcialidade são elevadas, de modo que o magistrado deve evitar comportamento que possa ser percebido como uma expressão de parcialidade ou preconceito. De acordo com os citados comentários,

---

[21] *Comentários aos Princípios de Bangalore de Conduta Judicial.* Tradução de Marlon S. Maia e Ariane E. Kloth. Brasília: Conselho da Justiça Federal, 2008, p. 60.

[22] *Comentários aos Princípios de Bangalore de Conduta Judicial.* Tradução de Marlon S. Maia e Ariane E. Kloth. Brasília: Conselho da Justiça Federal, 2008, p. 68.

um juiz deve estar alerta para evitar comportamento que possa ser percebido como uma expressão de parcialidade ou preconceito. Injustificadas reprimendas a advogados, insultos e comentários impróprios sobre litigantes e testemunhas, declarações evidenciando prejulgamentos, intemperança e comportamento impaciente podem destruir a aparência de imparcialidade e devem ser evitados.[23]

Mesmo uma condução mais incisiva na condução do julgamento deve ser evitada pelo magistrado. É certo que o magistrado tem o direito de fazer perguntas com vistas a elucidar suas dúvidas, mas o comentário aos referidos princípios considera como parcial

o comportamento do magistrado que interfere constante e virtualmente, assumindo a condução de um caso civil ou o papel de persecução em um caso penal, e usa os resultados de seu próprio questionamento para chegar a uma conclusão no julgamento do caso, o juiz se torna advogado, testemunha e juiz ao mesmo tempo, e o litigante não recebe um julgamento justo.[24]

O cuidado com a imparcialidade projeta-se para fora do Poder Judiciário. No ambiente social ou no privado o magistrado deve se acautelar para não suscitar nas partes a falta de imparcialidade. De acordo com os referidos comentários

fora da corte também um juiz deve evitar deliberado uso de palavras ou conduta que poderia razoavelmente dar margem a uma percepção de uma falta de imparcialidade. Tudo, de suas associações ou negócios de interesse às observações que o juiz considera 'conversa inofensiva' pode diminuir a percepção de imparcialidade do juiz. Toda atividade político-partidária deve cessar sob a assunção do ofício judicial. A atividade político-partidária, ou declarações feitas fora do tribunal pelo juiz, a respeito de questões controversas, de cunho público-partidário, pode enfraquecer a imparcialidade. Elas podem conduzir a uma confusão pública sobre a natureza da relação entre o Judiciário, de um lado, e o Executivo e o Legislativo, de outro.[25]

---

[23] *Comentários aos Princípios de Bangalore de Conduta Judicial.* Tradução de Marlon S. Maia e Ariane E. Kloth. Brasília: Conselho da Justiça Federal, 2008, p. 69.

[24] *Comentários aos Princípios de Bangalore de Conduta Judicial.* Tradução de Marlon S. Maia e Ariane E. Kloth. Brasília: Conselho da Justiça Federal, 2008, p. 70.

[25] *Comentários aos Princípios de Bangalore de Conduta Judicial.* Tradução de Marlon S. Maia e Ariane E. Kloth. Brasília: Conselho da Justiça Federal, 2008, p. 70.

A IMPARCIALIDADE DO JUIZ

> *Declarações, por definição, envolvem um juiz na escolha pública entre um lado ou outro do debate. A percepção de parcialidade será reforçada se, quase inevitavelmente, a atividade do juiz atrai críticas ou réplicas, de modo que se um juiz usa o cargo para adentrar na arena político-partidária põe em risco a confiança do público na imparcialidade do Judiciário.*[26]

A consequência da perda da imparcialidade seria a perda da credibilidade do Poder Judiciário. De acordo com o citado comentário,

> *a percepção de parcialidade corrói a confiança pública, pois se um juiz parece parcial a confiança do público no Judiciário é erodida, de modo que um juiz deve evitar toda atividade que insinue que sua decisão pode ser influenciada por fatores externos, tais como relações pessoais do juiz com uma parte ou interesse no resultado do processo.*[27]

Com relação à mídia, é sua função colher e transmitir informações ao público e comentar sobre a administração da justiça, incluído casos anteriores, durante e depois do julgamento, sem, contudo, violar a presunção de inocência.

Se houver crítica da mídia ou crítica de membros interessados do público sobre uma decisão, segundo os comentários, *o juiz deve evitar responder tais críticas por escrito ou fazer comentários casuais quando no exercício das funções. É inapropriado um juiz defender razões judiciais publicamente.* Na hipótese de informação errada da mídia acerca de procedimentos da corte ou acerca de um julgamento, se o juiz considerar que o erro deve ser corrigido deve fazê-lo por servidor qualificado ou assessoria de imprensa, que poderá emitir uma nota de imprensa para indicar a posição factual ou tomar as providências para que uma correção apropriada seja feita.[28]

---

[26] *Comentários aos Princípios de Bangalore de Conduta Judicial.* Tradução de Marlon S. Maia e Ariane E. Kloth. Brasília: Conselho da Justiça Federal, 2008, p. 71.

[27] *Comentários aos Princípios de Bangalore de Conduta Judicial.* Tradução de Marlon S. Maia e Ariane E. Kloth. Brasília: Conselho da Justiça Federal, 2008, p. 67.

[28] *Comentários aos Princípios de Bangalore de Conduta Judicial.* Tradução de Marlon S. Maia e Ariane E. Kloth. Brasília: Conselho da Justiça Federal, 2008, p. 71.

SILVIO LUÍS FERREIRA DA ROCHA

Nas relações com a mídia, dois possíveis aspectos podem ser identificados.

O primeiro é o uso da mídia (dentro ou fora da Corte) para promover a imagem pública e a carreira do juiz ou, inversamente, a preocupação do juiz para com a possível reação da mídia a uma decisão em particular. Ao permitir-se ser influenciado em ambas as direções pela mídia, o juiz infringiria o dever de imparcialidade.[29]

O segundo aspecto é a questão do contato fora da Corte com a mídia. À exceção daquelas informações acessíveis pela própria publicidade do processo podemos afirmar que qualquer comentário fora da Corte feito por um juiz sobre casos levados a ele ou a outros juízes seria normalmente inapropriado.

O critério geralmente aceito para desqualificação da imparcialidade é a *razoável apreensão de parcialidade* por uma pessoa sensata, justa e informada que pode afirmar estar o juiz inapto a decidir a lide imparcialmente.

De acordo com o comentário realizado no item 81, diferentes fórmulas foram aplicadas para determinar se há uma apreensão de parcialidade ou prejulgamento. Elas passaram de *'uma alta probabilidade' de parcialidade* para *'uma real probabilidade', 'uma substancial possibilidade'* e *'uma razoável suspeição de parcialidade'. Desta forma, a apreensão de parcialidade deve ser uma apreensão razoável, possuída por uma pessoa razoável, justa e informada, aplicando-se ela mesma na questão e obtendo sobre isso a informação requerida. O teste é o que poderia essa pessoa depois de analisar o problema de forma realista e prática e ter ponderado a respeito concluir.*[30]

O CASO RELATIVO AO EX-PRESIDENTE LUIZ INÁCIO LULA DA SILVA

A Convenção Internacional de Direitos Civis e Políticos, no art. 14, §1º, admite o direito a um julgamento justo ao reconhecer que todas as

---

[29] *Comentários aos Princípios de Bangalore de Conduta Judicial.* Tradução de Marlon S. Maia e Ariane E. Kloth. Brasília: Conselho da Justiça Federal, 2008, p. 72.

[30] *Comentários aos Princípios de Bangalore de Conduta Judicial.* Tradução de Marlon S. Maia e Ariane E. Kloth. Brasília: Conselho da Justiça Federal, 2008, p. 77.

180

A IMPARCIALIDADE DO JUIZ

pessoas têm direito a um julgamento público e justo na determinação de qualquer acusação criminal por um tribunal *competente, independente e imparcial estabelecido pela lei.*

Não vou tecer considerações jurídicas acerca da competência no referido caso, embora a um observador razoável persistam, também, fundadas dúvidas acerca da competência originária da subseção de Curitiba para a instauração da persecução penal e, também, acerca da prorrogação da competência por conexão intersubjetiva e probatória, tal como referendada acriticamente pelos Tribunais, salvo algumas exceções.

Com relação à imparcialidade, os advogados de Luiz Inácio Lula da Silva apresentaram exceção de suspeição contra o magistrado responsável pela condução do caso. A petição, disponível no sítio eletrônico do Consultor Jurídico, enumera, em apertada síntese, alguns fatos e circunstâncias que levariam à suposta perda de parcialidade do magistrado para conduzir os procedimentos criminais contra o referido ex-Presidente da república, como:

a) A condução coercitiva do excipiente para depor, sem que tivesse havido qualquer tentativa prévia de intimação para o ato;

b) O escândalo midiático que envolveu a ação policial naquele dia, porquanto na madrugada alguns jornalistas estavam cientes da diligência que ocorreria, em vazamento seletivo da ação;

c) A arbitrária quebra do sigilo telefônico do excipiente, familiares e colaboradores em dissonância com a legislação disciplinadora da matéria, interceptação que recaiu, inclusive, sobre o ramal tronco de um dos escritórios de advocacia;

d) A divulgação do conteúdo das interceptações telefônicas, o que subsidiou protestos políticos contra o excipiente;

e) O pré-julgamento ao prestar informações ao Supremo Tribunal Federal, nas quais realizou diversas imputações de condutas típicas, como: *indicam o propósito de influenciar indevidamente ou intimidar o Procurador da República; a fim de aparentemente constranger os agentes policiais federais; indicam o propósito de intimidar*

181

ou obstruir a Justiça; indica o propósito de influenciar indevidamente magistrado, utilizando o sistema político; contém mais um indício de que ele seria o real proprietário do sítio;

f) A participação do excepto em lançamento ocorrido em Curitiba de um livro intitulado "Lava Jato", de Wladimir Netto. Este livro colocaria o excepto em posição de prestígio pela sua atuação na Operação, principalmente contra o excipiente, como pode ser percebido, segundo a petição, no capítulo 6 do livro, dedicado ao excepto, chamado de "Personalidade do Ano" e no capítulo 12, dedicado ao excipiente, com o seguinte início "Lula no centro da Lava-Jato";

g) A participação do excepto em eventos políticos ou com público manifestamente antagônico ao excipiente;

h) A participação em um jantar promovido pelo Presidente do Instituto dos Advogados do Paraná, no qual, ao final, para um reduzido público, o excepto teria afirmado que o excipiente seria condenado até o final do corrente ano;

i) Além disso, o excipiente aduz que as circunstâncias acimas despertaram em alguns seguimentos da sociedade a ideia de que o excepto já tem posição firmada em relação ao excipiente, porquanto diversas reportagens veiculadas pelas empresas de comunicação anteciparam a condenação do excipiente pelo excepto.

Convido o leitor a colocar-se na posição de um *observador razoável* e analisar *se* os fatos e as circunstâncias acima narradas (partindo-se da premissa de que ocorreram) *não conduziriam, necessariamente,* à percepção de perda da imparcialidade *do magistrado*, o que, por certo, impediria o ex-Presidente de obter um julgamento justo.

Recordo ao leitor, agora investido na posição de um observador razoável, de que a

> *parcialidade ou preconceito tem sido definido como inclinação ou predisposição em direção a um lado ou a um resultado particular. Em sua*

A IMPARCIALIDADE DO JUIZ

aplicação aos processos judiciais ela representa a predisposição para decidir um assunto ou causa de certo modo que não deixa a mente judicial perfeitamente aberta para formular o seu juízo.[31]

Assim, o que deve orientar o julgamento do referido leitor, agora investido na posição de um observador razoável, é se o magistrado, em função dos atos e fatos acima narrados, poderia, ainda, ser considerado, como alguém capaz de conduzir o processo de forma imparcial, excluída, portanto, *qualquer dúvida legítima* a esse respeito.

Como observou Rafael Jiménez Asensio,[42] as ideias-força da interpretação do conceito de imparcialidade pelo Tribunal Europeu de Direitos Humanos são ao menos três:

a) A imparcialidade tem duas dimensões, uma subjetiva e outra objetiva;

b) As aparências são importantes para valorar se um Tribunal é imparcial, pois o Tribunal não apenas deve fazer justiça, mas parecer que a faz com o fim de salvaguardar a confiança dos jurisdicionados nos órgãos jurisdicionais;

c) A resposta acerca da existência de parcialidade não pode ser obtida mediante um juízo abstrato e apriorístico, mas mediante um juízo concreto cujos resultados previsivelmente variarão segundo as circunstâncias da causa.

Desta forma, o que o *observador imparcial* tem que fazer é avaliar as aparências e as circunstâncias ocorridas e verificar se elas não contribuíram para *erodir a ideia de imparcialidade* a que está jungido o exercício da atividade jurisdicional.

Investido nessa posição de observador razoável, pelo menos, a conclusão a que se pode chegar é, salvo melhor juízo, ressalvadas as opiniões em contrário, positiva para a *quebra da expectativa razoável acerca do atendimento do*

---

[31] *Comentários aos Princípios de Bangalore de Conduta Judicial.* Tradução de Marlon S. Maia e Ariane E. Kloth. Brasília: Conselho da Justiça Federal, 2008, p. 67.

dever de imparcialidade. Parece-nos que os atos e fatos acima relatados *criaram dúvidas razoáveis e legítimas* acerca da necessária condução imparcial dos procedimentos criminais contra o ex-Presidente.

Contribuíram para essa percepção, por exemplo:

a) A linguagem direta atributiva de fatos em tese criminosos a investigado ou réu, ainda que em sede de informações.

Uma regra que orienta os magistrados é o de não antecipar julgamentos, pena de tornar-se suspeito. Por isso, o uso da linguagem deve ser cuidadoso para não suscitar no acusado e num *observador razoável* a percepção de que já houve um pré-julgamento da causa; desta forma as manifestações, como regra, devem usar o subjuntivo para expressar processos hipotéticos ligados à suposição, ou, então, o indicativo, mas com ressalvas que enfraquecem exatamente a certeza ou realidade daquilo que se afirma. Essa cautela vale para toda e qualquer manifestação exarada no processo antes de prolatada a sentença.

b) A divulgação do conteúdo de conversas telefônicas interceptadas, quando a legislação determina a observância do sigilo;

A Lei n. 9.296/96 determina no artigo 8º a necessária preservação do sigilo das gravações e transcrições respectivas que foram interceptadas por prévia autorização judicial:

> Art. 8º A interceptação de comunicação telefônica, de qualquer natureza, ocorrerá em autos apartados, apensados aos autos do inquérito policial ou do processo criminal, preservando-se o sigilo das diligências, gravações e transcrições respectivas.

Não há, no caso, o direito a uma publicidade externa em relação ao conteúdo dos diálogos que foram interceptados, justamente porque os valores constitucionais de um processo justo, o direito à intimidade e a vida privada do acusado e das pessoas que com ele se comunicaram devem preponderar sobre o direito de que a todos seja assegurada a possibilidade de ter acesso ao teor das gravações telefônicas.[32]

---

[32] LIMA, Renato Brasileiro de. *Legislação Criminal Especial Comentada*. Salvador: Juspodivm, p. 171.

A IMPARCIALIDADE DO JUIZ

Tanto que o artigo 10 da referida lei criminaliza o comportamento daquele que *quebra o segredo de justiça*, sem autorização judicial ou *com objetivos não autorizados em lei*:

> Art. 10. Constitui crime realizar interceptação de comunicações telefônicas, de informática ou telemática, ou quebrar segredo da Justiça, sem autorização judicial ou com objetivos não autorizados em lei.
>
> Pena: reclusão, de dois a quatro anos, e multa.

O tipo penal na modalidade *quebra de segredo de justiça* é *crime próprio*, uma vez que o sujeito ativo do delito só pode ser aquele que, legitimamente, tomou conhecimento de uma interceptação telefônica ou de seu resultado em virtude do exercício do cargo, como autoridade policial, promotor de justiça ou juiz.[33]

Assim, em tese, um *observador razoável* poderia supor que quando uma norma textualmente clara, como a de preservação do sigilo das gravações, é inobservada por magistrado com a justificativa de que "o levantamento propiciará (...) o saudável escrutínio público sobre a atuação da Administração Pública e da própria Justiça criminal" e de que "a democracia em uma sociedade livre exige que os governados saibam o que fazem os governantes, mesmo quando estes buscam agir protegidos pelas sombras" a sua imparcialidade estaria, em tese, comprometida.

Aliás, o vazamento seletivo de partes da investigação, chamado por alguns agentes públicos de *publicidade democrática*, seria, na verdade, segundo outros, verdadeira estratégia de *midiatização instrumental*, que *afastaria o magistrado da imparcialidade sistêmica* que ocupa na relação jurídica processual.

Para Juarez Guimarães, professor de Ciência Política da Universidade Federal de Minas Gerais, a expressão '*midiatização instrumental*'

---

[33] LIMA, Renato Brasileiro de. *Legislação Criminal Especial Comentada*. Salvador: Juspodivm, p. 175.

designaria uma proposição que reduz a noção democrática de publicidade a um vazamento sistemático de informações – inclusive nitidamente em segredo de Justiça – para empresas de mídia com consequências graves por representar *estratégia de aberta demagogia judicial* (isto é, uma linha direta entre o processo judicial e o processo de formação do juízo público) para, entre outras coisas:

a) Legitimar procedimentos extraordinários que forçam os limites do devido processo legal;

b) Embaralhar as relações entre as instâncias jurídicas e os atores envolvidos na investigação;

c) Validar jurisprudências extraordinárias;

d) Alterar a própria interpretação das leis;

e) *Destruir reputações públicas* e, por fim,

f) *Antecipar gravemente o juízo de condenação, antes mesmo de o processo investigativo concluir-se.*[34]

Na mesma linha, Marilena Chauí considera que a mídia pode manipular e intimidar social e culturalmente e que um dos aspectos mais terríveis desse duplo poder dos meios de comunicação se manifesta nos procedimentos midiáticos de produção da culpa e condenação sumária dos indivíduos, por meio de um instrumento psicológico profundo: a suspeição, que pressupõe a presunção de culpa a que a eminente filósofa compara com a instituição do Terror deflagrada na Revolução Francesa, cujos traços característicos estão em afirmar que, por princípio, todos são suspeitos e que os suspeitos são culpados antes de qualquer prova, o que viola direitos democráticos instituídos pela Declaração dos Direitos do Homem e do Cidadão de 1789 e pela Declaração Universal dos Direitos Humanos, entre eles a presunção de inocência.[35]

---

[34] GUIMARÃES, Juarez. "Midiatização Instrumental versus Publicidade Democrática na Operação Lava Jato". *Risco e Futuro da Democracia Brasileira*. São Paulo: Editora Fundação Perseu Abramo, 2016, pp. 23/24.

[35] Palestra proferida no lançamento da campanha *Para Expressar a Liberdade:* uma nova lei para um novo tempo, no Sindicato dos Jornalistas.

A IMPARCIALIDADE DO JUIZ

Registre-se, ainda, que a estratégia de vazamentos seletivos para a imprensa, não obstante o risco de lesão indevida à honra do investigado ou acusado, constitui, para certos agentes institucionais, um recurso adicional na persecução criminal, conforme relatou o próprio magistrado responsável pela condução da investigação contra o ex-Presidente Luiz Inácio Lula da Silva em artigo publicado anos antes, acerca da Operação Mãos Limpas ocorridas na Itália:

> Os responsáveis pela operação *mani pulite* (12) ainda fizeram largo uso da imprensa. Com efeito: para o desgosto dos líderes do PSI, que, por certo, nunca pararam de manipular a imprensa, a investigação da "mani pulite" vazava como uma peneira. Tão logo alguém era preso, detalhes de sua confissão eram veiculados no "L'Expresso", no "La Republica" e outros jornais e revistas simpatizantes. Apesar de não existir nenhuma sugestão de que algum dos procuradores mais envolvidos com a investigação teria deliberadamente alimentado a imprensa com informações, os vazamentos serviram a um propósito útil. O constante fluxo de revelações manteve o interesse do público elevado e os líderes partidários na defensiva. Craxi, especialmente, não estava acostumado a ficar na posição humilhante de responder a acusações e de ter a sua agenda política definida por outros (13).
>
> A publicidade conferida às investigações teve o efeito salutar de alertar os investigados em potencial sobre o aumento da massa de informações nas mãos dos magistrados, favorecendo novas confissões e colaborações. Mais importante: garantiu o apoio da opinião pública às ações judiciais, impedindo que as figuras públicas investigadas obstruíssem o trabalho dos magistrados, o que, como visto, foi de fato tentado.
>
> Há sempre o risco de lesão indevida à honra do investigado ou acusado. Cabe aqui, porém, o cuidado na desvelação de fatos relativos à investigação, e não a proibição abstrata de divulgação, pois a publicidade tem objetivos legítimos e que não podem ser alcançados por outros meios.
>
> *As prisões, confissões e a publicidade conferida às informações obtidas geraram um círculo virtuoso, consistindo na única explicação possível para a magnitude dos resultados obtidos pela operação mani pulite* (g.n).
>
> (...)

Talvez a lição mais importante de todo o episódio seja a de que a ação judicial contra a corrupção só se mostra eficaz com o apoio da democracia. É esta quem define os limites e as possibilidades da ação judicial. Enquanto ela contar com o apoio da opinião pública, tem condições de avançar e apresentar bons resultados. Se isso não ocorrer, dificilmente encontrará êxito. [36]

Nesse ponto, a um *observador razoável* cria-se a *percepção da parcialidade do magistrado* quando ele na condução de um processo usa dessa estratégia de midiatização instrumental e submete os investigados e réus a um processo de desconstrução de suas reputações privadas e públicas e os expõe a um juízo condenatório antecipado.

c) A participação em lançamentos de obras, com conteúdo manifestamente contrário ao investigado ou réu, ainda que a título de narrativa de fatos;

Um magistrado pode participar de eventos sociais e culturais. Se, no entanto, esses eventos sociais e culturais, dizem respeito à narrativa de fatos que integram o corpo de investigações de um procedimento criminal sob sua condução, nesse caso o magistrado deveria evitar participar desses lançamentos para não suscitar a impressão num observador razoável de quebra da imparcialidade.

Agrava-se a situação quando a narrativa dos fatos, prestigiada pelo comparecimento do magistrado ao evento, é francamente desfavorável aos investigados ou réus, pois a percepção razoavelmente suscitada é a de que haveria uma adesão e concordância, ao menos implícita, do magistrado com a versão contrária aos interesses dos investigados e dos réus, pois, afinal de contas, ninguém comparece ao lançamento de um livro se não quiser prestigiar o autor do livro e suas ideias.

d) *A participação em eventos de natureza empresarial ou política, com manifestações contrárias a investigado ou a réu;*

O mesmo se diga em relação ao magistrado que prestigia eventos de natureza empresarial ou políticos organizados ou liderados por manifestos adversários sociais ou políticos dos investigados ou dos réus. Um

---

[36] "Considerações sobre a operação Mani Pulite". *Revista do Centro de Estudos Judiciário* (CEJ), Brasília, n. 26, pp. 56-62, julho/setembro, 2004.

A IMPARCIALIDADE DO JUIZ

observador razoável terá a impressão de quebra de parcialidade ao ver um magistrado que conduz procedimento criminal ser sistematicamente homenageado por declarados desafetos dos investigados ou dos réus.

e) *O suposto anúncio, ainda que em caráter reservado, de que a prisão do investigado ou do réu seria decretada no final do ano, noticiado pela imprensa local;*

O magistrado que antecipa juízos quebra o dever de imparcialidade.

A antecipação de juízo captada indiretamente por fonte jornalística, que goza de credibilidade junto à opinião pública, em determinado evento, pode suscitar num observador razoável também a percepção de que houve quebra da imparcialidade do magistrado.

Como dito, o cuidado com a imparcialidade projeta-se para fora do Poder Judiciário. No ambiente social ou o privado o magistrado

> *deve evitar deliberado uso de palavras ou conduta que poderia razoavelmente dar margem a uma percepção de uma falta de imparcialidade. Tudo, de suas associações ou negócios de interesse às observações que o juiz considera 'conversa inofensiva' pode diminuir a percepção de imparcialidade do juiz.*[37]

f) *A condução coercitiva;*

Os comentários aos Princípios de Bangalore de Conduta Judicial, corretamente, *recomendam que a privação da liberdade deve-se dar de acordo com a lei* e, portanto, *um juiz não deve privar uma pessoa de sua liberdade, exceto sob certos fundamentos e de acordo com os procedimentos estabelecidos em lei.* Por conseguinte, prossegue o referido comentário,

> *ordem judicial privando uma pessoa de sua liberdade não deve ser feita sem uma análise objetiva de sua necessidade e razoabilidade. Semelhantemente, a detenção ordenada com a má-fé ou com negligência na aplicação da lei, é arbitrária, assim como a condução a julgamento sem um processo objetivo de verificação das evidências relevantes.*[38]

---

[37] *Comentários aos Princípios de Bangalore de Conduta Judicial.* Tradução de Marlon S. Maia e Ariane E. Kloth. Brasília: Conselho da Justiça Federal, 2008, p. 70.

[38] *Comentários aos Princípios de Bangalore de Conduta Judicial.* Tradução de Marlon S. Maia e Ariane E. Kloth. Brasília: Conselho da Justiça Federal, 2008, p. 60.

A privação negligente ou arbitrária da liberdade pode ser causa, para um observador razoável, de quebra do dever de imparcialidade.

A condução coercitiva do ex-Presidente Luiz Inácio Lula da Silva foi analisada por diversos juristas.

A maioria a considerou ilegal e abusiva.

Cito, a título de exemplo, a análise feita pelo processualista Gustavo Henrique Righi Ivahy Badaró, que pode ser considerado um observador razoável desse acontecimento – a condução coercitiva – porque, como ele mesmo declara no início de seu artigo, publicado no site Migalhas, no dia 07 de março de 2016, nutria *profunda repugnância pelos métodos utilizados nos Governos Lula,* o que não o impediu de realizar uma análise isenta e impessoal:

> Em tese, em dois contextos se poderia "decretar" uma condução coercitiva: (i) no caso de testemunha que regularmente intimada, deixa de comparecer a ato processual; (ii) como uma medida cautelar atípica, alternativa à prisão.
>
> Desde já, antecipo a minha conclusão, em relação à condução coercitiva do ex-Presidente Luiz Inácio Lula da Silva. Se foi decretada com a primeira natureza, o ato foi ilegal. Se foi decretada com a segunda finalidade, mais que ilegal, o ato fere a Convenção Americana de Direitos Humanos, que não admite medidas cautelares restritivas da liberdade, não previstas em lei (CADH, art. 7.2)
>
> A condução coercitiva, como ato contra o faltante a ato processual que tinha o dever de comparecer, é disciplinada em vários dispositivos do Código de Processo Penal. Em nenhum deles, observe-se, na fase de investigação. Todos referem-se ao poder do juiz na fase processual.
>
> O CPP prevê a condução coercitiva, da testemunha que intimada, deixar de comparecer, sem motivo justificado (CPP, art. 218).
>
> O mesmo se aplica ao acusado que é intimado para audiência de interrogatório, mas não atende à intimação, deixando de comparecer (art. 260, par. ún.). Tem se considerado válida tal previsão, mesmo diante da garantia do direito ao silêncio (CR, art. 5, caput, LXIII), na medida em que o interrogatório teria uma etapa de qualificação (CPP, 187, § 1º). Ainda que se possa admitir, com alguma restrição, tal linha interpretativa, o certo é que não se justificará a condução coercitiva, primeiro, se não houve

A IMPARCIALIDADE DO JUIZ

desatendimento de comparecimentos anteriores, segundo, se todos os dados de qualificação já são conhecidos e estão disponíveis, hipótese em que a medida seria totalmente desnecessária.

Também se pode determinar a condução coercitiva do perito, em situação semelhante (CPP, 278).

No procedimento dos crimes dolosos contra a vida, em sua primeira fase, o § 7º do art. 411, traz previsão genérica de que o juiz poderá determinar a condução coercitiva "de quem deve comparecer" à audiência e a ela falte. No caso, pela cabeça do artigo, poderiam ser conduzidos o ofendido, as testemunhas, os peritos e o acusado. Já na segunda fase, podem ser conduzidas coercitivamente, caso não compareçam, as testemunhas (art. 461, § 1º)

Regra semelhante prevê a condução coercitiva do faltante, no procedimento sumário (CPP, art. 535).

Desnecessário argumentar que o ex-presidente não estava em nenhuma dessas situações. Ainda que se queira aplicar a regra de condução coercitiva do interrogatório judicial à oitiva do investigado no inquérito policial ou investigação preliminar, o certo é que os dados qualificativos do ex-presidente já eram conhecidos sendo a medida desnecessária. Por outro lado, tendo ele nessa condição o direito de permanecer calado, não se poderia determinar a medida com vista ao interrogatório de mérito (CPP, art. 187, § 2º).

Restaria a possibilidade de a medida ter sido decretada com uma medida cautelar alternativa à prisão, de natureza atípica. Nesse caso, a possibilidade de colidência com o direito à não autoincriminação é ainda mais clara. Uma medida cautelar decretada para que o acusado esteja disponível para ser colaborar com a investigação choca-se, frontalmente, com a garantia constitucional.

Vejo, porém, um problema maior, ao qual venho alertando há muito. O processo penal se submete a um princípio de legalidade. Não há atos processuais penais atípicos. Não se cria uma medida cautelar alternativa à prisão, não prevista em lei. Se necessidade há, se o ordenamento tem uma lacuna que prejudica o funcionamento da persecução penal, isso deve ser resolvido legislativamente. Nem mesmo o argumento de que a analógica seria – *in bonam partem* – convence. Se a adequação cautelar é para uma medida intermediária e menos gravosa que a prevista em lei, o caminho é não decretar a mais gravosa. Pois exagerada. E não criar algo intermediário, sob a pseudo-justificativa que seria "mais benéfico". Mais benéfico é nenhuma medida, ou outra, legalmente prevista, ainda menos grave que a que se busca criar.

Não desconheço que parte da doutrina trabalha, ao meu ver, equivocadamente, com um alegado "poder geral de cautela" do processo civil, que seria aplicável por analogia no processo penal. Discordo desse ponto de vista. Contra a possibilidade de analogia da lei processual penal (art. 3º do CPP), sobrepõe-se o art. 7.2 da CADH: "2. Ninguém pode ser privado de sua liberdade física, salvo pelas causas e nas condições previamente fixadas pelas Constituições políticas dos Estados-partes ou pelas leis de acordo com elas promulgadas."

Se fosse só isso, o cabimento ou não da medida dependeria do ponto de vista interpretativo de cada um. Os que aceitam, contra os que não aceitam, a cautelar atípica.

(...)

Estou, portanto, com aqueles que acham que o ex-Presidente Luiz Inácio Lula da Silva sofreu um ato ilegal e abusivo.

Todos esses fatos e circunstâncias, acima tratados, salvo melhor juízo, são capazes de criar *uma dúvida razoável acerca da imparcialidade do magistrado*, o que basta, em países democráticos, como o Brasil, para afastar o magistrado que neles incorrer na condução do caso.

Diga-se, por fim, que o afastamento de magistrado reputado parcial na condução de um caso não é providência contrária ao interesse público, nem significa descompromisso com a persecução penal daqueles que supostamente cometeram crimes contra a Administração Pública, mas antes providência benéfica, salutar, conforme o interesse público primário, porque:

a) Assegura ao acusado um julgamento justo;

b) Impede a declaração ulterior de nulidades dos atos praticados e;

c) Reafirma a confiança da sociedade numa Justiça democrática e imparcial.

Informação bibliográfica deste texto, conforme a NBR 6023:2002 da Associação Brasileira de Normas Técnicas (ABNT):

FERREIRA DA ROCHA, Silvio Luís. "A Imparcialidade do Juiz". *In*: ZANIN MARTINS, Cristiano; TEIXEIRA ZANIN MARTINS, Valeska; VALIM, Rafael (Coord.). *O Caso Lula*: a luta pela afirmação dos direitos fundamentais no Brasil. São Paulo: Editora Contracorrente, 2017, pp. 159-192. ISBN. 978-85-69220-19-0.

JUIZ NATURAL À LUZ DO PROCESSO PENAL DO ESPETÁCULO: OS CASOS "OPERAÇÃO LAVA JATO" E "MENSALÃO"

RUBENS CASARA

I. INTRODUÇÃO

O Estado Democrático de Direito se caracteriza pela existência de limites ao exercício do poder, dentre os quais destacam-se os direitos e garantias fundamentais. Um dos pilares do processo penal adequado à democracia, indispensável ao projeto de conter o poder penal, o *princípio do juiz natural* enuncia uma tríplice garantia, todas conexas entre si. Em primeiro lugar, assegura que somente órgãos instituídos pela Constituição Federal podem exercer a função jurisdicional. Mas, não é só. Estabelece que o órgão julgador não pode ter sido constituído após o fato que foi atribuído ao acusado (proibição dos *tribunais de exceção*). Por fim, esse princípio impede a escolha do julgador para um determinado caso penal, o que exige que a competência de cada juiz deva estar rigidamente pré-determinada em lei (*proibição do juiz de encomenda*).

Em apertada síntese, pode-se afirmar que com o princípio do juiz natural procura-se assegurar o valor "imparcialidade", entendido como equidistância dos interesses em jogo no caso penal e que caracteriza a jurisdição democrática. Justamente por existir como garantia da imparcialidade na entrega da prestação jurisdicional é que o princípio do juiz natural vincula e se direciona tanto ao órgão jurisdicional quanto ao juiz a que se atribui o dever de exercer a jurisdição.

Hoje, os limites democráticos ao poder são questionados. Não raro, direitos e garantias fundamentais são percebidos e tratados como obstáculos transponíveis à eficiência punitiva do Estado. Vive-se o que alguns chamam de "era pós-democrática". Há, porém, uma funcionalidade política ao se abandonar o conteúdo democrático (em especial, os direitos e garantias fundamentais) do processo penal, conforme se tentará demonstrar ao longo deste texto.

II. O PRINCÍPIO DO JUIZ NATURAL

Em que pese certa controvérsia, costuma-se afirmar que a origem do princípio do juiz natural encontra-se na *Magna Carta Libertatum* (1215), embora a proibição dos tribunais e juízes *post factum* só se afirme no século XVII, mais precisamente na *Petition of Rights* de 1628 e no *Bill of Rights* de 1689. A primeira vez que se fez referência à expressão "juiz natural" em texto de lei, porém, só se deu na França de 1791 em meio às formulações iluministas.

A garantia do juiz natural surgiu, como tudo indica, para limitar o poder e extremar a separação entre os órgãos encarregados da administração e os órgãos com funções jurisdicionais. Como percebeu Ada Pellegrini Grinover, busca-se com esse princípio "não deixar à mercê dos Executivos o mecanismo da substituição de juízes",[1] bem como diminuir as chances de manipulação política da persecução penal. Canotilho e Moreira atestam que a escolha do órgão jurisdicional competente deve sempre "resultar de critérios objetivos predeterminados e não de critérios subjetivos",[2] o que

---

[1] GRINOVER, Ada Pellegrini. *O processo em sua unidade*. Vol. II. Rio de Janeiro: Forense, 1984, p. 20.

[2] CANOTILHO, J. J. Gomes; MOREIRA, Vital. *Constituição da República Portuguesa anotada*. Coimbra: Coimbra Editora, p. 525.

JUIZ NATURAL À LUZ DO PROCESSO PENAL DO ESPETÁCULO:...

tem por objetivo excluir a escolha de juízes a partir de critérios arbitrários que atendam aos desejos e preferências dos detentores do poder político (que no Brasil, não raro, se confundem com os detentores do poder econômico).

O princípio do juiz natural é ao mesmo tempo uma garantia do indivíduo processado e da própria atividade jurisdicional. Essa garantia integra a "Constituição processual criminal" (Canotilho e Moreira): ao acusado deve estar assegurada a certeza de que não será processado e julgado por pessoas que não integram os órgãos jurisdicionais definidos na Constituição da República ou que tenham interesse em sua punição.

Percebe-se, pois, que esse princípio constitui parcela fundamental da estrutura normativa destinada a assegurar a imparcialidade do órgão julgador e a isonomia de tratamento durante o desenvolvimento do processo. Hoje é incontroverso que dentre os direitos fundamentais do acusado está tanto o de saber, de antemão, qual o órgão e o juiz competente para o seu julgamento, quanto o de contar com mecanismos que assegurem a imparcialidade do julgador. Como garantia da função jurisdicional, e de seu regular exercício, o *princípio do juiz natural* assegura também a independência judicial. Dele deriva, portanto, a garantia da inamovibilidade do juiz, bem como a vedação de toda e qualquer ingerência do(s) poder(es) na atividade jurisdicional.

Para evitar o arbítrio e perseguições através do Sistema de Justiça Criminal, proíbe-se o "juiz de encomenda". A antítese do juiz de encomenda é o *juiz constitucional*. Não basta, portanto, a previsão legal de um determinado órgão jurisdicional para o julgamento de um caso penal: a garantia constitucional impõe que a previsão legal assegure em concreto a imparcialidade do julgador, razão pela qual não se trata de uma garantia "estática" ou formal, como bem constatou Gustavo Badaró,[3] mas de uma limitação ao poder que se dá de forma dinâmica, com uma dimensão substancial capaz de evitar julgamentos direcionados. Por *juiz natural* entende-se, portanto, aquele com competência determinada

---

[3] *Juiz natural no processo penal*. São Paulo: Revista dos Tribunais, 2014.

por lei anterior ao fato a ser julgado, com base em critérios objetivos, de modo a assegurar a equidistância do julgador em relação aos interesses em disputa em um determinado caso penal. Um juiz parcial, suspeito ou impedido nunca é o juiz natural de um caso penal.

Ninguém, nem mesmo os órgãos de cúpula do Poder Judiciário, tem o poder de escolher o órgão jurisdicional ou o juiz que irá julgar um determinado caso penal. A definição do órgão jurisdicional competente é obra do legislador e, para se dar concretude ao *princípio do juiz natural*, deve ocorrer antes do fato a ser julgado. E mais do que isso. É imprescindível que exista um regramento prévio que permita afastar de um determinado caso penal o juiz que se demonstrar parcial.

Frise-se que a evolução do conteúdo normativo do *princípio do juiz natural* impede de considerá-lo apenas como uma vedação aos *tribunais de exceção* (*ex post facto*). Para a concretização do projeto constitucional faz-se necessário impedir a escolha direcionada de juízes "de" e "para" cada situação. Veda-se a avocação de causas, a existência de juízes *ad hoc, a flexibilização das hipóteses de modificação da competência (que, por serem normas de exceção, devem ser interpretadas restritivamente e sempre em atenção à imparcialidade do órgão julgador) ou mesmo a designação de um juiz para uma única causa.*

A natureza contramajoritária do Poder Judiciário, ou seja, a liberdade de atuação em conformidade com a Constituição da República, necessária para garantir a força normativa dessa mesma Constituição mesmo contra o senso comum de "maiorias de ocasião" (por vezes, forjada na desinformação), só se faz possível em razão do princípio do juiz natural.

A vedação ao *juiz de encomenda* exige regras gerais e abstratas de competência, bem como regras rígidas para a distribuição dos processos, de modo a evitar o fenômeno da *distribuição dirigida* nas hipóteses de pluralidade horizontal de órgãos jurisdicionais com a mesma competência. O critério de distribuição deve ser formal, capaz de gerar uma distribuição automática e equitativa. Inviável destacar um determinado juiz para o julgamento de uma única causa ou de determinadas casos penais

JUIZ NATURAL À LUZ DO PROCESSO PENAL DO ESPETÁCULO:...

em detrimento das regras normais de distribuição (do contrário, ter-se-ia também a violação do *princípio da impessoalidade*, exigência republicana para a atuação legítima de todos os órgãos e agentes estatais). Qualquer distribuição excepcional é sintoma claro de violação ao princípio do juiz natural.

Registre-se, ainda, a importância de que os casos penais sejam julgados a partir da máxima *tempus criminis regit iudicem*. Impossível, pois, qualquer modificação das regras de competência por normas processuais posteriores ao fato imputado como criminoso.

III. JUIZ NATURAL: UMA GARANTIA INDESEJÁVEL AO ESPETÁCULO NA ERA PÓS-DEMOCRÁTICA

O Sistema de Justiça Criminal é um importante *locus* de disputa política, no qual interesses e tradições acabam por condicionar a incidência do juiz natural e de outras garantias constitucionais.

Em meio à disputa entre concepções democráticas, ligadas à contenção do poder penal, e concepções autoritárias, que pugnam pelo afastamento de direitos e garantias fundamentais, não se pode esquecer que a fragilização dos direitos fundamentais e do sistema de garantias típicos do Estado Democrático de Direito pode ser melhor compreendida à luz da constatação de que esses fenômenos se relacionam com a razão neoliberal. Ao se tornar hegemônica, a razão neoliberal (esse conjunto de representações, símbolos, imagens, visões de mundo e práticas, que elevam a mercadoria e o capital financeiro aos únicos valores que realmente importam) levou à naturalização com que a população brasileira aceitou a principal característica do Estado Pós-Democrático: a ausência de limites ao exercício do poder.

Essa ausência de limites se torna possível diante da desconstitucionalização tanto do sistema político quanto das esferas social e cultural, mas sobretudo, o que se revelou fatal para o paradigma do Estado Democrático de Direito, do sistema de justiça. Pode-se afirmar que essa desconstitucionalização significou o abandono do sistema de vínculos legais impostos a qualquer poder, inclusive ao próprio poder jurisdicional.

Instaurou-se uma espécie de "vale tudo" argumentativo e utilitarista, no qual os fins afirmados pelos atores jurídicos – ainda que distantes da realidade – justificam a violação dos meios estabelecidos na própria Constituição da República, bem como das formas e das substâncias que eram relevantes no Estado Democrático de Direito.

No Estado Pós-Democrático ficou constatada a progressiva desconsideração, ou mesmo a eliminação, dos valores constitucionais da consciência de grande parcela do povo brasileiro, inclusive dos atores jurídicos. Abriram-se as portas para poderes sem limites ou controles. Mas, não é só.

Ao lado da desconstitucionalização, o Brasil assistiu ao empobrecimento subjetivo que se revela tanto no modelo de pensamento bélico-binário, que ignora a complexidade dos fenômenos e divide as pessoas entre "amigos" e "inimigos", quanto no incentivo à ausência de reflexão, não raro gerada pelos meios de comunicação de massa que apresentam "verdades" que não admitem problematizações. Diante desse quadro, deu-se uma espécie de regressão pré-moderna e, com ela, o fortalecimento de fenômenos como o "messianismo" e a "demonização". Se a crise política brasileira de 2015/2016 que culminou com o *impeachment* da Presidenta Dilma Rousseff, por um lado, revelou tanto a descrença na democracia representativa quanto a tradição autoritária em que a sociedade está lançada, por outro, escancarou a receptibilidade de novos messias ou salvadores da pátria.

O "messias" age em nome do povo sem mediações políticas ou jurídicas. Esse "salvador da pátria" pode ser um juiz ou procurador midiático ("messianismo jurídico") ou um militar saudosista dos regimes de exceção ("messianismo bélico"). Não importa: entre pessoas autoritárias, os heróis sempre serão autoritários. Correlato à identificação de um messias, está a demonização daqueles que pensam diferente ou que não possuem valor dentro da lógica que se extrai da razão neoliberal. O processo de demonização do ex-Presidente Luiz Inácio Lula da Silva, amplamente incentivado pelos conglomerados midiáticos brasileiros, que não raro recorreram à divulgação de notícias falsas e versões fantasiosas, é um caso exemplar desse fenômeno.

JUIZ NATURAL À LUZ DO PROCESSO PENAL DO ESPETÁCULO:...

Quadros como esse, em que parcela considerável da população aposta em um messias para liderar a luta/guerra contra o mal, são propícios à eliminação das regras e princípios que pautavam o jogo democrático, pois apontam para a possibilidade de um "governo de pessoas" (de um governo submetido a um messias) em detrimento do modelo de um governo submetido a leis adequadas ao projeto constitucional. Como os "messias" agem sem mediações ou limites, não há mais espaço para as estratégicas de "separação de poderes", contenção do arbítrio ou para o respeito aos "direitos fundamentais"; como os demônios precisam ser exorcizados, vale tudo contra eles.

Na era pós-democrática, o Estado é tendencialmente omisso no campo do bem-estar social, mas necessariamente forte na contenção dos indesejáveis, sejam eles a camada da população incapaz de produzir ou consumir, ou os inimigos políticos daqueles que detêm o poder político e/ou econômico. A opção política de livrar o Estado de preocupações com a redução da desigualdade, a inclusão das minorias e o funcionamento da economia, somada à tolerância com um elevado nível de pobreza e a concentração da riqueza em poucas mãos, só é sustentável com o agigantamento do Estado Penal e o correlato afastamento de direitos e garantias fundamentais.

Também foi a razão neoliberal que produziu a progressiva transformação dos casos penais em mercadorias, em espetáculos para públicos construídos pelos meios de comunicação de massa. Em um movimento de mutação simbólica, o valor do processo penal como limite ao poder em nome dos direitos individuais está a desaparecer. Os institutos e formas processuais penais passam a ser tratados como uma espécie de mercadoria, portanto, negociáveis e disponíveis. Ao mesmo tempo, o sistema de justiça criminal, sempre seletivo, tornou-se cada vez mais objeto de atenção dos meios de comunicação de massa que, com objetivos políticos, não é de hoje, manipulam as sensações de medo, insegurança e impunidade na sociedade. Também a indústria do entretenimento passou a vislumbrar, em certos casos penais, espetáculos rentáveis nos quais entram em cena o fascínio pelo crime (em um jogo de repulsa e identificação), a fé nas penas (apresentada como remédio para os mais variados problemas sociais) e um certo sadismo (na medida em que aplicar uma "pena" é, em apertada síntese, impor um sofrimento), tudo isso somado à funcionalidade política de controlar e excluir, também com o auxílio dos meios de comunicação de massa, os indivíduos indesejáveis ao *status quo*, sejam aqueles que se mostram incapazes de produzir ou consumir, sejam aqueles identificados como inimigos dos detentores do poder político e/ou econômico.

A partir da constatação das atuais condições de produção, Guy Debord percebeu que toda a vida das sociedades "se apresenta como uma imensa acumulação de espetáculos. Tudo o que era vivido diretamente tornou-se uma representação".[4-5] Hoje, ser-no-mundo é atuar, representar um papel como condição para ser percebido. Busca-se, com isso, fugir da sensação de invisibilidade e insignificância, uma vez que ser é ser percebido (nesse sentido, por todos, Türcke).[6] Sabe-se que o espetáculo é uma construção social, uma relação intersubjetiva mediada por sensações, em especial produzidas por imagens e, por vezes, vinculadas a um enredo. O espetáculo tornou-se também um regulador das expectativas sociais, na medida em que as imagens produzidas e o enredo desenvolvido passam a condicionar as relações humanas: as pessoas, que são as consumidoras do espetáculo, exercem a dupla função de atuar e assistir, influenciam no desenvolvimento e são influenciadas pelo espetáculo.

Em meio aos vários espetáculos que se acumulam na atual quadra histórica, estão em cartaz os "julgamentos penais", um objeto privilegiado de entretenimento. O processo penal, que em dado momento histórico chegou a ser pensado como um instrumento de racionalização do poder penal, para atender à finalidade de entreter, sofre profunda transformação. No "processo penal do espetáculo", os valores típicos da jurisdição penal de viés liberal ("verdade" e "liberdade") são abandonados e substituídos por um enredo que aposta na prisão e no sofrimento

---

[4] Sobre o tema: ARENDT, Hannah. *Eichmann em Jerusalém*. São Paulo: Companhia das Letras, 1999.

[5] DEBORD, Guy. *A sociedade do espetáculo*. Rio de Janeiro: Contraponto, 1997, p. 13.

[6] TÜRCKE, Christoph. *Sociedade excitada*. Campinas: Editora Unicamp, 2010.

JUIZ NATURAL À LUZ DO PROCESSO PENAL DO ESPETÁCULO:...

imposto a investigados e réus como forma de manter a atenção e agradar ao público, isso faz com que a atividade processual cada vez mais limite-se a confirmar a hipótese acusatória, que faz as vezes do roteiro do espetáculo.

No processo penal voltado para o espetáculo não há espaço para garantir direitos fundamentais. O espetáculo, como percebeu Debord, "não deseja chegar a nada que não seja ele mesmo".[7] A dimensão de garantia, inerente ao processo penal no Estado Democrático de Direito, desaparece para ceder lugar à dimensão de entretenimento. Assim, ocorre o abandono da figura do jurista, entendido como o ator jurídico que dispõe de um saber específico, construído a partir do estudo das leis, da doutrina e da jurisprudência (no caso dos juristas críticos, um saber transdisciplinar, que envolve noções de filosofia, psicanálise, economia etc.), em nome da perspectiva do espectador, aquele que busca um prazer (sádico ou não). O Direito acaba invadido pela cultura, que já estava colonizada pela economia. O Direito, então, passa a estar subordinado à lógica da hipercultura midiática-mercantil, do *show business*, que tem como característica principal "implantar-se sob o signo hiperbólico da sedução, do espetáculo, da diversão da massa",[8] mas que mistura as esferas do controle social, da economia, da cultura, das artes, da moda, tudo a esconder interesses de grupos bem definidos.

A estetização do processo penal faz com que a hipótese descrita pelo órgão acusador na denúncia ou queixa, que funciona como o roteiro do espetáculo, e assumida pelo juiz como verdade em uma postura inquisitorial, remodele a realidade, que se encontra espetacularizada e reduzida a uma versão da luta do bem contra o mal, numa ficção que o juiz se esforçara para apresentar como uma realidade (uma representação que independe de provas concretas).

Se a audiência do espetáculo cai, e com ela o apoio popular construído em torno do caso penal, sempre é possível recorrer a uma prisão

---

[7] DEBORD, Guy. *A sociedade do espetáculo*. Rio de Janeiro: Contraponto, 1997, p. 17.

[8] LIPOVETSKY, Gilles; SERROY, Jean. *Estetização do mundo:* viver na era do capitalismo artista. Tradução de Eduardo Brandão. São Paulo: Companhia das Letras, 2015, p. 263.

espetacular, uma condução coercitiva, ainda que desnecessária, ou, se for o caso de criar comoção, um "vazamento", ainda que ilegal, de conversas telefônicas em nome do "interesse público", em nome do gozo do respeitável público.

O universo do espetáculo é o da ilusão, da aparência de acontecimento capaz de gerar sensações extraordinárias e hiperbólicas. O enredo do "julgamento penal" é uma falsificação da realidade, uma representação social distante da complexidade do fato posto à apreciação do Poder Judiciário. Em apertada síntese, o fato é descontextualizado, redefinido, adquire tons sensacionalistas e passa a ser apresentado, em uma perspectiva maniqueísta, como uma luta entre os "mocinhos" e os "bandidos". O caso penal passa a ser tratado como uma mercadoria que deve ser atrativa para ser consumida. A consequência mais gritante desse fenômeno passa a ser a vulnerabilidade a que fica sujeito o vilão escolhido para o espetáculo.

Para utilizar a terminologia proposta por Flusser,[9] pode-se identificar o Sistema de Justiça Criminal como um "aparelho" destinado a fazer funcionar o "programa" do espetáculo. Programa, vale dizer, adequado à tradição em que está inserido o ator-espectador: no caso brasileiro, um programa autoritário feito para pessoas que se acostumaram com o autoritarismo, que acreditam na força, em detrimento do conhecimento, para solucionar os mais diversos e complexos problemas sociais e que percebem os direitos fundamentais como obstáculos à eficiência do Estado e do mercado. No processo penal do espetáculo, o desejo de democracia é substituído pelo "desejo de audiência".[10]

Para seguir o programa e atender ao enredo, construído e dirigido a partir do "desejo de audiência", a lei pode ser afastada. O espetáculo aposta na exceção: o respeito à legalidade estrita revela-se enfadonho e contraproducente; os direitos e garantias fundamentais podem ser

---

[9] FLUSSER, Vilém. *Pós-história*: vinte instantâneos e um modo de usar. São Paulo: Duas Cidades, 1983.

[10] TIBURI, Marcia. *Olho de vidro:* a televisão e o estado de exceção da imagem. São Paulo: Record, 2011, p. 18.

afastados. As formas processuais deixam de ser garantias dos indivíduos contra a opressão do Estado, uma vez que não devem existir limites à ação dos mocinhos contra os bandidos (a forma passa a ser um detalhe que pode ser afastada de acordo com a vontade do "diretor").

Na lógica do espetáculo, o princípio do juiz natural é um obstáculo na busca do diretor "ideal" para o espetáculo. Um juiz-diretor que respeite direitos e garantias fundamentais pode representar perda de audiência.

IV. OS CASOS "MENSALÃO" E "LAVA JATO"

O julgamento da Ação Penal 470 pelo Supremo Tribunal Federal, caso penal que ganhou destaque nos meios de comunicação de massa e ficou conhecido como "Mensalão", foi um marco no processo de transformação do processo penal em um espetáculo. Esse processo, no qual limites legais foram abandonados e distorções teóricas foram produzidas para permitir a punição exemplar de determinadas pessoas, também pode ser citado como um caso exemplar de utilização explicitamente política do Sistema de Justiça Criminal.

A quantidade de atipicidades, isto é, de atos e decisões contrárias à interpretação que sempre foi dada à legislação brasileira, fez com que o Ministro Luis Roberto Barroso, por ocasião de sua sabatina para ingressar no Supremo Tribunal Federal, afirmasse que o julgamento da AP 470 foi um "ponto fora da curva". A história, porém, demonstrou que esse processo foi o início da curva para a consolidação do Estado Pós-Democrático no Brasil.

Na AP 470, o juiz natural da causa foi afastado pela via hermenêutica, ou seja, através de uma interpretação atípica das regras de competência (pode-se conceituar competência como limite estabelecido por lei para o exercício válido da atividade jurisdicional). Contrariando toda a jurisprudência anterior (e após o julgamento desse caso penal a "tese" adotada foi novamente abandonada), entendeu-se, por maioria, que os acusados sem "foro por prerrogativa de função" (a Constituição brasileira estabelece que algumas pessoas que exercem função pública relevante devem ser julgadas por determinados órgãos jurisdicionais) deveriam ser julgados diretamente pelo Supremo Tribunal Federal.

Em resumo, a interpretação do Supremo Tribunal Federal, adotada para esse único caso, fez com que direitos e garantias dos acusados fossem afastados (negou-se a diversos acusados a garantia processual de fazer uso do sistema recursal assegurado a todos os demais cidadãos). O Supremo Tribunal Federal, incentivado pela mídia, "escolheu" julgar o "caso Mensalão", o que para muitos constitui o principal exemplo de violação casuística ao princípio constitucional do juiz natural da história recente do Brasil.

As esperanças de que o julgamento do "Caso Mensalão" não passasse de um "ponto fora da curva" ou de um julgamento de exceção cederam diante de outras manifestações do Poder Judiciário, nas quais fica evidente a estratégia de afastar os limites democráticos ao exercício do poder penal.

Nos processos oriundos da chamada "Operação Lava Jato", cercados de espetacularização semelhante à da AP 470, também se percebe a prática de relativizar ou mesmo ignorar os obstáculos legais aos objetivos repressivos, moralizantes ou explicitamente políticos que cercam esses casos. No âmbito desses casos penais, na esteira do que sustentam as defesas técnicas de vários acusados, pode-se afirmar que, mais uma vez, se confere uma interpretação atípica que leva à relativização da garantia do juiz natural. Em apertada síntese, a hipótese é de que os órgãos encarregados da persecução penal, com o apoio dos meios de comunicação de massa e a omissão de diversos órgãos do Poder Judiciário, escolheram um determinado juiz (Sérgio Moro), que conta com o apoio de considerável parcela da sociedade (a partir de um processo midiático de construção de imagem), para determinadas causas. Três seriam as causas da violação do princípio do juiz natural nos processos dirigidos pelo juiz Sérgio Moro na 13ª Vara Federal de Curitiba relacionados à Operação Lava Jato:

a) A inexistência da conexão pretendida pelos atores processuais.

Afirma-se que a reunião de processos na 13ª Vara Federal de Curitiba deve-se ao fenômeno da conexão entre infrações penais. Não

JUIZ NATURAL À LUZ DO PROCESSO PENAL DO ESPETÁCULO:...

é o que ocorre. As hipóteses de conexão estão previstas expressamente no artigo 76 do Código de Processo Penal brasileiro, isso para evitar o risco de decisões contraditórias através de um só julgamento para duas ou mais infrações que guardem determinadas particularidades. Trata-se de fenômeno excepcional que produz a modificação da competência para um determinado caso penal e, portanto, as regras que fixam o juiz natural a partir da conexão devem ser interpretadas restritivamente.

Nos processos oriundos da Operação Lava Jato, a conexão afirmada pelos atores jurídicos para permitir a reunião dos processos em um mesmo órgão jurisdicional é a chamada "instrumental/probatória", prevista no inciso III do artigo 76 do Código de Processo Penal. Em outras palavras, segundo os atores jurídicos envolvidos na "Operação Lava Jato", seria possível a reunião de processos sobre a direção do juiz Sérgio Moro porque "a prova de uma infração ou de qualquer de suas circunstâncias é capaz de influir na prova de outra infração". Essa tese, na realidade, revela-se equivocada.

Basta a leitura do disposto no artigo 76, inciso III, do Código de Processo Penal brasileiro para se perceber que não se trata de uma mesma prova que pode ser utilizada em mais de um processo, mas da "prova de uma infração ou de qualquer de suas circunstâncias" capaz de influir "na prova de outra infração", ou seja, capaz de ajudar na resolução de uma "questão prejudicial homogênea", de um ponto controvertido em um processo que, para ser solucionado, depende da resolução de um ponto controvertido em outro processo. Assim, na mesma linha que defende Afrânio Silva Jardim, não é possível concordar com "a interpretação elástica",[11] que produz em concreto a violação ao princípio do juiz natural, de regra que deveria ser interpretada restritivamente. Na Lava Jato, reconheceu-se a conexão instrumental sem a existência de "questão prejudicial homogênea'. Mas, não foi só.

Em muitos dos processos que acabaram direcionados à 13ª Vara Federal de Curitiba, nada há que recomende, a não ser os interesses do

---

[11] JARDIM, Afrânio Silva. *Equívocos em relação à competência do juiz Sérgio Moro na chamada operação lava-jato*. Rio de Janeiro: mimeo, 2016.

espetáculo que se confunde com o caso penal, que as infrações atribuídas aos réus sejam objeto de julgamento simultâneo. Não há sequer prova comum ou qualquer outra relação que justifique a ampliação, ou mesmo a fixação, da competência naquele órgão (por evidente, também não se pode aceitar que a decretação de uma prisão ou de qualquer outra medida cautelar por juiz incompetente torne-o competente pela prevenção para o julgamento). A grosso modo, pode-se afirmar que bastava a alegação de que um determinado fato tinha ligação, ainda que remota, com crimes cometidos contra ou através da Petrobras S.A. para que os autos fossem encaminhados para serem julgados pelo juiz federal Sérgio Moro, isso porque existiu um crime da competência da justiça federal que acabou julgado naquele órgão e que seria conexo com um dos crimes investigados na Lava Jato.

Ainda como recorda Afrânio Silva Jardim, mesmo que existisse conexão, "se os crimes já foram processados em autos separados e já houve um julgamento de mérito, não há por que modificar as competências de foro, de juízo ou de justiça. Vale dizer, já não mais haverá possibilidade de julgamento conjunto dos crimes conexos",[12] isso por expressa disposição legal (artigo 82: "Se, não obstante a conexão ou continência, forem instaurados processos diferentes, a autoridade prevalente deverá avocar os processos que corram perante os outros juízes, salvo se já estiverem com sentença definitiva").

Encerrado o julgamento no primeiro grau de jurisdição, através de sentença de mérito, não há mais justificativa para a modificação da competência para o julgamento de outros processos, uma vez que se tornou impossível o julgamento conjunto com as demais infrações que, em tese, seriam conexas. Pensar o contrário, e admitir a ampliação da competência da vara federal de Curitiba para todos os crimes que guardem alguma relação, ainda que meramente no plano do discurso dos agentes da persecução penal, com um crime federal já julgado é absurdo à luz das regras constitucionais e legais de competência. Equivaleria a admitir, por exemplo, que um juiz, que em certa ocasião julgou uma

---

[12] JARDIM, Afrânio Silva. *Equívocos em relação à competência do juiz Sérgio Moro na chamada operação lava-jato*. Rio de Janeiro: mimeo, 2016.

JUIZ NATURAL À LUZ DO PROCESSO PENAL DO ESPETÁCULO:...

pessoa acusada de pertencer ao Terceiro Comando da Capital, se afirme competente para julgar todas as imputações de crimes atribuídos a essa organização criminosa.

Nesse sentido, Afrânio Silva Jardim afirma:

> um crime consumado em São Paulo ou no Rio de Janeiro, ainda que tenha alguma relação com a corrupção no âmbito da Petrobras S.A., não tem por que ser processado e julgado pelo juiz Dr. Sérgio Moro, em novo processo. Este crime, ainda que fosse conexo com o primeiro, o qual determinou a competência deste magistrado, não mais poderá ser processado e julgado juntamente com aquele originário. Vale dizer, não cabe ampliar a competência da 13ª Vara Federal de Curitiba para processar e julgar crimes consumados fora de sua seção judiciária. Tal ampliação de competência não se justifica, na medida em que não mais é possível a unidade de processo e de julgamento conjunto. É até mesmo intuitivo.[13]

b) A ausência de um juiz pré-determinado por lei.

A incidência do princípio do juiz natural exige que exista um órgão jurisdicional predeterminado por lei, isto é, que a fixação do juiz competente se dê por uma lei anterior ao fato que será julgado. Esse aspecto de garantia deriva da Constituição e também está previsto no artigo 8.1 da Convenção Americana de Direitos Humanos, sempre com o objetivo de evitar violações à imparcialidade do órgão judicial, em especial arbítrios e perseguições.

Na lição de Gustavo Badaró:

> A garantia do juiz natural confere, portanto, um caráter reforçado do princípio da legalidade e prescreve para o legislador o dever de regular a competência do juiz, sem poder fazer retroagir a disciplina da nova lei a fatos ocorridos antes do início de vigência da lei que modifique a distribuição de competência. Há, pois, do lado do legislador, uma obrigação de

---

[13] JARDIM, Afrânio Silva. *Equívocos em relação à competência do juiz Sérgio Moro na chamada Operação Lava Jato*. Rio de Janeiro: mimeo, 2016.

estabelecer a competência do juiz pro futuro. Por outro lado, do ponto de vista do cidadão, há o direito de saber, no dia em que comete o delito, diante de qual órgão jurisdicional será chamado para ser julgado.[14]

Ainda segundo Badaró:

> *Outro aspecto importante da garantia do art. 5º, caput, inciso LIII, da Constituição, diz respeito a alteração dos critérios de competência por ato normativo dos tribunais. Ainda que se admita constitucionalmente tal veículo normativo, não se pode deixar de questionar a menor legitimidade da "escolha política" de um órgão interno do Poder Judiciário para editar um ato normativo que terá a mesma repercussão que uma lei em sentido estrito.*[15]

Nos casos que se originaram da "Operação Lava Jato", os diversos atos normativos (que se originam do próprio Poder Judiciário e, portanto, não são "leis em sentido estrito") que ampliaram a competência da 13ª Vara Federal de Curitiba produziram a violação da garantia constitucional do juiz natural. E, mais do que isso, permitem supor que se deu a escolha de um determinado juiz, com determinado perfil desejado pelo Tribunal Regional Federal da 4ª Região, para determinados casos.

Gustavo Badaró, ao estudar a forma como se chegou à atual "competência" (que aqui se afirma contrariar a normatividade constitucional) da 13ª Vara Federal de Curitiba esclarece que a então 2ª Vara Federal, por meio de mera resolução (Res. 20, de 26 de maio de 2003, expedida pelo Tribunal Regional Federal da 4ª Região), tornou-se um juízo especializado para julgar os crimes contra o Sistema Financeiro Nacional e os crimes de lavagem ou ocultação de bens, direitos e valores. Em 2006, através da res. 42, do mesmo TRF, a competência da vara foi ampliada para abarcar o julgamento de infrações penais praticadas por organizações criminosas. Desde então, seis outras resoluções alteraram a

---

[14] BADARÓ, Gustavo. *A Garantia do Juiz Natural, a 13ª Vara Federal de Curitiba e o Juiz Sérgio Moro.* São Paulo: mimeo, 2016.

[15] BADARÓ, Gustavo. *A Garantia do Juiz Natural, a 13ª Vara Federal de Curitiba e o Juiz Sérgio Moro.* São Paulo: mimeo, 2016.

JUIZ NATURAL À LUZ DO PROCESSO PENAL DO ESPETÁCULO:...

competência e até a denominação do órgão (passando a ser nomeada de 13ª Vara Federal de Curitiba) titularizado pelo juiz Sérgio Moro.

Note-se que desde a especialização da Vara Federal o juiz titular já era o hoje conhecido Sérgio Moro, ou seja, a cada ampliação de competência era direcionada à vara do juiz federal Sérgio Moro. É justamente essa escolha, em nada transparente, que faz com que a competência estabelecida por seguidas resoluções à atual 13ª Vara Federal de Curitiba revele-se em oposição ao princípio constitucional do juiz natural.

Como percebeu Gustavo Badaró,

> *desde a criação da primeira vara especializada em lavagem de dinheiro, atribuída a uma vara na qual já atuava o Juiz Federal Sérgio Moro, seguiram-se nada menos que 8 Resoluções sobre a competência de tal Vara Federal, que inclusive mudou de nome!*
>
> *De lá para cá, muitas vezes sem respeitar o critério temporal de atribuição de competência, o Juiz Federal Sérgio Moro passou a julgar os crimes contra o Sistema Financeiro Nacional e de lavagem ou ocultação de bens, direitos e valores; os crimes praticados por organizações criminosas; os crimes do tribunal do júri; os pedidos de cooperação jurídica passiva em matéria penal, tanto por meio de carta rogatória quanto por meio de cooperação direta com intervenção judicial, encaminhados à Justiça Federal da 4ª Região, no âmbito da Seção Judiciária do Paraná; e, por fim, a execução da pena dos condenados que estiverem em presídio de segurança máxima.*
>
> *Enfim, se Sérgio Moro não é o "juiz natural", não lhe cairia mal o título de "juiz sobrenatural".*[16]

c) A evidente suspeição que impede o juiz federal Sérgio Moro de julgar o ex-Presidente Luiz Inácio Lula da Silva.

As garantias que se extraem do princípio do juiz natural buscam assegurar tanto a independência judicial quanto a imparcialidade do julgamento, logo estabelecem imposições (o juiz natural *deve* julgar

---

[16] BADARÓ, Gustavo. *A Garantia do Juiz Natural, a 13ª Vara Federal de Curitiba e o Juiz Sérgio Moro.* São Paulo: mimeo, 2016.

determinada causa) e vedações (quem não é o juiz natural *não pode* julgar determinada causa). Por evidente, então, a normatividade que se extrai do princípio do juiz natural vincula todos os juízes, entendidos como pessoas físicas que exercem a função jurisdicional). Ao se afirmar que há um juiz natural, todos os demais juízes ficam proibidos de atuar em um determinado caso penal.

Assim, um juiz parcial, impedido ou suspeito nunca pode ser tido como o juiz natural de um caso penal. No âmbito da Lava Jato, é justamente a suspeição do juiz federal que dirige o processo que faz com que o fato de continuar à frente do julgamento do ex-Presidente Lula torne-se mais uma violação à garantia constitucional do juiz natural.

Ao permitir o vazamento ilícito de conversas interceptadas do ex-Presidente Lula, a partir da convicção de que o então investigado não merecia gozar de uma inviolabilidade assegurada pela Constituição, o juiz em atuação demonstrou não só um juízo de valor prévio desfavorável a um imputado, como também evidente comprometimento da imparcialidade exigida ao exercício legítimo da jurisdição. Impossível, pois, continuar a exercer a jurisdição em um processo no qual o ex-Presidente figure como réu.

V. CONCLUSÃO

No processo penal do espetáculo não há espaço para o princípio do juiz natural. Isso porque o respeito aos direitos e garantias fundamentais, inclusive às regras de competência que asseguram um julgamento imparcial, revelam-se obstáculos aos fins midiáticos e políticos típicos de uma era pós-democrática em que o processo penal tornou-se uma mercadoria para ser consumida por um público autoritário.

Informação bibliográfica deste texto, conforme a NBR 6023:2002 da Associação Brasileira de Normas Técnicas (ABNT):

CASARA, Rubens. "Juiz Natural à luz do processo penal do espetáculo: os casos 'Operação Lava Jato' e 'Mensalão'". *In*: ZANIN MARTINS, Cristiano; TEIXEIRA ZANIN MARTINS, Valeska; VALIM, Rafael (Coord.). *O Caso Lula*: a luta pela afirmação dos direitos fundamentais no Brasil. São Paulo: Editora Contracorrente, 2017, pp. 193-210. ISBN. 978-85-69220-19-0.

PRESUNÇÃO DE INOCÊNCIA E VERDADE JURÍDICA

MARIAH BROCHADO

INTRODUÇÃO

O texto visa a abordar o princípio da *presunção de inocência* em perspectiva técnico-jurídica e contrapor sua natureza a construções a-técnicas, visto que as noções de *inocência* e *culpa* evidentemente transcendem à categorização jurídica, mas não podem suplantar esta. Uma constatação nada banal nos inspira: a percepção de uma espécie de *culpabilização pré-jurídica* social e midiática que recai sobre certas figuras públicas, a qual vem ocupando o lugar do devido processo judicial em contraditório, sob os auspícios do próprio poder judiciário.

A exposição transita pela discussão penalista do tema, mas não se restringe a ela, eis que um princípio vetor de tal grandeza axiológica não se sujeita, por sua própria índole, a tecnicalidades e procedimentos não justificados pela racionalidade jurídica, demandando recursos compreensivos que estão além da dogmática. Se assim não o for, o processo judicial, ao invés de cumprir seu *telos* procedimental com vistas à realização da justiça, passa a ser mera ferramenta hermenêutica e decisional legitimadora de violências pré-institucionalizadas por vias não admitidas em arsenal *probatório* e não reconhecidas, de resto, pelo sistema jurídico e seus fundamentos axiológicos.

Resta, sim, uma ritualística rota, instrumentalizada na construção de constatações e ilações não críveis, e que recebem, pelas togas da justicialidade, o verniz que a elegância argumentativa do Direito possibilita, o que se revela, de fato, como inverdades cobertas pelo sagrado manto do judiciário, poder sacralizado por uma sociedade não afeita a práticas iconoclastas, adepta da subserviência aos titulares de cargos elitizados, pouco importando o *munus judicandi* que estes devem comportar e por ele se responsabilizar integralmente.

Ora, se o Direito, por suas instituições e mecanismos procedimentais, não garante a formação da verdade processual como condição para a desconstrução da *inocência presumida*, arrefece-se o rigor e a credibilidade jurídicos, banaliza-se a função social do Direito, corrompe-se o destino ético que a história do Direito impõe aos seus artífices e pensadores. E sobre aberrações casuísticas não podemos nos calar, sob pena de não se exercer, enquanto juristas e docentes, alguma honestidade intelectual, optando-se por se esconder atrás do apartidarismo político para justificar a covardia pessoal e a apatia intelectual em tempos difíceis de esfacelamento ético, tal como temos presenciado atônitos nestes últimos meses no Brasil, os quais serão registrados na História, ainda que numa data inesquecível: o emblemático já apelidado "17 de abril".

I. PRINCÍPIO DA PRESUNÇÃO DE INOCÊNCIA COMO *STATUS* DE INOCÊNCIA

O princípio e valor da *não culpabilidade*, ordinariamente nomeado princípio da *presunção de inocência*, é garantia constitucionalmente assentada nos estados democráticos de direito contemporâneos, e, entre nós, foi positivado no art. 5º, inciso LVII, da CR/88.

Em seu *Curso de Processo Penal*, um dos juristas mais talentosos de Minas e do Brasil, Eugênio Pacelli de Oliveira, inaugura as primeiras páginas do seu conhecido manual, comentando, com sua típica sagacidade, uma passagem do penalista italiano Manzini, quem, segundo ele

> ria-se daqueles que pregavam a presunção de *inocência*, apontando
> uma suposta inconsistência lógica no raciocínio, pois, dizia ele,

PRESUNÇÃO DE INOCÊNCIA E VERDADE JURÍDICA

como justificar a existência de uma ação penal contra quem seria presumivelmente inocente?

Evidentemente, a aludida dúvida somente pode ser explicada a partir de um pressuposto: o de que o só fato da existência de uma acusação implicava juízo de antecipação de culpa, *presunção de culpa*, portanto, já que ninguém acusa quem é inocente! Vindo de uma cultura de poder fascista e autoritário, como aquela do regime italiano da década de 30, do século passado, nada há de se estranhar. Mas a lamentar há muito. Sobretudo aqui, onde a *onda* policialesca do nosso CPP produziu uma geração de juristas e de aplicadores do Direito que, ainda hoje, mostram alguma dificuldade em se desvencilhar das antigas amarras.[1]

Com Aníbal Bruno aprendemos que "a culpabilidade é a reprovabilidade que pesa sobre o autor de um fato punível, praticado em condições de imputabilidade, dolosa ou culposamente, tendo ou podendo ter o agente a consciência de que viola um dever e em circunstâncias que não excluem a exigência de que se abstenha dessa violação".[2]

Voltando a Pacelli, o princípio da inocência é, a um só tempo, direito (material) e garantia (procedimental); as restrições a ele deverão se submeter, sempre, a um juízo de ponderação em cada caso concreto, pela simples razão de que, antes do trânsito em julgado, elas somente poderão ser justificadas por razões de natureza reconhecidamente *cautelares*.[3] O juízo de ponderação exige a necessária existência de uma *conduta* específica do acusado, capaz de colocar em risco a efetividade do processo, destruindo evidências ou exercendo, comprovadamente, pressões ou comportamentos capazes de comprometer a efetividade processual. Veja: não se trata *apenas* de perigo em abstrato contra a "efetividade do processo", mas de conduta evidentemente dissimulatória, concreta e efetivamente provada, voltada a destruir evidências ou

---

[1] *Curso de Processo Penal.* 5ª ed. Belo Horizonte: Del Rey, 2005, p. 6

[2] *Direito penal*: parte geral. Forense: Rio de Janeiro, 1984, p. 31.

[3] *Processo e Hermenêutica na tutela penal dos direitos fundamentais.* Belo Horizonte: Del Rey, 2004, p. 174.

dificultar a apuração de fatos. Exemplo emblemático desta condição foi a decisão do Ministro Toffoli, a qual anulou a prisão provisória de Paulo Bernardo, determinada em primeira instância porque o dinheiro que a denúncia havia adjetivado como "fruto de crimes de corrupção" ainda *não tinha sido localizado*; portanto, seria preciso prender o acusado para *evitar que esse dinheiro (ainda não localizado) desaparecesse*. Veja quão teratológica é uma tal medida: pela ausência de certeza da autoridade responde o investigado. A quebra do estado de inocência se justifica pela impotência da autoridade em provar minimamente a culpa![4]

A certeza judicial, nestes termos, é condição para a restrição de direitos, pois que esta deve ser fundamentada no bojo do processo. Se houver dúvida, deve-se primar pelo direito à situação de inocente, razão pela qual não se trata de um *in dubio pro reo*, e sim de possível flexibilização no exercício do direito à condição de inocente se, e somente se, houver *certeza judicial*.[5]

Por outro lado, se a pena privativa de liberdade só pode ser *imposta ao condenado*, a ponderação entre a inocência e a efetividade da jurisdição penal é a única forma de justificar a prisão acautelatória. Trata-se de atividade hermenêutica que coordena, ponderando, as normas do inciso LVII (inocência) e do inciso LXI (prisão do inocente por ordem judicial escrita e *fundamentada*), ambas do Art. 5º, CR/88.[6] Assim, "Se a prisão é do *inocente*, essa, a inocência, não pode ser afastada senão para o fim de proteção de princípios igualmente constitucionais: a efetividade do processo e da jurisdição penal".[7]

Bilidade é sufixo que nos traz a noção de virtualidade, ou algo que pode ou não ocorrer, sendo mera possibilidade. Pela análise do conceito

---

[4] A decisão está disponível em: http://www.stf.jus.br/arquivo/cms/noticiaNoticiaStf/anexo/Rcl24506.pdf. Acesso em 02.10.2016.

[5] OLIVEIRA, Eugênio Pacelli. *Processo e Hermenêutica na tutela penal dos direitos fundamentais*. Belo Horizonte: Del Rey, 2004, p. 175.

[6] OLIVEIRA, Eugênio Pacelli. *Processo e Hermenêutica na tutela penal dos direitos fundamentais*. Belo Horizonte: Del Rey, 2004, p. 176.

[7] OLIVEIRA, Eugênio Pacelli. *Processo e Hermenêutica na tutela penal dos direitos fundamentais*. Belo Horizonte: Del Rey, 2004, p. 177.

PRESUNÇÃO DE INOCÊNCIA E VERDADE JURÍDICA

tradicional de culpabilidade, percebe-se que a conformação da culpa real pressupõe confirmação fática da conduta contrária à norma, para daí discutir-se a imputabilidade, as formas de culpabilidade – como dolo e culpa em sentido estrito, e a inexigibilidade de conduta diversa. Não à toa o Direito Penal lança o referido sufixo em quantidade: é possível, mas a *efetividade da culpa* só se constata em (devido) processo judicial.

Na perspectiva de uma Ética discursiva, o *procedimento* é o único meio capaz de legitimar o consenso democraticamente estabelecido, e esta premissa é uma das mais caras ao Direito contemporâneo. Dialogando com Karl-Otto Apel, Moreira conclui:

> o princípio do discurso possui conteúdo moral decorrente da exigência de reconhecimento da igualdade de direitos e da co-responsabilidade de todos os participantes do discurso ideal quanto aos desígnios e à resolução dos problemas dele decorrentes. Para ser válida, a formação consensual de uma normatividade emanada do discurso necessita ser gerada sem coação. Assim, há uma exigência de não coação para a formação da vontade emanada da satisfação de um conteúdo específico de respeito à igualdade entre participantes.[8]

Admitimos, então, enquanto juristas, que a legitimação das conclusões sobre *o que* deve ser considerado verdade *jurídica* (ou não) se dá pela conformação desta pelas vias procedimentais instituídas juridicamente. Implica concluir que: (i) não é e não pode ser admitida qualquer verdade pré-constituída ou metaconstituída. *O que não está nos autos, não está no mundo*; (ii) dada a importância desta concepção de *verdade* para o Direito, o juiz não pode se abster de *co-significá-la*, juntamente com os envolvidos interessados na construção da mesma; (iii) os envolvidos têm o direito à verdade formada em co-significação, estando vedada também a determinação unilateral da veracidade fática a ser juridicamente considerada.

---

[8] MOREIRA, Luiz (Coord.). *Com Habermas, contra Habermas*: direito, discurso e democracia. São Paulo: Landy, 2004, p. 198.

Disso decorre que a condição de inocente, de não culpável, é um *status* intocável do sujeito que titulariza esta condição. Mais: não se restringe à circunstância de categorizar a *situação subjetiva* de alguém como de *presumidamente inocente*. Tal seria superestimar a mera *potencialidade* do processo judicial, vez que o sistema jurídico não autoriza inferir-se que a *simples instauração do procedimento* é um voto de desconfiança àquele *status* indiscutível de inocência, de não culpa. Não se trata de mera *presunção processual*, mas de *reconhecimento* de um direito *material*.

Presunções são artifícios pragmáticos da ordem jurídica, as quais podem ser absolutas ou relativas. E o direito constitucional à inocência não é presunção a ser relativizada. Sem a co-significação processual-penal da verdade que culpabiliza, a única verdade que o Direito assume *a priori* é a de que todos são inocentes, até que se ressignifique o contrário dessa assunção de verdade constitucionalmente formada. Assim, uma tal presunção seria *absoluta* e não relativa. Não se presume a vida ou a liberdade; e o mesmo se diga do *estado de inocência*. Tanto que as custódias impostas em momento anterior à verdade jurídico-processual formada definitivamente só se justificam para garantir *cumpribilidade* do próprio Direito, para garantir, inclusive, a fruição do estado de inocência pelo próprio titular do direito à condição de inocente. A *prisão preventiva* tem esta função somente; não se destina a punir.

A verdade (jurídica) processual é *condição* para a imposição de qualquer pena. E de tal modo, que o procedimento que busca a verdade, bem como as estruturas jurídicas essenciais a esta tarefa, passam a ser, na contemporaneidade, direitos-condição do exercício do direito à verdade *intraprocessual*. O denominado *Recht auf Organization und auf Verfahren* é condição para o exercício de outros direitos fundamentais. Nas palavras de Gilmar Mendes, estes

> dependem, na sua realização, tanto de providências estatais com vistas à criação e conformação de órgãos, setores, ou repartições (direito à organização), como de outras, normalmente de índole normativa, destinadas a ordenar a fruição de determinados direitos

PRESUNÇÃO DE INOCÊNCIA E VERDADE JURÍDICA

ou garantias, como é o caso das garantias processuais-constitucionais (direito de acesso à justiça; direito de proteção judiciária; direito de defesa).[9]

No plano da *elaboração* legislativa, a não culpa é o *status* jurídico titularizado por todos, garantido constitucionalmente. Esta condição pode ser desconstruída no plano da *aplicação* judicial, desde que constatada *intraprocessualmente* a *reprovabilidade* de determinada conduta específica e determinada (*culpabilidade pelo fato,* já que entre nós não vingaram as teorias da culpabilidade *pela conduta* ou *pelo caráter*). A verdade sobre a conduta reprovável sempre será uma noção formada em graus. Com Zaffaroni:

> A censura de culpabilidade se fundamenta, pois, porque era ao autor exigível uma das circunstancias e, portanto, é um conceito graduável: ainda quando se possa juridicamente exigir de um sujeito outra conduta, sempre se lhe poderá exigir mais ou menos, segundo as circunstâncias do caso. Isto nos dará sempre um grau distinto de reprovabilidade e, portando, de culpabilidade.[10]

A condição para a imposição da sanção penal (*punibilidade*), bem como a sua *medida*, será a culpabilidade em maior ou menor grau de reprovabilidade da conduta não admitida. Em alemão, "culpabilidade" é *Schuld*, palavra que tem dois sentidos: *culpabilidade* e *dívida*. De alguma maneira a pena retributiva imita a ideia de "pagamento" ("pagar as culpas", "pagar as dívidas")".[11] Nesse ponto passamos a discutir o *status* de inocência presumida a partir de um horizonte diferenciado, o qual tem

---

[9] "A doutrina constitucional e o controle de constitucionalidade como garantia da cidadania – necessidade de desenvolvimento de novas técnicas de decisão: possibilidade da declaração de inconstitucionalidade sem a pronúncia de nulidade no direito brasileiro". *Revista da Procuradoria da República,* n.2, pp. 61-85, jan./mar. 1993, p. 68.

[10] ZAFFARONI, Eugênio Raul. *Manual de Direito Penal Brasileiro.* 4ª ed. São Paulo: Editora Revista dos Tribunais, 2002, p. 115.

[11] ZAFFARONI, Eugênio Raul. *Manual de Direito Penal Brasileiro.* 4ª ed. São Paulo: Editora Revista dos Tribunais, 2002, p. 115.

MARIAH BROCHADO

rondado a realidade brasileira: o da *pré-constituição midiático-social das noções de culpa conduzidas sob o crivo da justicialidade.*

II. CULPABILIDADE FORJADA POR INVERDADES JURÍDICAS

Introduzimos este tópico com uma pergunta surrada nas discussões jurídicas hoje: a disponibilização de gravações telefônicas aos *mass media*, prática que vem sendo admitida e aplaudida por muitos, é um atentado contra os postulados epistemológicos e axiológicos que exigem a *formação da verdade* em processo judicial para a *desconstituição do estado de inocência?*

Parece que esta prática é duplamente inaceitável sob o ponto de vista jurídico. É inaceitável porque aliena o Direito (e o poder judiciário) do seu sentido e finalidade: se a culpabilização e consequente penalização do inocente é transferida à sociedade por meio de incessante co-significação da mídia, então, institucionalmente, não há que se falar em tarefa exclusiva, legítima e processualizada da formação da verdade jurídica pelo poder judiciário.[12]

---

[12] Imperiosa a crítica às razões trazidas no julgado do TRF4, o qual arquivou a representação proposta contra o Juiz Sérgio Fernando Moro pela divulgação das gravações de diálogos entre o ex-Presidente Luiz Inácio Lula da Silva e a então Presidenta Dilma Rousseff. A passagem seguinte merece destaque pela simples declaração do Relator de que seria possível, sim, instaurar-se procedimento de exceção (inclusive *contra legem*), desde que em prol do *"interesse geral na administração da justiça"*. Ora, jamais a Constituição excepcionou as garantias nela previstas em nome de *interesse na administração da justiça*, particularmente no caso de garantias diante do gravoso processo-crime. É evidente que em nome de um *interesse da justiça* qualquer garantia poderia ser afastada, e, evidentemente, estar-se-ia neste caso elevando o *interesse geral na administração da justiça* a um patamar de sobreposição a quaisquer outros direitos (fundamentais). Mais *non sense* ainda é a criação, aqui, de uma categoria hermenêutica inexistente em qualquer sistema jurídico ocidental contemporâneo: o julgamento em virtude de sugestões de *alteração legislativa*. Esta seria, segundo o que lemos no voto, razão bastante e suficiente para se instaurarem medidas de exceção, vale dizer, discussões *de lege ferenda* implicam em afastamento de garantias fundamentais. Somos forçados a concluir, com o relator, que alterações no sistema jurídico vigente de *per se* indicam culpabilização pré-judicial de legisladores!

PRESUNÇÃO DE INOCÊNCIA E VERDADE JURÍDICA

A contradição não é apenas de cunho epistemológico, mas também axiológico, e isto também ocorre em dois sentidos: (i) esse tipo de prática nega ao Direito o seu status de ordem eticamente sustentável, comprometido com a legitimidade processual de suas decisões,

---

Vejamos a passagem, com destaques:

> Ora, é sabido que os processos e investigações criminais decorrentes da chamada 'Operação Lava-Jato', sob a direção do magistrado representado, constituem caso inédito (único, excepcional) no direito brasileiro. Em tais condições, neles *haverá situações inéditas, que escaparão ao regramento genérico*, destinado aos casos comuns. Assim, tendo o levantamento do sigilo das comunicações telefônicas de investigados na referida operação servido para preservá-la das sucessivas e notórias tentativas de obstrução, por parte daqueles, garantindo-se assim a futura aplicação da lei penal, é correto entender que *o sigilo das comunicações telefônicas (Constituição, art. 5º, XII) pode, em casos excepcionais, ser suplantado pelo interesse geral na administração da justiça* e na aplicação da lei penal. A ameaça permanente à continuidade das investigações da Operação Lava-Jato, inclusive mediante *sugestões de alterações na legislação*, constitui, sem dúvida, uma situação inédita, a merecer um tratamento excepcional. (P.A. CORTE ESPECIAL N. 0003021-32.2016.4.04.8000/RS). (In: http://s.conjur. com.br/dl/lava-jato-nao-seguir-regras-casos.pdf).

Por outro lado, não podemos deixar de aplaudir a brilhante fundamentação do voto vencido neste processo, da lavra do Desembargador Federal Rogério Favreto, e que mereceria, pelo vigor intelectual argumentativo e pelo lastreamento teórico e dogmático de envergadura, ser aqui transcrito *in totum*. Trazemos exemplar passagem:

> Vale dizer que o Poder Judiciário deve deferência aos dispositivos legais e constitucionais, sobretudo naquilo em que consagram direitos e garantias fundamentais. Sua não observância em domínio tão delicado como o Direito Penal, evocando a teoria do estado de exceção, pode ser temerária se feita por magistrado sem os mesmos compromissos democráticos do eminente Relator e dos demais membros desta Corte.

E segue mencionando fatores hermenêuticos absolutamente externos à formulação do juízo imparcial, indeclinável a qualquer atuação judicial:

> Um segundo fator externo ao processo e estranho ao procedimento hermenêutico que pode ter motivado a decisão tem índole política. Mesmo sem juízo definitivo, posto que se está diante de elementos iniciais para abertura de procedimento disciplinar, entendo que seria precipitado descartar de plano a possibilidade de que o magistrado tenha agido instigado pelo contexto sócio-político da época em que proferida a decisão de levantamento do sigilo de conversas telefônicas interceptadas. São conhecidas as participações do magistrado em eventos públicos liderados pelo Sr. João Dória Junior, atual candidato à Prefeitura de São Paulo pelo PSDB e opositor notável ao governo da ex-Presidenta Dilma Rousseff. Vale rememorar, ainda, que a decisão foi prolatada no dia 16 de março, três dias após grandes mobilizações populares e no mesmo dia em que o ex-Presidente Luiz Inácio Lula da Silva foi nomeado para o cargo de Ministro da Casa Civil.

219

transferindo à moral social o julgamento de pessoas consideradas juridicamente inocentes; (ii) em sentido complementar, rompe-se com a ordem jurídica ao negar reconhecimento ao direito à inocência e ao direito à verdade processual, direitos fundamentais garantidos pelo *Recht auf Organization und auf Verfahren*, tal como exposto. A verdade judicial deve (e só pode) ser estritamente uma verdade processual; e a certeza sobre ela será sempre uma certeza *estritamente jurídica*. Ainda com Eugênio Pacelli:

> toda verdade judicial é sempre uma verdade *processual*. E não somente pelo fato de ser produzida no curso do processo, mas, sobretudo, por tratar-se de uma certeza de natureza exclusivamente *jurídica*.
>
> De fato, embora se utilizando de critérios diferentes para a comprovação dos fatos alegados em Juízo, a verdade (que interessa a qualquer processo, seja cível, seja penal) revelada na via judicial será sempre uma verdade reconstruída, dependente do maior ou menor grau de contribuição das partes, e por vezes do juiz, quanto à determinação de sua certeza.[13]

Se se olvida o caráter jurídico das certezas processuais, rompe-se com a própria natureza e força institucional do Direito, amesquinha-se a tarefa do poder judiciário, restringindo-a a uma espécie de missão social (e moralista) consistente em expor fatos *pré-processualizados* sem a necessária co-significação *intra* processo, lançando ao julgamento social fatos que deveriam ser julgados *intraprocessualmente*.

Se retrocedermos três séculos na história da filosofia, encontraremos Emmanuel Kant argumentando sem mesuras procedimentais, nomeando os indivíduos de *súditos*, mas defendendo com maestria *a impossibilidade (ética) de transferir-se o ato decisional do juiz ao povo*:

> Porque el fallo judicial (la sentencia) es un acto particular de la justicia pública (*iustitiae distributivae*), referido al súdito y realizado por un administrador del Estado (un juez o un tribunal), es

---

[13] *Curso de Processo Penal*. 5ª ed. Belo Horizonte: Del Rey, 2005, p. 281.

PRESUNÇÃO DE INOCÊNCIA E VERDADE JURÍDICA

decir, por uno que pertenece al pueblo y, por lo tanto, no está investido del poder de atribuirle (concederle) lo suyo (...). El pueblo no lo haría ni se pronunciaría sobre si sus conciudadanos son *culpables o inocentes*: para indagar este hecho el tribunal tiene que aplicar, pues, la ley en este pleito y el poder judicial ha de conceder a cada uno lo suyo por medio del poder ejecutivo.[14]

Estamos séculos desatualizados em nossas convicções sobre ética e direito. Kant chega a ser vanguardista diante do *moralismo* hoje festejado na forma de julgamentos sociais surdos à defesa dos envolvidos, alheio ao debate em contraditório.

Importa-nos uma segunda questão: inocência e culpa não constatadas *intraprocessualmente* são *não verdades* processuais, mentiras, portanto?

Sobre o tema mentira, também nos socorreremos em Kant. Na *Metafísica dos costumes*, a mentira ocupa o lugar *de o mais grave atentado contra o dever moral*:

> La mayor violación del deber del hombre para consigo mismo, considerado unicamente como ser moral (la humanidad em su persona), es lo contrario de la veracidad: la *mentira* (*aliud lingua promptum, aliud perctore inclusum genere*) (...). Porque la deshonra que le acompaña (ser objeto de desprecio moral) acompaña también al mentiroso como su sombra (...). La mentira (en el sentido ético de la palabra), como falseade deliberada, no precisa *perjudicar* a otros para que se le considere reprobable; porque e ese caso la mentira seria violación de los derechos de otros. Su causa puede ser la legerezza o la bondade, incluso puede perseguirse con ella un fin realmente bueno, pero el modo de perseguirlo es, por la mera forma, un delito del hombre contra su propia persona y una bajesa que tiene que harcele despreciable a sus propios ojos (...). La Biblia no consigne el *fratricidio* (de Caín) como el primer delito por el que entro el mal em el mundo, sino la primera *mentira*

---

[14] *La metafísica de las costumbres*. Tradução de Adela Cortina Orts y Jésus Conill Sancho. 2ª ed. Madrid: Tecnos, 1994, p. 318.

(porque contra aquél se rebela la naturaleza humana) y que designe como creador de todo lo malo desde el comienzo al mentiroso.[15]

O rigor kantiano adjetiva o *ato de mentir* como em si mesmo desprezível, sendo o mal maior praticado pelo homem, atentando contra a sua própria natureza, pois a razão nos impele à verdade como um dever moral elementar, independente do mal que a mentira possa vir a causar a alguém. Se tal acontece, além de abominável moralmente, a mentira é também um atentado contra *direitos*.

Neste século temos um excelente interlocutor sobre o tema da mentira na Filosofia: Jacques Derrida, que, ao contrário de Kant, entende que a mentira sempre se dirige a outrem, numa circunstância em que i) o outro crê esteja o mentiroso dizendo a verdade; ii) esteja o mentiroso desejando enganar seu interlocutor justamente no que este crê ser verdade. "A condição retórica do mentiroso é a exaltação da verdade", conclui com precisão.

> A mentira não é um fato ou um estado, é um ato intencional, um mentir – não existe a mentira, há este dizer ou este querer-dizer que se chama mentir" (...) trata-se de atos intencionais destinados a outrem, a fim de enganar, de levar a crer "naquilo que é dito, numa situação em que o mentiroso, seja por compromisso explícito, por juramento ou promessa implícita, deu a entender que diz toda a verdade e somente a verdade.[16]

E dialogando com Hannah Arendt, Derrida aponta a grande falácia do *mentiroso* que ostenta o título de *detentor do poder:* ele mente se fingindo de detentor de verdades incontestes, apresentadas no indiscutível exercício legítimo do seu poder. A condição do mentiroso é a de desempenhar o papel de que está dizendo a verdade. Assim, quanto mais o detentor de poder mente, mais ele torna palavra de ordem da sua

---

[15] *La metafísica de las costumbres*. Tradução de Adela Cortina Orts y Jésus Conill Sancho. 2ª ed. Madrid: Tecnos, 1994, pp. 290-293.

[16] "História da mentira: prolegômenos". *Estudos Avançados*, São Paulo, Vol. 10, n. 27, pp. 7-39, ago 1996, p. 9.

PRESUNÇÃO DE INOCÊNCIA E VERDADE JURÍDICA

retórica "o amor e o apego à verdade".[17] Pior: por recusar o *segredo* no plano das *coisas públicas*, o detentor do poder impõe o totalitarismo da verdade fenomênica, objetivamente postulada, disfarçando seu autoritarismo na magnânima fórmula democrática da *transparência compartilhada* em verdades absolutizadas. Recusando qualquer *direito ao segredo*, o detentor do poder intima a todos, primeiro de tudo e em tudo, que se comportem como cidadãos responsáveis perante a lei da *polis*.[18]

Esse tipo de atitude marca a forma mais perigosa de autoritarismo, pois o detentor do poder aparenta ausência de interesses pessoais em alguma causa; ele encarna e representa ideais supostamente de toda a comunidade sobre a qual exerce seu poder. A *revelação da verdade* a qualquer custo é um dado marcante das práticas autoritárias do nosso tempo, impondo à sociedade civil e ao Estado revelar verdades que sequer podem ser atestadas, ou ainda: sequer existentes enquanto fatos sobre os quais paira alguma certeza consensuada e legitimada em procedimento dialógico. Veja que a característica desse tipo de autoritarismo é o desapego ao capricho ou à vontade de poder.

Sob a falsa missão pública encarnada em sua autoridade legítima, o detentor do poder é movido por alguma aspiração elevada, a qual é compartilhada entre todos, estando além de interesses pessoais desta figura autoritária. Não nos esqueçamos a observação de Derrida: a exaltação da verdade é a condição retórica do mentiroso.

> En un Estado totalitário moderno, el déspota trata de relacionar su poder con alguna aspiración o ideal más elevado, al que afirma servir. Puede ser totalmente sincero en su creencia de que el ejercicio de su poder ilimitado está desprovisto de todo elemento personal y de que busca sólo un objetivo impersonal (...). Un gobiernante autocrático como Hitler se considera a sí mismo como mero ejecutor de la voluntad colectiva del pueblo alemán.[19]

---

[17] DERRIDA, Jacques. "História da mentira: prolegômenos". *Estudos Avançados*, São Paulo, Vol. 10, n. 27, pp. 7-39, ago 1996, p. 30.

[18] DERRIDA, Jacques. "História da mentira: prolegômenos". *Estudos Avançados*, São Paulo, Vol. 10, n. 27, pp. 7-39, ago 1996, p. 31.

[19] BODENHEIMER, Edgar. *Teoria del derecho*. México: Fondo de Cultura Economica, 1994, p. 22.

Dupla missão assume a autoridade totalitária quando, além de ser o bastião da verdade pública (por representar a vontade de todos), proclama a moralização das falhas dos indivíduos sob suspeita em nome do bem estar social, dispondo para tanto, enquanto autoridade, de amplo e irrestrito acesso à intimidade dos mesmos.

III. MENTIRAS PRÉ-JURÍDICAS E A CORRUPÇÃO DO ESTADO DE INOCÊNCIA

A ditadura da verdade não *processualizada juridicamente* é o totalitarismo preferencial da sociedade brasileira atual, a qual exige imediata punição às supostas *mentiras* (fraudes) de representantes populares, que causariam grande dano ao erário, perpetuando a corrupção. Pouco importa a *real corrupção*: a de valores éticos assentados juridicamente. Num afã moralista e punitivo canhestro, menosprezam-se valores superiores: as garantias individuais constitucionalmente assentadas. A ditadura da verdade imediata é sustentada, exaltada e induzida artificialmente pela autoridade mais totalitária do nosso tempo: *o poder midiático*, condição propiciada pelos amplos recursos tecnológicos, os quais são manejados para estabelecer verdades efêmeras que se prestam a criar clamor e desordem social, sendo rapidamente esquecidas, tão logo cumpram seu fim: a do entretenimento ideologicamente conduzido para todas as formas de manipulação.

Não olvidemos as palavras de Derrida, e compreendamos Bodenheimer nesse contexto: o mentiroso necessita da retórica da defesa da verdade acima de tudo; o déspota mais perigoso é o que finge abdicar do desejo pessoal de poder, fingindo somente realizar um ideal que a todos aproveita, tal como um Hitler conduzia o ideal do povo alemão.

Voltando nossas reflexões para a *Escola de Frankfurt*, lembremos de Theodor Adorno, filósofo de fôlego e lastro, frisando a situação *formal* ideologizante ínsita aos meios de comunicação, pela sua própria existência, enquanto compreendida como única forma de acesso a verdades:

> desenvolve-se uma espécie de vício televisivo em que por fim a televisão, como também outros veículos de comunicação de massa, converte-se pela sua *simples existência* no único conteúdo

PRESUNÇÃO DE INOCÊNCIA E VERDADE JURÍDICA

da consciência, desviando as pessoas por meio da fartura de sua oferta daquilo que deveria se constituir propriamente como seu objeto e sua prioridade.[20] (Grifo nosso).

A trajetória da *Escola de Frankfurt* na Alemanha é marcada pelo comprometimento da Filosofia com a *desconstrução de ideologias* que mascaram a realidade. O que marca o aparato ideológico é a falsa impressão de compartilhamento de verdades acessíveis a todos, quando estas são construídas cirurgicamente em bastidores do poder e, obviamente, nos bastidores do *poder midiático*. Adorno, um dos maiores expoentes dessa escola, declara suspeitar muito fortemente de que o uso em grande escala da televisão presta-se a contribuir na divulgação de ideologias, o que conduz a consciência dos expectadores de maneira equivocada, buscando impor às pessoas certos valores como se fossem dogmaticamente positivos.[21]

E sua crítica vai além: para ele, a televisão é uma espécie de *pseudorealismo*, talhada para ser perfeita até nos pequenos detalhes, o que não condiz com a vida real. E o drama maior é que o próprio público reclamaria de um *produto* que não fosse *perfeito*, haja vista ser produzido por um *instrumento técnico*.[22]

> Provavelmente por isto no veículo televisivo a possibilidade de despertar a consciência da realidade vincula-se em grande parte à desistência em reproduzir mais uma vez a realidade superficial cotidiana visível em que vivemos. O embuste (...) consiste precisamente em que a harmonização da vida e deformação da vida são imperceptíveis às pessoas, porque acontecem nos bastidores. Uso o termo "bastidores" num sentido amplo. Eles são tão perfeitos, tão realistas, que o contrabando ideológico se realiza sem

---

[20] ADORNO, Theodor. *Educação e emancipação*. Tradução de Wolfgang Leo Maar. São Paulo: Paz e Terra, 1995, p. 80.

[21] ADORNO, Theodor. *Educação e emancipação*. Tradução de Wolfgang Leo Maar. São Paulo: Paz e Terra, 1995, pp. 77-80.

[22] ADORNO, Theodor. *Educação e emancipação*. Tradução de Wolfgang Leo Maar. São Paulo: Paz e Terra, 1995, p. 85.

ser percebido, de modo que as pessoas absorvem a harmonização oferecida sem ao menos se dar conta do que lhes acontece. Talvez ate mesmo acreditem estar se comportando de um modo realista.[23]

Por fim, o filósofo aponta o que considera ser um perigo específico, relativo ao conteúdo do que se transmite na televisão e não à sua condição de *veículo técnico* de comunicação de massa. Trata-se do falseamento no trato das situações, discutindo problemas de forma a aparentar atualidade e promovendo o confronto das pessoas com questões substantivas. Os problemas são distorcidos, permanecendo ocultos, já que se vende a ideia de haver soluções para todos eles. Aqui emerge

> o terrível mundo dos modelos ideais de uma "vida saudável", dando aos homens uma imagem falsa do que seja a vida de verdade, e que além disto dando a impressão de que as contradições presentes desde os primórdios de nossa sociedade poderiam ser superadas e solucionadas no plano das relações inter-humanas, na medida em que tudo dependeria das pessoas.[24]

O grande problema que aflige o ideário de busca pela verdade processual hoje no Brasil, como a única forma delimitadora do conceito de culpado (e que pode macular o *estado de inocência* reconhecido constitucionalmente), é que o indivíduo é culpabilizado imediatamente, pouco importando a necessária conformação do que venha a ser *verdade sobre inocência e culpa*, a qual deveria ser constituída perante um juízo realmente imparcial, segundo regras rígidas de ampla defesa e contraditório.

Ao contrário, o *estado de inocência* é desconstruído por uma explosão de verdades pré-constituídas midiática e socialmente, fato que não encontra barreiras em setores do poder judiciário, única instância capaz

---

[23] ADORNO, Theodor. *Educação e emancipação*. Tradução de Wolfgang Leo Maar. São Paulo: Paz e Terra, 1995, p. 86.

[24] ADORNO, Theodor. *Educação e emancipação*. Tradução de Wolfgang Leo Maar. São Paulo: Paz e Terra, 1995, p. 84.

PRESUNÇÃO DE INOCÊNCIA E VERDADE JURÍDICA

legitimamente de controlar atuações midiáticas violentas. Pelo contrário, alguns juízes até alimentam o sensacionalismo, sem admitir – como o fazem os mais sagazes autoritários – que atuam por *convicções políticas pessoais e desejo de enquadrar moralmente a própria política* segundo convicções e verdades pessoais, segundo seus próprios padrões morais.

Cabe aqui uma advertência trazida muito lucidamente pelo Desembargador Federal Rogério Favreto, em seu voto (vencido) de altíssimo quilate no P.A. CORTE ESPECIAL N. 0003021-32.2016.4.04.8000/RS (retro mencionado em pé de página), quando aconselha o dever de cautela redobrado à Magistratura em casos de grande apelo político e social:

> (...) o dever de cautela resta redobrado pelo destaque da Operação Lava Jato e pela repercussão que as mídias reproduzem na sociedade, mormente quando alguns magistrados e membros do Ministério Público se apresentam mais como *atores globais e midiáticos*, quando deveriam prezar pela *discrição e serenidade* em sua atuação. Exemplo mais recente de menosprezo aos preceitos basilares do processo penal foi a apresentação de denúncia contra o Ex-Presidente Luiz Inácio Lula da Silva por Procuradores da República, acompanhada de apresentação em Power Point *em rede nacional de TV e rádio.* (Grifo nosso)[25]

Presenciamos um fenômeno digno de nota: o juiz, no seio de um sistema *acusatório*, despe-se da sua função de julgador e torna-se um *inquisidor* social, ocupando um lugar contraditório juridicamente, pois que a investidura no cargo não legitima ações informais pré-processuais. Em vez de atuar segundo a liturgia processual, adianta-se em compartilhar com a sociedade suas impressões sobre obtenções parciais de verdades não constituídas em procedimento. Nem o sistema inquisitivo permitiria tamanha impropriedade. E esta artimanha é justificada com o singelo argumento falacioso de que se trata apenas de cumprir o *princípio da publicidade* que reveste todo e qualquer ato jurídico de natureza pública, não

---

[25] Disponível em http://s.conjur.com.br/dl/voto-rogerio-favreto.pdf. Acesso em 02.11.2016

se dando ao trabalho de distinguir *atos administrativos* corriqueiros, de atos de grave intervenção na esfera privada e íntima dos indivíduos com o objetivo de destituí-los do *estado de inocência* em provável processo crime. Aqui cabe mais uma advertência de Favreto:

> (...) não pode o Poder Judiciário assumir postura persecutória. O Poder Judiciário "não é sócio do Ministério Público e, muito menos, membro da Polícia Federal" (...). Não é sua atribuição, por exemplo, especialmente na fase investigatória, valorar a relevância social e penal de conversas telefônicas interceptadas e determinar o levantamento de seu sigilo.[26]

Esta forma distorcida de obtenção precipitada de verdades não jurídicas parece ser um ideal que contempla os valores de uma sociedade sedenta por justiça a qualquer custo, ideal impessoal assumido por juízes totalitários, e que vendem a imagem do líder abdicado de projetos e de desejos pessoais, como indicado por Bodenheimer.

Fingindo um tal desapego, estes agentes tentam convencer seus *novos súditos*, os jurisdicionados, de que estão acima e além de sua historicidade social, econômica, política. A falsa imagem de que juízes "não têm simpatias e oposições políticas", são dotados de sensatez incontesti, detêm conhecimento técnico-científico absolutamente capazes de neutralizar seus pendores pessoais, elevando-os a estaturas não condicionadas por sua historicidade, nada mais é que uma velha ideologia, a qual chega a gritar infantilmente contra as mais elementares base da Hermenêutica filosófica e sua crítica ferrenha à nossa incapacidade de se livrar das pré-compreensões formadas em nossa situação histórica. Gadamer lembra-nos de que aquele que se proclama livre de pré-conceitos é o que mais está condicionado por eles.

Em verdade, o pretexto *justo* para a prática da *mentira jurídica* é a realização de um bem maior, o qual oferta melhor satisfação à sociedade que o próprio procedimento *sub judice*. Se juridicamente alguém é

---

[26] Disponível em http://s.conjur.com.br/dl/voto-rogerio-favreto.pdf. Acesso em 02.11.2016

inocente, não importa. Se não há provas documentais mínimas a comprovar a materialidade do delito, ainda assim a justa causa está presente. O líder nesse sistema totalitário é um *justiceiro,* bastião do desejo coletivo de vingança, uma figura que paraleliza a justicialidade para além do *poder de justiça oficial,* como um juiz Nick Marshall do seriado americano da década de noventa *Justiça final,* o qual perseguia e punia nas madrugadas os indivíduos que não conseguia condenar na sua Corte de justiça.

CONCLUSÃO: AINDA ALGUMAS REFLEXÕES SOBRE INOCÊNCIA E VERDADE

Caminhando para as nossas conclusões, retomamos o duplo sentido da palavra *Schuld* em Alemão trazido supra, a qual denota culpabilidade e dívida, sendo a pena uma forma de *pagamento.* A culpabilização social equivale ao segundo sentido, o de dívida. Há um quê de penalização por uma dívida implícita, não admitida, que paira sobre a cabeça do *culpado socialmente.* Não importa *culpabilizá-lo juridicamente*; não há esse desejo e menos ainda respeito à condição de inocência reconhecida como direito do indivíduo. O que se pretende é rigorosamente *cobrar* uma *dívida*: a dívida social que determinados indivíduos carregam pelo simples fato de serem titulares de direitos a todos atribuídos, independente da sua condição social, econômica, política.

E novamente conclamamos a sutileza de Theodor Adorno, ao chamar a atenção para uma constatação curiosa: "um esquema sempre confirmado na historia das perseguições é o de que a violência contra os fracos se dirige principalmente contra os que são considerados *socialmente fracos* e ao mesmo tempo – seja isto verdade ou não – *felizes*".[27] Ora, no contexto destas reflexões sobre inocência, culpa, verdades e mentiras, esta observação não é trivial.

A perseguição escancarada a figuras políticas da esquerda brasileira neste momento, muito especialmente ao ex-Presidente da República Luiz Inácio Lula

---

[27] ADORNO, Theodor. *Educação e emancipação.* Tradução de Wolfgang Leo Maar. São Paulo: Paz e Terra, 1995, p. 122. (Grifo nosso).

da Silva, nos dá pistas de que as razões para a condenação social de indivíduos bem sucedidos ocorre, sim, porque não poderiam ter o direito de serem bens sucedidos, felizes, já que encarnam o papel do *socialmente fraco*. Arriscaríamos a afirmar que o ódio generalizado contra as bolsas família, escola, casa etc., as quais realizaram em certa medida algum sombreamento elementar do ideal de *welfare state* (que sequer ainda se instalou *efetivamente* no Brasil), deve-se em muito ao fato de elas terem sido determinadas pelos "pobres" no poder, os quais usurparam a condição de fortes num sistema em que por décadas funcionaram como fracos ferramentais. Ora, um torneiro mecânico traçar rumos de governabilidade de uma nação gigante e eclética como a nossa não caiu bem, e a elite pseudoesclarecida vem agora, pela voz da mídia, cobrar seu *status* superior intelecto-moralmente e sua hegemonia política por linhagem.

Não cairemos na tentação juvenil de invocar a bíblia surrada da esquerda, plena de lugares comuns e pelegagem, e nem de ressuscitar artificialmente o velho Marx. Pelo contrário, fazemos coro a Kant, que se fazia acompanhar em suas famosas caminhadas por seu *criado* Lampe. Há uma passagem interessantíssima em sua *Antropologia em sentido Pragmático* e que vem a calhar nesta conclusão: esta passagem se refere ao *apetite humano de vingança*. O *apetite de vingança* é por ele definido como uma paixão irresistível da natureza humana, que por mais vil que seja, está entrelaçada com o lícito *apetite de direito*, sendo uma manifestação análoga a este. É uma das paixões mais violentas e mais arraigadas do ser humano. E de tal modo, que quando parece extinto esse apetite de vingança, deixa para trás um ódio secreto, chamado *rancor*, como um fogo que arde debaixo de cinzas.[28]

A *culpa pré-jurídica* hoje direcionada pela mídia é visceralmente a *Shuld* como *dívida*. E esta vem sendo cobrada a preços variados, a depender do nível e requinte do *apetite de vingança* de cada um. O ódio secreto se recluiu por parcos 14 anos, e agora as cinzas se reacenderam

---

[28] KANT, Emmanuel. *Antropologia em sentido pragmático*. Tradução de Jospe Gaos. Madrid: Alianza Editorial, 1991, p. 210.

PRESUNÇÃO DE INOCÊNCIA E VERDADE JURÍDICA

no Brasil, pelas mãos de um *Judiciário* messiânico e celebrizado,[29] jamais imaginado em 1988, e que vem empunhando sua espada pela moralização contra a corrupção, em nome de uma população silenciada, representada imediatamente e sem procedimentos racionais por uma *mídia* venal, também inimaginável à sanha democrática que inspirou a tantos nos anos de animados debates que precederam 1988 e seu fruto mais caro a todos nós: a Constituição republicana. Estes "representantes" parceiros dos desejos e ideário sociais violam escancaradamente presunções, inocências, verdades, procedimentos, rigores probatórios, direitos fundamentais individuais.

E a tal ponto que testemunhamos hediondezes de uma mídia atuando conservadoramente contra a própria liberdade de opinião e de manifestação[30] a que tanto aclama. Vemos a patética atuação de figuras jornalísticas "sábias" de técnicas jurídicas e ritualísticas de Tribunais, falando com propriedade sobre categorias e valores jurídicos sem qualquer constrangimento pela ausência de formação em Direito ou experiência em rabulismos forenses, impondo "verdades" compartilhadas com a sociedade (lembremo-nos das advertências de Derrida...), validadas por justiceiros admiráveis, em acintosa contradição com suas próprias reivindicações de *liberdade de imprensa*. A estes dedicamos a memória inscrita na bandeira de Minas, memória esta que não há de nos faltar: *libertas quae sera tamen*.

REFERÊNCIAS BIBLIOGRÁFICAS

ADORNO, Theodor. *Educação e emancipação*. Tradução de Wolfgang Leo Maar. São Paulo: Paz e Terra, 1995.

BODENHEIMER, Edgar. *Teoria del derecho*. Mexico: Fondo de Cultura Economica, 1994.

---

[29] Vale assistir em https://www.youtube.com/watch?v=QVsDo3cfZbY.

[30] Em entrevista, Aldo Fornazieri é interrompido grosseiramente nos 38:22 minutos do programa *Globo News – Painel: Quais as possíveis consequências da denúncia contra Lula na Lava-Jato?*, e o argumento da entrevistadora é em defesa de um judiciário inquestionável em sua atuação, pouco importando a *expertise* e a liberdade de opinião do professor entrevistado (Disponível em: https://www.youtube.com/watch?v=Plwvzpt1F28).

MARIAH BROCHADO

BRUNO, Aníbal. *Direito penal*: parte geral. Forense: Rio de Janeiro, 1984.

DERRIDA, Jacques. "História da mentira: prolegômenos". *Estudos Avançados*, São Paulo, Vol. 10, n. 27, pp. 7-39, ago 1996.

KANT, Emmanuel. *Antropologia em sentido pragmático*. Tradução de Jospe Gaos. Madrid: Alianza Editorial, 1991.

KANT, Emmanuel. *La metafísica de las costumbres*. Tradução de Adela Cortina Orts y Jésus Conill Sancho. 2ª ed. Madrid: Tecnos, 1994.

KAUFMANN, Arthur. *Filosofia del diritto ed ermeneutica*. Milano: Giuffrè Editore, 2003.

MENDES, Gilmar Ferreira. "A doutrina constitucional e o controle de constitucionalidade como garantia da cidadania – necessidade de desenvolvimento de novas técnicas de decisão: possibilidade da declaração de inconstitucionalidade sem a pronúncia de nulidade no direito brasileiro". *Revista da Procuradoria da República*, n.2, pp.61-85, jan./mar. 1993.

MOREIRA, Luiz (Coord.). *Com Habermas, contra Habermas*: direito, discurso e democracia. São Paulo: Landy, 2004.

OLIVEIRA, Eugênio Pacelli. *Curso de Processo Penal*. 5ª ed. Belo Horizonte: Del Rey, 2005.

_____. *Processo e Hermenêutica na tutela penal dos direitos fundamentais*. Belo Horizonte: Del Rey, 2004.

GADAMER, Hans-Georg. "Emillio Betti e a herança idealista". *In*: *Cadernos de Filosofia Alemã*, São Paulo: Humanitas, Vol. 1, 1996.

ZAFFARONI, Eugênio Raul. *Manual de Direito Penal Brasileiro*. 4ª ed. São Paulo: Editora Revista dos Tribunais, 2002.

Informação bibliográfica deste texto, conforme a NBR 6023:2002 da Associação Brasileira de Normas Técnicas (ABNT):

BROCHADO, Mariah. "Presunção de Inocência e Verdade Jurídica". *In*: ZANIN MARTINS, Cristiano; TEIXEIRA ZANIN MARTINS, Valeska; VALIM, Rafael (Coord.). *O Caso Lula:* a luta pela afirmação dos direitos fundamentais no Brasil. São Paulo: Editora Contracorrente, 2017, pp. 211-232. ISBN. 978-85-69220-19-0.

A UTILIZAÇÃO DA OBSTRUÇÃO DA JUSTIÇA COMO MEIO DE ATAQUE ÀS GARANTIAS FUNDAMENTAIS

JUAREZ CIRINO DOS SANTOS

I. A ABORDAGEM JURÍDICA: PERSPECTIVA DOGMÁTICA

1. INTRODUÇÃO

A Lei n. 12.850/13, criada para definir o conceito de *organização criminosa*, dispor sobre investigação criminal, os meios de obtenção da prova e infrações penais correlatas, após criminalizar as ações de promover, constituir, financiar ou integrar *organização criminosa*, descreve a denominada *obstrução da justiça* (art. 2º, § 1º) deste modo:

> § 1º nas mesmas penas incorre quem *impede ou, de qualquer forma, embaraça a investigação de infração penal que envolva organização criminosa.*

Em princípio, é compreensível a preocupação do Legislador em instituir um tipo legal para proteger a *investigação de infração penal que envolva organização criminosa* – um conceito novo da legislação penal –, mas não parece compreensível a negligência na definição de *obstrução da justiça*, que apresenta sérios problemas de determinação conceitual.

2. ORIGENS HISTÓRICAS

O conceito de *obstrução da justiça* é originário do sistema penal norte-americano, no qual designa um conjunto de condutas que interferem no normal funcionamento da justiça criminal, como (a) constranger testemunhas, (b) estimular ou participar da destruição de provas, (c) intimidar ou retaliar quem participa de processos criminais, (d) interferir de modo inadequado nos trâmites de investigação ou de processo criminal e outras modalidades incriminadas.[1] Como se vê, a *obstrução da justiça* não é um tipo legal de crime, mas um conceito que designa um conjunto de crimes contra a administração da justiça americana – cujos correlatos, na legislação penal brasileira, aparecem no capítulo dos *crimes contra a administração da justiça*, que define crimes de denunciação caluniosa, de autoacusação falsa, de falso testemunho ou falsa perícia, de coação no curso do processo, de fraude processual, de favorecimento pessoal ou real, de sonegação de papel ou objeto de valor probatório e outras formas típicas menos conhecidas. Logo, a tradução descontextualizada do conceito para o sistema penal brasileiro produziu o efeito nefasto de permitir a imputação do gênero *obstrução da justiça* como se constituísse uma conduta típica específica. Assim, por exemplo, se imputamos a alguém um crime contra a administração da justiça, a pergunta imediata seria: qual crime (dentre os 22 tipos de crimes definidos) foi cometido? Igualmente, se imputamos a alguém o crime de *obstrução da justiça*, cabe a pergunta: qual crime de *obstrução da justiça* foi cometido?

3. O TIPO LEGAL

Essa é a gênese do conceito de *obstrução da justiça*, inadequado para designar o tipo legal em exame, cuja definição jurídica poderia ser, por

---

[1] ANDREUCCI, Ricardo A. "Obstrução da justiça não é crime". *In: Empório do Direito*, 09 jun. 2016. Disponível em http://emporiododireito.com.br/obstrução-da-justiça-não-é-crime/. Acesso em 01.10.2016.

A UTILIZAÇÃO DA OBSTRUÇÃO DA JUSTIÇA COMO MEIO DE ATAQUE...

exemplo, *obstrução da investigação de infração penal*, embora a mudança do *nomen juris* não corrija os defeitos estruturais do tipo legal.[2]

3.1 O tipo objetivo

3.1.1 A ação típica: *impedir* ou *embaraçar* investigação de infração penal

A ação incriminada aparece nos verbos alternativos de *impedir ou* de *embaraçar* a investigação de infração penal, sendo ambos verbos *transitivos diretos* (o primeiro, também *bitransitivo*, e o segundo, também *pronominal*), assim definidos:

a) a ação de *impedir* (segundo HOUAISS, significa dificultar a ação, tornar impraticável, estorvar; ou não consentir, proibir etc.) exige objeto direto – no caso, a *investigação de infração penal*, que indica o que é impedido;

b) a ação de *embaraçar* (conforme HOUAISS, significa criar ou sentir embaraço, complicar(-se), atrapalhar(-se); ou pôr embaraços, obstruir etc.) também exige objeto direto – no caso, a *investigação de infração penal*, que indica o que é embaraçado.

Entretanto, as ações incriminadas são definidas de forma defeituosa, porque ambos os verbos exigem um *predicativo* relativo ao objeto, que funcione como complemento *restritivo*, capaz de excluir ações de *impedir* ou de *embaraçar* admitidas como regulares, lícitas ou legais – por exemplo: *impedir, de modo irregular*, ou *injustamente*, ou *de forma ilícita* (a investigação de infração penal). Como se sabe, existem inúmeras formas regulares, legítimas ou legais de *impedir* a investigação de infração penal, por exemplo, o *habeas corpus* por falta de justa causa para o inquérito policial ou o processo penal, o mandado de segurança, na hipótese de responsabilidade penal de pessoa jurídica, a exceção de suspeição ou de

---

[2] Esse tipo penal foi imputado a Luiz Inácio Lula da Silva na Ação Penal n. 40755-27.2016.4.01.3400, em curso na 10ª Vara Federal Criminal da Subseção Judiciária de Brasília/DF.

235

incompetência do Juiz, entre outros, que não configuram o tipo de injusto; igualmente, deveria constar *embaraçar de modo irregular*, ou *de forma ilícita* etc. – aliás, neste caso, o complemento *de qualquer modo*, inserido no tipo legal, lesiona o princípio da legalidade porque inclui ou abrange todo e qualquer modo, legítimo ou não, de obstruir a *investigação de infração penal*.

Os significados semânticos das formas linguísticas dos tipos legais de crimes são essenciais para a segurança jurídica do cidadão, segundo a dimensão de *determinação* do *princípio da legalidade*,[3] para evitar abusos de poder ou situações de constrangimento desnecessárias, como mostra exemplo recente da Suprema Corte brasileira.[4]

3.1.2 O objeto da ação: investigação de infração penal

O objeto da ação (de *impedir* ou de *embaraçar*) é a *investigação de infração penal*, cujo significado pode ser definido com segurança. O conceito de *infração penal* é claro: abrange ilícitos penais e contravencionais (fatos definidos na lei penal e na lei de contravenções penais). Mas o conceito de *investigação* admite controvérsia: o problema consiste em saber se esse conceito (a) está restrito ao *inquérito policial* (e outras *investigações preliminares*), como parece ser a opinião dominante,[5] ou (b) abrange também o *processo penal*, como ação penal judicial.

---

[3] CIRINO DOS SANTOS, J. *Direito Penal: parte geral.* 6ª ed. Curitiba: ICPC Cursos e Edições, 2014, p. 20 ss.

[4] Em decisão proferida no dia 06 de setembro de 2016 – portanto, há poucas semanas –, nos autos de Reclamação n. 25.048, o Ministro Teori Zavascki negou pedido da Defesa de Lula de suspensão e remessa para o STF de três inquéritos de Curitiba, dizendo tratar-se de *"mais uma das tentativas da defesa de embaraçar as apurações"* da Operação Lava Jato. Essa decisão motivou uma nota da Defesa de Lula à imprensa, destacando o seguinte: *"É profundamente preocupante que o exercício do direito constitucional de defesa, com combatividade e determinação, possa ser encarado na mais alta Corte de Justiça do País como fator de entrave às investigações ou ao processo".*

[5] Assim, YAROCHEWSKY, Leonardo I. "Obstrução da Justiça". *Empório do Direito,* 09 jul. 2016. Disponível em http://emporiododireito.com.br/obstrucao-da-justica-2/. Acesso em 01.10.2016. Também, BITENCOURT, Cezar Roberto; BUSATO, Paulo César. *Comentários à lei de organização criminosa:* lei 12.850/2013. São Paulo: Saraiva,

A UTILIZAÇÃO DA OBSTRUÇÃO DA JUSTIÇA COMO MEIO DE ATAQUE...

Uma interpretação *literal* mostra os significados semânticos distintos de *investigação criminal* (relacionado à fase policial) e de *processo penal* (relacionado à fase judicial). Partindo dessa diferença semântica, a interpretação *sistemática*, cujo objetivo é *esclarecer o significado da norma isolada no contexto do sistema de normas*[6], esclarece a dúvida: o Legislador, ao introduzir a *interceptação de comunicações telefônicas* como meio de prova, autorizou a sua utilização em *investigação criminal* e em *instrução processual penal* (Lei n. 9.296/96, art. 1º) – portanto, no inquérito criminal e no processo penal. Logo, do ponto de vista sistemático, pode-se concluir que a ação de *impedir* ou de *embaraçar* a *investigação de infração penal* parece limitada ao *inquérito policial* (e outros *procedimentos preliminares*), com exclusão do processo penal judicial, porque o Legislador não estendeu a hipótese à *instrução processual*, como fez em relação à interceptação telefônica – ou seja, não é possível impedir ou embaraçar a *investigação de infração penal* no curso de processo judicial.

3.1.3 Delimitação do objeto: investigação de infração penal que envolva organização criminosa

Além disso, as ações de *impedir* ou de *embaraçar* não têm por objeto *qualquer* investigação de infração penal, mas apenas a investigação de infração penal que *envolva organização criminosa*, segundo o texto legal. Surge, portanto, o conceito de *organização criminosa*, definido no art. 1º, § 1º, nestes termos:

> *Considera-se organização criminosa a associação de 4 (quatro) ou mais pessoas estruturalmente ordenada e caracterizada pela divisão de tarefas, ainda que informalmente, com objetivo de obter, direta ou indiretamente, vantagem de qualquer natureza, mediante a prática de infrações penais cujas penas máximas sejam superiores a 4 (quatro) anos, ou que sejam de caráter transnacional.*

2014; CUNHA, Rogério Sanches; PINTO, Ronaldo Batista. *Crime organizado:* comentário à nova lei sobre crime organizado. Salvador: JusPodivm, 2013.

[6] CIRINO DOS SANTOS, J. *Direito Penal:* parte geral. 6ª ed. Curitiba: ICPC Cursos e Edições, 2014, p. 59.

O Legislador abandonou o conceito indeterminável de *crime organizado* – destruído por devastadoras críticas jurídicas e criminológicas –, substituído pelo conceito de *organização criminosa*, cuja definição se reduz à indicação de determinadas características internas, como (a) associação de 4 (quatro) ou mais pessoas, (b) estrutura interna ordenada e caracterizada pela divisão de tarefas, ainda que informal, (c) objetivo de obter vantagem de qualquer natureza, (d) mediante prática de infrações penais (i) com penas máximas superiores a 4 (quatro) anos, ou (ii) de caráter transnacional.

Contudo, o conceito de *organização criminosa* não resolve todos os problemas: subsiste o problema do verbo *envolver* (da locução *"... que envolva organização criminosa"*), cujo significado é múltiplo, sempre segundo HOUAISS: a) como transitivo direto, bitransitivo e pronominal: *cobrir(-se) com invólucro*; *embrulhar(-se)* e outras; b) como transitivo direto bitransitivo: *estar em volta de, cercar* e outras; c) como transitivo direto: *cercar o contorno, cingir, rodear* e outras; ou ainda: *conter em si, abranger* e outras; ou ainda: *ter como consequência ou resultado, implicar* e outras. Considerando que os elementos do tipo objetivo devem constituir objeto do dolo, essa multiplicidade semântica cria um problema insolúvel, em face do *princípio da legalidade*: como o sujeito deve representar a *relação*, de natureza objetiva, entre (a) *investigação de infração penal*, de um lado, e (b) *organização criminosa*, de outro lado? Aqui, temos uma incógnita: se a natureza da relação é indeterminável, então não pode ser objeto do dolo.

3.1.4 O resultado típico

Nos tipos de resultado, a atribuição do tipo objetivo pressupõe dois momentos: a *causação do resultado*, como relação de causalidade entre *ação* e *resultado*, segundo a teoria da *equivalência das condições*; e a *imputação do resultado*, como realização do risco criado pelo autor – tudo conforme a disciplina legal do art. 13, Código Penal.[7]

---

[7] CIRINO DOS SANTOS, J. *Direito Penal:* parte geral. 6ª ed. Curitiba: ICPC Cursos e Edições, 2014, p. 117 ss.

No âmbito da *causalidade*, a ação realizada pode (a) produzir o resultado material de *impedir* ou de *embaraçar* a investigação de infração penal, ou (b) permanecer na simples tentativa de produção do resultado, com início de execução da ação específica do tipo, mas exclusão do resultado por circunstâncias alheias à vontade do agente (art. 14, II, CP). É importante esclarecer que tanto a ação de *impedir* como a ação de *embaraçar* podem ser realizadas por meio de múltiplas condutas concretas: por meio de violência real, ameaça de violência, engano ou fraude; por autoria direta, mediata ou coletiva, ou por simples participação, desde que as ações realizadas sejam idôneas para produzir o resultado típico – ou seja, a ação precisa ter potencial para *impedir* ou *embaraçar* a investigação de infração penal relacionada a organizações criminosas. Portanto, não bastam simples conversas, telefonemas, pedidos, sugestões, críticas aos agentes do Estado, menos ainda discussões de estratégias, táticas ou argumentos do advogado com o cliente, ou atos efetivos de defesa, requerimentos policiais ou judiciais, arguições de incompetência ou de suspeição de magistrados, interposição de recursos e, de modo especial, estão excluídos os atos de *autodefesa* praticados por *investigados*, em face da proteção contra autoincriminação (princípio *nemo tenetur se ipsum accusare*).

Enfim, se existe relação de causalidade, o resultado pode ser imputado ao autor como *obra dele*; contudo, apesar da causalidade, a imputação do resultado pode ser excluída em situações nas quais a ação (a) não cria risco do resultado, ou (b) o risco criado não se realiza no resultado, pela superveniência de causa independente que exclui a imputação, porque substitui um risco por outro – subsistindo a imputação pelas ações anteriores (art. 13, § 1º, CP), sob a forma de tentativa.

3.2 O Tipo subjetivo: dolo

O tipo subjetivo é o *dolo*, como vontade consciente de *impedir* ou de *embaraçar* a investigação de infração penal *envolvendo* (?) organização criminosa, assim estruturado:

a) conhecimento *atual* das circunstâncias objetivas do tipo, consistente (i) nos elementos *presentes* no tipo legal, como a existência de *investigação de infração penal*, representada em sua relação objetiva com *organização criminosa*, e (ii) nos elementos *futuros* da relação de causalidade (entre ação e resultado) e do próprio resultado típico;

b) vontade de realizar o tipo objetivo do crime, nas dimensões (i) de vontade *incondicionada* de impedir ou de embaraçar e (ii) de vontade *capaz* de realizar as ações de impedir ou de embaraçar a investigação de infração penal *envolvendo* (?) organização criminosa.

Essa é a estrutura objetiva e subjetiva do tipo de injusto, segundo a lógica formal da teoria jurídica do crime, que trabalha com o método dedutivo do silogismo jurídico, fundado na premissa maior (lei penal), na premissa menor (fato) e na conclusão (decisão), que informa a dogmática penal. Não obstante, os graves problemas de subsunção do fato (*premissa menor*) na norma (*premissa maior*) demonstram a inconstitucionalidade do tipo legal da chamada *obstrução da justiça*, por lesão ao princípio da legalidade.

II. A ABORDAGEM CRÍTICA: PERSPECTIVA POLÍTICO-CRIMINAL

1. INTRODUÇÃO

A inserção metodológica da *questão criminal* na estrutura do modo de produção capitalista assume a noção de que Direito (e Estado) não podem ser explicados por si mesmos, mas pelas relações da vida material da sociedade civil.[8] É importante compreender a dialética entre (a) as *relações econômicas* de produção e circulação da riqueza material, (b) as *relações políticas* de poder entre proprietários do capital e portadores da força de trabalho consumida nos processos de produção e de circulação

---

[8] MARX, Karl. "Prefácio de 1859". *Zur Kritik der politischen Ökonomie*. Ver também CIRINO DOS SANTOS, Juarez. "Memorial criminológico – ou a necessidade de retomar Marx". *Justificando*, 07 jul. 2015. Disponível em http://justificando. com/?s=memorial+criminológico. Acesso em 01.10.2016.

A UTILIZAÇÃO DA OBSTRUÇÃO DA JUSTIÇA COMO MEIO DE ATAQUE...

da riqueza material e (c) as *formas jurídicas* de disciplina das relações de poder econômico (empresas, sociedade civil) e de poder político (Estado, sociedade política). Em síntese, compreender as relações econômicas de produção (processos de produção de classe) como relações políticas de poder (relações de dominação de classe) sob a forma legal do Direito (controle social de classe).[9]

O Direito trabalha com a *teoria do consenso*, incapaz de apreender a lógica material que vincula as relações econômicas da estrutura social às relações políticas de poder e às relações jurídicas de controle da formação social; ao contrário, a Criminologia trabalha com a *teoria do conflito*, que explica as contradições entre as classes sociais (a) na estrutura econômica de produção e circulação da riqueza, (b) na forma legal do Direito, que institui a desigualdade entre as classes sociais e (c) nos aparelhos políticos de poder do Estado, que garantem a desigualdade das relações econômicas estruturais e das formas jurídicas institucionais, através do poder coercitivo do sistema de justiça criminal, exercido pela Polícia, Justiça e Prisão.[10]

2. O NOVO ARSENAL BÉLICO DA JUSTIÇA CRIMINAL

No Brasil, a definição do chamado crime de *obstrução da justiça* aparece no arcabouço de um provimento legislativo de *guerra ao crime*, que introduz o modelo americano de *controle do crime* (*crime control model*) no sistema de justiça criminal brasileiro e, assim, transforma o processo penal em instrumento de *luta contra a criminalidade*, que sacrifica direitos e garantias políticas às exigências autoritárias de uma *justiça penal eficiente*, preocupada única e exclusivamente com o controle da criminalidade. A consequência dessa invasão bélica do sistema punitivo foi a relativização ou deslocamento do modelo do *devido processo legal* (*due legal process*), introduzido na Constituição como garantia do cidadão, com os corolá-

---

[9] MARX. Karl. "Prefácio de 1859". *Zur Kritik der politischen Ökonomie*.

[10] CIRINO DOS SANTOS, Juarez. "Criminologia e luta de classes". *In*: *Para além do direito alternativo e do garantismo jurídico*: ensaios críticos em homenagem a Amilton Bueno de Carvalho. Rio de Janeiro: Lumen Juris, 2016.

rios da *presunção de inocência* e do Direito Penal do *fato e da culpabilidade*, que asseguram a primazia dos direitos e garantias individuais sobre o dever do Estado de repressão dos delitos.[11]

O arsenal bélico dessa lei de *guerra à criminalidade*, com o conceito novo de *organização criminosa* – aliás, um conceito estratégico para o modelo de *justiça eficiente* instituído, cuja flexibilidade típica admite interpretações adequáveis às atividades dos *movimentos sociais brasileiros*, como MST, MTST e outras organizações sociais –, pode ser assim inventariado: a) a *colaboração premiada*, fundada na confissão e na delação de investigados/acusados em inquéritos policiais e processos criminais, em geral prestadas em condições de coação e de tortura de prisões preventivas decretadas para confessar e delatar – portanto, observando apenas a *efetividade*, mas não a *voluntariedade* da confissão/delação, necessárias para o perdão judicial, a redução ou substituição da pena (art. 4º a 7º da Lei n. 12.850/13); b) a *captação ambiental de sinais eletromagnéticos, ópticos ou acústicos*, como técnica de espionagem bélica do Estado para devassar a privacidade e a intimidade de cidadãos amparados pela presunção de inocência (art. 3º, II); c) a *ação controlada*, como mecanismo de maximização dos efeitos da ação policial ou administrativa, mediante retardamento da intervenção oficial para maior eficácia de formação da prova e obtenção de informações (art. 8º e 9º); d) o *acesso a registro de ligações telefônicas e telemáticas*, além de dados cadastrais, que aboliu o sigilo constitucional das comunicações (art. 3º, IV, Lei n. 9.296/96); e) o *afastamento dos sigilos financeiro, bancário e fiscal*, com iguais efeitos de abolição do sigilo constitucional (art. 3º, VI); f) a *infiltração de agentes em atividades de investigação*, sob a forma típica da contraespionagem de cenários de guerra, que está reproduzindo e banalizando o Cabo Anselmo da ditadura militar na figura execrável do (Capitão) Pina Botelho, infiltrado em movimentos sociais (art. 10 a 14); (g) a *interceptação de comunicações telefônicas*, que contradiz o princípio constitucional da proteção contra autoincriminação e cancela o direito de consultar advogado antes de qualquer declaração – além de outras medidas invasivas do moderno Estado policial brasileiro.

---

[11] Ver PRADO, Geraldo. "O trânsito em julgado da decisão condenatória". *Boletim do IBCCRIM*, Ano 23, Dezembro de 2015, n. 277, pp. 10-12.

A UTILIZAÇÃO DA OBSTRUÇÃO DA JUSTIÇA COMO MEIO DE ATAQUE...

Neste ponto, é preciso enfatizar o seguinte: o objetivo político-criminal do chamado crime de *obstrução da justiça* é garantir a *investigação de infração penal* (que envolva *organização criminosa*) mediante o emprego desses *meios* e/ou *procedimentos bélicos* de obter informação e de produzir prova. Por isso, o estudo aborda os efeitos político-criminais e sociais (econômicos e políticos) da aplicação desses *meios* e *procedimentos bélicos* no sistema de justiça criminal brasileiro, para demonstrar a extensão dos danos produzidos pela chamada *obstrução da justiça* às garantias fundamentais do cidadão.

3. OS EFEITOS SOCIAIS DA JUSTIÇA PENAL DE GUERRA

Os efeitos sociais da introdução dessa legislação beligerante no sistema de justiça criminal brasileiro podem ser mensurados, de modo exemplar, na *Operação Lava Jato* da 13ª Vara Federal Criminal de Curitiba, promovida por uma *força tarefa* de treze Procuradores da República e processada pelo Juiz Federal Sérgio Moro.

Na prática, todas as interceptações telefônicas e telemáticas, todas as captações ambientais de sinais eletromagnéticos, óticos e acústicos, todas as ações controladas da autoridade pública, todas as infiltrações de agentes em atividades de investigação, todas as quebras de sigilo bancário e fiscal, todas as prisões preventivas vinculadas a todas as confissões/delações premiadas obtidas sob coação ou tortura de investigados/acusados presos, todas as imputações de promover, constituir ou integrar *organização criminosa*, ou de *impedir* ou *embaraçar* investigação de infração penal que envolva *organização criminosa*, enfim, todos esses procedimentos invasivos de direitos, garantias e liberdades individuais e coletivas da humanidade civilizada representam, de modo eloquente, os efeitos de vertiginosa *policialização* da justiça penal brasileira, mediante aplicação sistemática de uma *lei de combate* aos novos inimigos internos[12] – que, no

---

[12] ALBRECHT, Peter Alexy. *Criminologia*: uma fundamentação para o Direito Penal. Tradução de Juarez Cirino dos Santos e Helena Schiessl Cardoso. Curitiba: ICPC; Rio de Janeiro: Lumen Juris, 2010, p. 269 ss.

caso específico da *Operação Lava Jato*, cancelou garantias jurídicas e políticas constitucionais, destruiu a economia nacional, quebrou centenas de empresas, lançou milhões de trabalhadores no desemprego, no desespero e na fome[13] e, de fato, criou as condições objetivas e subjetivas para uma convulsão social violenta e generalizada, no Brasil e na América Latina.

A estratégia política das elites conservadoras, implementada para reconquistar o Poder Executivo federal depois de sucessivas derrotas eleitorais, fundada numa *legislação de guerra* garantida pelo crime de *obstrução da justiça*, foi a novidade da luta de classes na sociedade brasileira nesta segunda década do século 21: o deslocamento do cenário de lutas políticas *das praças públicas para* o espaço judicial monocrático da *13ª Vara Federal Criminal* do Juiz Sérgio Moro – um juiz federal de 1º grau, que exerce jurisdição nacional equivalente aos Tribunais Superiores, subordinando o princípio geral do *juiz natural* a regras eventuais de conexão ou de continência processual.[14] No caso brasileiro, a *policialização* da justiça penal por uma *lei de guerra* foi potencializada pela *partidarização* ostensiva da *Operação Lava Jato*, um segmento da justiça federal integrante do complexo conservador midiático/parlamentar/judicial, que engendrou as condições necessárias para um *golpe de estado* parlamentar em favor do PSDB, do DEM e do PMDB, contra uma Presidente da República eleita por uma coalizão partidária hegemonizada pelo PT – portanto, que substituiu a vontade democrática de 54.5 milhões de eleitores pela vontade oportunista e ilegal de algumas centenas de parlamentares favorecidos pelo *impeachment*, afinal decretado sem *crime de responsabilidade*, passando por cima da Constituição. Finalmente, por razões idiossincráticas que a psicanálise pode explicar, porque sob a compulsão psíquica de uma obsessão

---

[13] Dados do Caged, divulgados em 23/09/2016, falam em 1,65 milhão de desempregados, em 17 meses de *Lava Jato*. *In*: "Eis O Custo Do Golpe: 1,65 Milhão De Demitidos". *Brasil 247*, 24 set. 2016.

[14] CIRINO DOS SANTOS, Juarez. "A conexão Lava jato/meios de comunicação de massa: um novo cenário de luta de classes". *Justificando*, 16 mar. 2016. Disponível em http://www.justificando.com/2016/03/13/. Acesso em 01.10.2016.

A UTILIZAÇÃO DA OBSTRUÇÃO DA JUSTIÇA COMO MEIO DE ATAQUE...

punitiva marcada pelo abuso do poder de processar e prender (para confessar e delatar), a *Operação Lava Jato* desencadeou a atual persegui-ção penal contra a maior liderança política da história da República (o ex-Presidente Luiz Inácio Lula da Silva), acionada por procuradores da república e magistrados federais fissurados ou obcecados pelo pri-mado da hipótese sobre os fatos no processo penal, que subordina os dados da realidade às crenças pessoais de acusadores e julgadores, mo-vidos por pretensões messiânicas e arroubos de fé, como revela a de-claração pública, em cadeia nacional de televisão, da liderança do MPF na *Lava Jato*, de que não tem *prova* dos fatos imputados, mas tem *con-vicção* desses fatos.

Além de constranger e humilhar adversários políticos do com-plexo midiático/parlamentar/judicial, a *Operação Lava Jato* apresenta inúmeras vantagens para as elites conservadoras: a) os procedimentos investigatórios e os processos criminais (i) são *seletivos*, porque dirigi-dos contra líderes do PT ou pessoas/empresas relacionadas aos Go-vernos do PT, revelando a natureza política e ideológica da persecu-ção penal, e (ii) são *sigilosos*, ocultando a natureza meramente hipo-tética dos fatos imputados, induzindo o predomínio da versão oficial desses fatos; b) os nomes dos investigados são revelados ao público mediante programados vazamentos de informações sigilosas aos meios de comunicação de massa, com efeitos sociais e eleitorais devastadores sobre os adversários políticos; c) o espetáculo de buscas e apreensões violentas, de ilegais interceptações telefônicas, ou de abusivas e/ou ilegais conduções coercitivas de investigados (como ocorreu com o ex-Presidente Lula, por exemplo), geram enganosas, mas convenien-tes presunções de veracidade e de legitimidade da ação repressiva oficial perante a opinião pública.

Nesse contexto, o papel político do segmento do Poder Judiciário atuante na *Lava Jato* é exercido mediante reiteradas violações do *devido processo legal*, com relativização ou supressão pura e simples dos princípios do contraditório, da ampla defesa, da proteção contra a autoincriminação, da presunção de inocência e de outras conquistas históricas da civilização. A justiça criminal brasileira produz, no âmbito da *Operação Lava Jato*, a sensação perturbadora de que o processo penal brasileiro não é o que diz a lei ou a ciência processual, mas o que imaginam os responsáveis pelos processos penais instrumentalizados pela *legislação de guerra* importada. É possível concluir, repetindo antigo conceito de Rui Barbosa, que *"a pior ditadura é a ditadura do Poder Judiciário"*, como lembrou o Ministro Marco Aurélio, da Suprema Corte brasileira.

4. OS CUSTOS SOCIAIS DA *OPERAÇÃO LAVA JATO*: QUEM VAI PAGAR PELO CAOS SOCIAL?

O profundo desequilíbrio da relação *custo/benefício*[15] da ditadura judicial instaurada pela *Operação Lava Jato* sobre a sociedade civil e política brasileira supera qualquer delírio paranóico: *se* (1) o questionável benefício social (?) da condenação/prisão de algumas dezenas de pessoas acusadas de crimes (em geral, corrupção ativa, corrupção passiva e lavagem de dinheiro) paga o preço estratosférico da destruição dos processos de produção e de circulação da riqueza material e de prestação de serviços em todo País, com perda de *dezenas de trilhões de reais* distribuídos por todas as classes e categorias sociais – perante a qual a recuperação do *produto do crime* não deve ultrapassar a bagatela de 1% (um por cento) desse valor –, *então* (2) esse desvairado projeto punitivo é a manifestação superlativa de uma loucura jurídica megalômana jamais vista na história da humanidade, que não pode ser expressada por palavras do vocabulário jurídico convencional, como abuso processual (ainda que monstruoso), ou como desproporcionalidade jurídica (ainda que absurda), porque o significado semântico das palavras não pode exprimir a extensão da tragédia social.

Enfim, *se* existe relação de causalidade entre a *Operação Lava Jato* e o *caos social* do Brasil, *então* é possível formular a seguinte equação: (a) assim como a ação do MPF de imputar culpas (na *Lava Jato*) e a ação de Juízes de punir e prender culpados (na *Lava Jato*) produziu o *caos social* descrito, (b) também o povo poderá exercer o poder de

---

[15] BARATTA, Alessandro. "Direito penal mínimo". *Dei Delitti e delle Pene*, ano 1985, n. 3.

A UTILIZAÇÃO DA OBSTRUÇÃO DA JUSTIÇA COMO MEIO DE ATAQUE...

imputar culpas (pelo *caos social* produzido) e o poder de punir e prender culpados (pelo *caos social* produzido), diretamente ou por órgãos próprios, no futuro.

Aqui fica a pergunta: quem vai pagar pelo *caos social* da *Operação Lava Jato?*

Informação bibliográfica deste texto, conforme a NBR 6023:2002 da Associação Brasileira de Normas Técnicas (ABNT):

SANTOS, Juarez Cirino dos. "A utilização da obstrução da justiça como meio de ataque às garantias fundamentais". *In*: ZANIN MARTINS, Cristiano; TEIXEIRA ZANIN MARTINS, Valeska; VALIM, Rafael (Coord.). *O Caso Lula:* a luta pela afirmação dos direitos fundamentais no Brasil. São Paulo: Editora Contracorrente, 2017, pp. 233-247. ISBN. 978-85-69220-19-0.

DELAÇÃO PREMIADA COMO SUBSTITUTO DA ATIVIDADE INVESTIGATIVA DO ESTADO

LEONARDO ISAAC YAROCHEWSKY

I. CONCEITO E ORIGEM DA DELAÇÃO PREMIADA

Segundo Bittar,[1] a palavra "delatar", proveniente do latim, sob o ponto de vista etimológico, significa "ação de delatar, denunciar, revelar". De Plácido e Silva,[2] em sua obra Vocábulo Jurídico, ao definir delação consigna que: "originado de *delatio*, de *deferre* (na sua acepção de denunciar, delatar, acusar, deferir), é aplicado na linguagem forense mais propriamente para designar a denúncia de um delito".

Aplicada na ciência criminal, o vocábulo encontra-se qualificado pela expressão premiada e consiste na assunção da própria responsabilidade dentro de uma perspectiva criminal em que o agente estava inserido, auxiliando na identificação dos demais envolvidos. Ante a colaboração

---

[1] BITTAR, Walter Barbosa. "Delação premiada no Brasil e na Itália: uma análise comparativa". *Revista Brasileira de Ciências Criminais*, São Paulo, Vol. 19, n. 88, jan./fev. 2011, p. 226.

[2] *Vocabulário Jurídico*. 18ª ed. Rio de Janeiro: Companhia Editora Forense, 2001, p. 247.

deste agente, é facultado ao juiz a aplicação de benesses quando da análise da conduta e da pena.

Em outras palavras, consiste "na redução da pena, ou em alguns casos, até mesmo o seu perdão, para o colaborador que preencher os requisitos legais, somente sendo concedida ao fim do processo criminal, na sentença condenatória".[3]

A delação ou colaboração premiada presente na legislação brasileira constitui instituto de direito material e processual em que, preenchidos requisitos específicos previstos em lei, no qual o acusado poderá ser beneficiado, pelo julgador, com a redução de pena ou, até mesmo, com o perdão judicial.

Para o Procurador de Justiça Cândido Furtado Maia Neto,[4] que não poupa criticas ao instituto da delação premiada,

> A "delação ou colaboração premiada" é uma espécie de confissão espontânea (ou melhor, insistimos, sob pressão psíquica) sem garantia certa ao acusado, se o Estado-Juiz vai ou não acatar ou considerar as informações prestadas, para fins de desconto da pena anunciada, numa forma de condenação em perspectiva, ou melhor, via "extorsão oficializada" ou "extorsão legalizada".

Instituto importado de outros países, notadamente da Itália, a delação premiada, também denominada colaboração espontânea com a justiça, surgiu na década de 70, quando dos julgamentos dos delitos praticados pela famigerada máfia italiana.[5] Em verdade, não obstante o

---

[3] FONSECA, Tiago Dutra; FRANZINI, Milena de Oliveira. "Delação premiada: metástase política". *Boletim IBCCRIM*, São Paulo, Vol. 13, n. 156, nov. 2005, p. 9.

[4] *Delação (colaboração) Premiada e os Direitos Humanos*: modelo de justiça com tortura psíquica legalizada, imputação generalizada, pena anunciada e condenação antecipada. Santa Catarina: Empório do Direito, 2015. Disponível em < http:// emporiododireito.com.br/delacao-colaboracao-premiada-e-os-direitos-humanos-modelo-de-justica-com-tortura-psiquica-legalizada-imputacao-generalizada-pena-anunciada-e-condenacao-antecipada-por-candido-furtado-maia/. Acesso em 15.09.2016.

[5] Sobre a máfia italiana, ver BITTAR, Walter Barbosa. "Delação premiada no Brasil e

DELAÇÃO PREMIADA COMO SUBSTITUTO DA ATIVIDADE...

instituto tenha sido empregado na década de 1980 na Espanha, no âmbito das práticas terroristas, o modelo que de fato influenciou e influencia diversos ordenamentos jurídicos é o modelo italiano.

Não se pode negar que a base da delação premiada, independente do berço de origem, está no reconhecimento da falência do Estado para combater a tão proclamada "criminalidade organizada".

Grosso modo, a máfia italiana surge a partir de um acordo entre o Poder Público e os criminosos, com o objetivo de recuperar os bens objetos de crime. Assim, havia uma negociação, na qual a *res* era restituída e o criminoso findava impune. Posteriormente, os criminosos passaram a oferecer proteção para a camada influente política e economicamente, exigindo como contraprestação parte daquilo que era produzido ou ganho pelos protegidos. Com o tempo, sob a influência da globalização, tais relações extrapolaram a fronteira italiana, ganhando o mundo, especialmente Europa, Estados Unidos e América do Sul. Por outro lado, essa expansão representou o início de inúmeros conflitos entre as famílias, em busca de poder territorial, e da reação estatal quanto ao modelo de organização. A esta altura, o furto e o roubo passaram a ser delitos secundários, dedicando-se a organização principalmente ao tráfico de drogas e lavagem de dinheiro.

Conforme explica Bittar,[6] por estarem inseridas na cultura italiana como fenômeno social e tradicional, as organizações mafiosas só foram objeto de preocupação nos idos de 1860, quando da unificação italiana, em virtude de uma preocupação quanto a uma postura institucional da relação entre política, sociedade e criminalidade.

O alastramento do terrorismo e da extorsão mediante sequestro foi o estopim para que Estado Italiano buscasse formas mais incisivas de combater a nova criminalidade, especialmente porque a elevada incidência

---

na Itália: uma análise comparativa". *Revista Brasileira de Ciências Criminais*, São Paulo, Vol. 19, n. 88, jan./fev. 2011, p.228.

[6] "Delação premiada no Brasil e na Itália: Uma análise comparativa". *Revista Brasileira de Ciências Criminais*, São Paulo, Vol. 19, n. 88, jan./fev. 2011, p. 228.

dos mencionados crimes criava na sociedade a ideia de que as instituições públicas não eram capazes de oferecer a devida proteção. No aspecto sancionatório, além do aumento das penas, foram criados instrumentos que possibilitassem a quebra do vínculo no interior das organizações,

> "através de normas especiais que, por um lado, agravassem as sanções dos autores dos crimes e, por outro, possibilitassem a concessão de atenuante a quem, dissociando-se dos cúmplices, ajudasse as autoridades a evitarem consequências do crime, ou colaborasse na elucidação dos fatos, ou na identificação dos demais agentes.[7]

Essa normatividade especial implantada pela Itália buscou adotar tratamento diferenciado aos colaboradores em inúmeros aspectos, relacionado à investigação, ao direito material, ao direito processual e até mesmo ao direito penitenciário, o que possibilitou o êxito quanto ao controle da máfia.

Em 1974, por meio da Lei n. 497, o denominado direito premial foi introduzido no ordenamento italiano e, no tocante à delação premiada, seu art. 6 trouxe uma atenuante aplicável àqueles envolvidos que auxiliassem a vítima a recobrar a liberdade, sem o pagamento de resgate.[8]

Posteriormente, outras normas foram elaboradas no mesmo sentido. A Lei n. 15 de 1980, além de criar novos tipos penais, estabeleceu benesses relacionadas à delação, nos casos em que um envolvido se desvinculasse da organização criminosa e se esforçasse para evitar consequências da atividade criminosa, ou ajudasse a autoridade policial e a judicial a localizar provas, bem assim capturar os demais participantes.

---

[7] BITTAR, Walter Barbosa. "Delação premiada no Brasil e na Itália: uma análise comparativa". *Revista Brasileira de Ciências Criminais*, São Paulo, Vol. 19, n. 88, jan./fev. 2011, p. 231.

[8] BITTAR, Walter Barbosa. "Delação premiada no Brasil e na Itália: uma análise comparativa". *Revista Brasileira de Ciências Criminais*, São Paulo, Vol. 19, n. 88, jan./fev. 2011, p. 231.

DELAÇÃO PREMIADA COMO SUBSTITUTO DA ATIVIDADE...

Nesta situação, a prisão perpétua era substituída pela de reclusão de 12 a 20 anos, e algumas penas reduzidas de um terço a metade. Ante o êxito da citada medida, em 1982, com a Lei n. 304, foi aumentado o patamar de redução da pena e expandidas as hipóteses de colaboração, que, desta feita, englobaria também aquele que simplesmente se dissociasse do grupo, numa espécie de colaboração passiva.

Essas duas leis (15 e 304) trataram das figuras do "dissociado", do "arrependido" e do "colaborador", cada um com um regramento específico.

Assinala Pellegrini[9] que o *"arrependido"* consiste naquele indivíduo que, antes da sentença condenatória, dissolve a organização, se retira desta, ou se entrega espontaneamente, oferecendo informações acerca da organização, ou, ainda, impede a execução dos crimes para os quais esta se instituiu, aplicando-se a extinção da punibilidade. Ademais, aquele que se entrega à autoridade policial ou judicial antes de ser expedido o mandado de prisão pode ter esta medida substituída por outra mais branda.

Já ao *"dissociado"*, que antes da sentença condenatória atua no sentido de evitar ou amenizar as consequências do crime ou impede novos crimes e confessa a participação, é concedida a redução da pena e a substituição da prisão perpétua pela reclusão, de quinze a vinte e um anos.

O *"colaborador"*, além de todas as posturas acima, auxilia na obtenção de provas, individualização das condutas e captura dos demais membros, razão pela qual pode ter a pena reduzida pela metade, bem como ter substituída a prisão perpétua pela reclusão de dez a doze anos.

Foi também no ano de 1982 que o crime de associação mafiosa foi criado, passando a fazer parte do Código Penal Italiano, por meio da Lei "Rognomi- La Torre". Segundo Bittar,[10] o destino da máfia começa

---

[9] "O crime organizado no sistema italiano". *In*: PENTEADO, Jaques de Camargo (Coord.). *Justiça penal 3:* críticas e sugestões. O crime organizado (Itália e Brasil); a modernização da lei penal. São Paulo: Revista dos Tribunais, 1995, p. 78.

[10] "Delação premiada no Brasil e na Itália: uma análise comparativa". *Revista Brasileira de Ciências Criminais*, São Paulo, Vol. 19, n. 88, jan./fev. 2011, p. 232.

a ser traçado com a inserção deste tipo penal e de posse dos depoimentos de integrantes da máfia foi iniciado em 1986 o denominado "maxiprocesso", que houve por obter a condenação da maioria dos réus, inclusive daqueles conhecidos como *capimafia* (cabeças da máfia). A estratégia foi introduzida também quanto ao crime de tráfico de drogas.

Em 1991, com o assassinado do juiz Rosário Livatino, aumentou-se a pressão, especialmente advinda dos magistrados da Sicília, no sentido de que o combate às organizações criminosas se desse de modo mais incisivo, razão pela qual na Lei n. 82, de 14 de março de 1991, foi disciplinada a proteção aos colaboradores e testemunhas. Dentre as medidas de proteção estavam a assistência ao colaborador, bem como à sua família, a troca de endereços e documentos e o dever de sigilo. Por fim, a Lei n. 203, de Julho de 1991, trouxe mais benefícios aos mafiosos colaboradores.

Sob o aspecto processual, as declarações dos colaboradores, tidos como suspeitos, são analisadas criteriosamente. Somente é aceito como prova aquele testemunho que restar corroborado pelas demais provas produzidas. Assim, o exame da declaração passa pela análise da credibilidade do declarante (personalidade, passado, relação com os acusados), da confiabilidade da informação (precisão, coerência, seriedade) e da ratificação por outras provas.

Já na fase penitenciária, o tratamento conferido segue a mesma lógica do direito material, isto é, o recrudescimento aos que se mostram irredutíveis à colaboração e a flexibilização para os colaboradores, com inúmeras facilidades de obtenção de melhorias na execução da pena.

Em 2001, foi realizada uma grande reforma nos vários campos da normatividade premial. As principais modificações se deram no âmbito do direito processual, ante o fenômeno da progressão acusatória, ou seja, da "desistência" do colaborador na fase processual, em virtude do descontentamento quanto à proteção oferecida.

Em que pese a nítida estruturação normativa italiana com o objetivo de deter e responsabilizar a máfia, a *operazione mani pulite*, inicialmente aclamada pela população italiana, foi ganhando espaço na crítica

DELAÇÃO PREMIADA COMO SUBSTITUTO DA ATIVIDADE...

ante os abusos cometidos pelo Ministério Público e pelos juízes, especialmente "pelos exageros apontados nos encarceramentos preventivos, tanto que a operação passou a ser apelidada pela imprensa de 'operação algemas fáceis'".[11] Iniciava-se um embate entre os operadores do direito, divididos entre o argumento de combate à criminalidade e do respeito às garantias fundamentais.

Pereira[12] alerta para o fato de que não se pode confundir delação premiada com o instituto da colaboração processual. Segundo o autor, o nome delação denota a ideia de que, "tendo sido flagrado cometendo um delito, bastaria ao agente entregar crime cometido por outrem, trazendo uma carga negativa de ordem ideológica e ética ao instituto, marcando posição de cunho pernicioso, além de não servir para identificar corretamente o conteúdo do instrumento".

Mais adiante, Pereira[13] acentua que também não se pode confundir a colaboração premiada com simples "incriminação de terceiros", para a caracterização da colaboração premiada não basta a simples incriminação de terceira pessoa, sendo imprescindível que o colaborador revele elementos essenciais, que permitam às autoridades desvendar o cometimento de delitos praticados pela organização criminosa. Necessário, ainda, "ficar demonstrada a seriedade da atitude de colaborador e não apenas uma oportunidade de moeda de troca para se safar da responsabilidade ou amenizar a aplicação de penalidade".[14]

O legado que se pode extrair das raízes da delação premiada é que a sua criação foi influenciada pelas circunstâncias e idiossincrasias

---

[11] GRINOVER, Ada Pellegrini. "O crime organizado no sistema italiano". *In*: PENTEADO, Jaques de Camargo (Coord.). *Justiça penal 3*: críticas e sugestões. O crime organizado (Itália e Brasil); a modernização da lei penal. São Paulo: Revista dos Tribunais, 1995, p. 85.

[12] PEREIRA, Frederico Valdez. *Delação Premiada*: Legitimidade e Procedimento. 2ª ed. Curitiba: Juruá Editora, 2016. p. 36.

[13] PEREIRA, Frederico Valdez. *Delação Premiada*: Legitimidade e Procedimento. 2ª ed. Curitiba: Juruá Editora, 2016. p. 37.

[14] PEREIRA, Frederico Valdez. *Delação Premiada*: Legitimidade e Procedimento. 2ª ed. Curitiba: Juruá Editora, 2016. p. 37.

peculiares da Itália naquele momento e que, conforme se abordará em seguida, o transplante de tais ideias para o ordenamento jurídico brasileiro representou um equívoco do legislador, mormente pelas diferenças de criminalidade e pela discrepante estrutura.

II. INSERÇÃO DA DELAÇÃO PREMIADA NO ORDENAMENTO JURÍDICO ATUAL

Uma digressão quanto ao percurso da legislação brasileira demonstra que a delação premiada ganhou seus primeiros traços ainda nas Ordenações Filipinas, em vigência de 1603 a 1830, e que consignava a faculdade de se perdoar o indivíduo que delatasse conspirações ou conjurações, bem como fornecia dados que ajudassem na prisão dos envolvidos ("Como se perdoará aos malfeitores, que derem outros à prisão").[15]

No entanto, o termo inicial do instituto já com a denominação de delação premiada teve inicio após a promulgação da Constituição da República que, inspirada no Movimento da Lei e Ordem, trouxe dispositivo acerca da criação da lei dos crimes hediondos (art. 5º, inciso XLIII, da CR).

Influenciados pela excitação gerada pela operação italiana *mani pulite*, bem assim pelo clamor social advindo da sensação de insegurança incrementada pelos meios de comunicação sensacionalistas e pelo aumento do crime de extorsão mediante sequestro de pessoas tidas como importantes, a primeira imersão do instituto sob análise no ordenamento jurídico brasileiro ocorreu com o advento da Lei n. 8.072/90 (Lei de Crimes Hediondos).

Com a mencionada lei, foi introduzido o §4º no art. 159 do Código Penal, e o primeiro direito premial, que inovou trazendo uma causa de diminuição de pena aplicável àquele coautor ou partícipe da

---

[15] BITTAR, Walter Barbosa. "Delação premiada no Brasil e na Itália: uma análise comparativa". *Revista Brasileira de Ciências Criminais*, São Paulo, Vol. 19, n. 88, jan./ fev. 2011, p. 240.

DELAÇÃO PREMIADA COMO SUBSTITUTO DA ATIVIDADE...

extorsão mediante sequestro, praticada por quadrilha ou bando, que auxiliasse na localização das vítimas. Mais tarde, via modificação ensejada pela Lei n. 9.269/96, ampliou-se o rol de aplicação da delação premiada, ao permitir o reconhecimento do instituto diante do mero concurso de pessoas, de forma que o tipo penal do art. 288 do Código Penal passou a ser dispensável para a concessão do prêmio.

Além da previsão legal quanto ao crime de extorsão mediante sequestro, a Lei de Crimes Hediondos, especificamente em seu art. 8º,[16] trouxe outra possibilidade de delação premiada, desta feita, estabelecendo causa de diminuição de pena, no patamar de um a dois terços, aplicável exclusivamente ao crime de bando ou quadrilha, constituído para a prática de crimes hediondos, de tortura, tráfico de drogas ou terrorismo, para o participante ou associado que necessariamente auxilie no seu desmantelamento, através da delação à autoridade competente.

Destaca-se que, muito embora tenha sido a primeira aparição da delação premiada, o seu uso foi extremamente restrito, em razão da ausência de normas procedimentais quanto à sua aplicação, tema que acabou ficando a cargo da doutrina e da jurisprudência, e, ainda, pelo fato de não ter sido oferecida qualquer segurança ao delator.

---

[16] Há quem diga que o art. 8º da Lei n. 8.072/90 foi tacitamente revogado. "Deve ser destacado que, embora o legislador – em consequência da promulgação de leis posteriores e que também tratavam do beneplácito – não tenha sido explícito, quanto à revogação das hipóteses de delação premiada previstas nas Leis n. 8.072/1990 (parágrafo único do art. 8º) e 9.269/1996 (§ 4º do art. 159 do CP), a amplitude concedida ao instituto por força da Lei n. 9.807/1999, segundo Alberto Silva Franco, teria revogado a Lei n. 9.269/1996, ao não estruturar novos tipos incriminadores sobre determinada matéria de proibição ou reformular tipos preexistentes, tendo apenas o duplo objetivo de estabelecer normas para a organização e manutenção de programas especiais de proteção a vítima e testemunhas ameaçadas, aliadas ao fato de que o texto dos arts. 13 e 14 desta lei ter criado as hipóteses de perdão judicial e de causa redutora de pena, com ampla abrangência e sem nenhuma vinculação a determinados tipos legais, também não houve manifestação explícita sobre a hipótese de não contemplar a Lei n. 9.807/1999, a exclusão de sua incidência o §4º do art. 159 do CP e o parágrafo único do art. 8º da Lei n. 8.072/1990 e, finalmente, por se tratar (no caso da Lei n. 9,807/1999) de norma penal mais benéfica, devendo retroagir, conforme determinação do art. 5º, XL, da CF/1988". *In:* BITTAR, Walter Barbosa. "Delação premiada no Brasil e na Itália: uma análise comparativa". *Revista Brasileira de Ciências Criminais*, São Paulo, Vol. 19, n. 88, jan./fev. 2011, pp. 244/245.

Posteriormente, precisamente cinco anos depois, a lei que instituiu meios operacionais de prevenção e repressão ao crime de bando ou quadrilha e à famigerada organização criminosa, novamente trouxe a delação premiada como instrumento de investigação. Criticada por se omitir quanto a uma definição autônoma de criminalidade organizada, o art. 6º da Lei n. 9.034/95, igualmente, prevê a incidência da causa de diminuição de pena, com redução de um a dois terços, nos crimes praticados por organização criminosa, ao agente que colabora de modo espontâneo, de tal forma que consiga contribuir para a elucidação da infração penal e sua respectiva autoria.

Dois meses após a aprovação da Lei n. 9.034/95, foi promulgada a Lei n. 9.080/95, que teve por objetivo ampliar as hipóteses de aplicação da delação premiada. Para tanto, inseriu um parágrafo no art. 25 da Lei n. 7.492/86 e um parágrafo no art. 16 da Lei n. 8.137/00.

> O que permite asseverar que este foi o momento em que a banalização do instituto da delação premiada, definitivamente, restou concretizada reside no fato de que a possibilidade de sua concessão, não era mais restrita apenas aos crimes de maior gravidade [...] não só em face das penas cominadas nas normas incriminadoras descritas na Lei n. 8.137/1990, bem como por restarem inseridas em uma modalidade criminosa (crimes fiscais) em que funções preventivas geral e especial da pena foram, absolutamente, minimizadas, em face da política despenalizadora que envolve essa modalidade delitiva o Brasil.[17]

No mesmo sentido seguiu a Lei de Lavagem de Capitais (Lei n. 9.613/98), que, em seu art. 1º, §5º, registrou a possibilidade de ser aplicada a delação premiada. Contudo, nesta oportunidade, o legislador houve por bem colocar à disposição do julgador um rol maior de institutos aplicáveis ante a colaboração do autor, coautor ou participe. Diferente dos outros dispositivos que instituíram a delação premiada, que

---

[17] BITTAR, Walter Barbosa. "Delação premiada no Brasil e na Itália: uma análise comparativa". *Revista Brasileira de Ciências Criminais*, São Paulo, Vol. 19, n. 88, jan./fev. 2011, p. 249.

DELAÇÃO PREMIADA COMO SUBSTITUTO DA ATIVIDADE...

previam unicamente a diminuição da pena, tratando-se de crime de lavagem de dinheiro, será permitida a redução da pena, devendo ser cumprida em regime inicialmente aberto, perdão judicial ou substituição por pena restritiva de direitos. Neste ponto, vale esclarecer que, para fins de delação premiada, só terá acolhida a colaboração do agente que assume a sua responsabilidade e aponta outros envolvidos. Quando a colaboração se restringir à localização de bens direitos ou valores objeto do crime, será o caso de mera confissão premiada. Insta registrar que, mais uma vez, o legislador, seguindo a tendência de banalização da delação premiada, inseriu o instituto sem trazer qualquer norma procedimental que regulasse a sua aplicação.

Até então, todas as hipóteses de delação premiada estavam diretamente relacionadas a crimes específicos e, portanto, possuíam aplicação restrita. No entanto, com a Lei n. 9.807/99 (Lei de Proteção das Vítimas e Testemunhas), o instituto se estendeu a todo e qualquer delito, trazendo duas possibilidades de desdobramento. O primeiro deles consiste no perdão judicial para os colaboradores primários, que contribuíram efetivamente e de forma voluntária para a investigação e a instrução, desde que resulte em: "I – a identificação dos demais coautores ou partícipes da ação criminosa; II – a localização da vítima com a sua integridade física preservada: III – a recuperação total ou parcial do produto do crime". Lado outro, os reincidentes ou aqueles que em decorrência da sua personalidade ou das circunstâncias do crime não fazem jus ao perdão judicial, restará a redução da pena de um a dois terços. A lei em comento inovou ao trazer dispositivo que cuida da proteção aos colaboradores.

Não obstante a expansão do direito premial para todo e qualquer crime, conforme a lei supramencionada, o legislador, quando da elaboração da Lei de Tóxicos (Lei n. 11.343/06), contrariando a anterioridade e o caráter benéfico da Lei n. 9.807/99 (Lei de Proteção às Vitimas e Testemunhas), houve por bem trazer novamente hipótese autônoma e restrita de delação premiada, cujo prêmio consiste somente na redução da pena em caso de condenação, para aquele que auxiliar na identificação dos demais envolvidos, bem assim na recuperação total ou parcial do produto do crime. Observa-se que, desta feita, não restou previsto em lei a possibilidade da extinção da punibilidade pelo perdão judicial, caracterizando nítida negligência em relação ao conflito intertemporal entre normas penais, nos termos do art. 5º, inciso XL, da CR/88. Por certo, o art. 41 da Lei n. 11.343/06 (Lei de Tóxicos) já nasceu com restrição de aplicabilidade, tendo em vista que, estando a Lei n. 9.807/99 em plena vigência, trazendo em seu bojo norma premial mais favorável ao réu aplicável a qualquer diploma repressivo, não pode o juiz, diante de uma delação premiada, ignorar que esta representa a opção mais benéfica.

No tocante à inserção da delação premiada no ordenamento jurídico pátrio, verifica-se que, ao contrário do modelo italiano, objeto de inspiração do legislador brasileiro, houve aberta preocupação em alargar progressivamente a possibilidade de aplicação do instituto, culminando no seu emprego em todo e qualquer delito.

Finalmente, com a entrada em vigor da Lei n. 12.850/2013 – Lei de Organização Criminosa – no capítulo II referente à investigação e os meios de obtenção da prova, há uma seção inteira dedicada a "colaboração premiada". Embora óbvio, é importante ressaltar que a lei somente se aplica quando verificada a existência de organização criminosa e não qualquer caso de mero concurso eventual de agentes ou mesmo de associação criminosa (antigo bando ou quadrilha).

A lei trata dos requisitos de admissibilidade, dos benefícios gerados ao colaborador (redução da pena, substituição da pena privativa de liberdade por restritiva de direitos e o perdão judicial), do procedimento da colaboração premiada, do valor probatório da colaboração e, até, dos direitos do colaborador.

Contudo, a problemática envolvendo a delação premiada, sob seus vários aspectos, parece estar longe de ser pacificada.

III. VALOR PROBATÓRIO DA DELAÇÃO (COLABORAÇÃO) PREMIADA

Ao lado da questão ética, uma das questões mais discutidas no campo da delação ou colaboração premiada diz respeito ao seu valor probatório.

Em relação especificamente à palavra de coréu ou cúmplice como meio de prova, valiosa é a lição de Mittermayer,[18] *in verbis:*

> O depoimento do cúmplice apresenta graves dificuldades.Têm-se visto criminosos que, desesperados por conhecerem que não podem escapar à pena, se esforçam em arrastar outros cidadãos para o abismo em que caem; outros denunciam cúmplices, aliás inocentes, só para afastar a suspeita dos que realmente tomaram parte no delito, ou para tornar o processo mais complicado ou mais difícil, ou porque esperam obter tratamento menos rigoroso, comprometendo pessoas colocadas em altas posições.

Em igual sentido, Alberto Silva Franco para quem "a exclusiva palavra do coacusado constitui-se numa palavra deficiente, precária, inidônea. Equivale a prova nenhuma. E se uma sentença se fundamenta numa prova dessa ordem, revela-se, inequivocadamente, contrária à evidência dos autos".[19]

A possibilidade da palavra coimputado – indiciado ou acusado – ser utilizada como fonte de prova no processo penal brasileiro "é matéria de inovação legislativa que difere da valoração probatória que se irá conferir às informações trazidas ao processo pelo colaborador".

Bitencourt e Busato[20] questionam tanto os aspectos éticos e legítimos da premiação ao "traidor" por parte do Estado, como o valor probatório da palavra daquele que trai, em tese, o seu comparsa em busca de uma vantagem. Segundo os autores, "para efeito da *delação premiada*, não se questiona a motivação do delator, sendo irrelevante que tenha sido por arrependimento, vingança, ódio, infidelidade ou apenas por uma avaliação calculista, antiética e infiel do traidor-delator".[21] Dependendo do que move o "traidor-delator" é bastante arriscado

---

[18] MITTERMAYER, C. A. J. *Tratado da Prova em Matéria Criminal*. 3ª ed. Campinas: Bookseller, 1996, p. 295.

[19] Ver 67.926, Capital, TACrimSP, 1º Grupo de Câmaras Criminais – RT, 498/335

[20] BITENCOURT, Cezar Roberto; BUSATO, Paulo César. *Comentários à Lei de Organização Criminosa*: lei 12.850/2013. São Paulo: Saraiva, 2014, p. 117.

[21] BITENCOURT, Cezar Roberto; BUSATO, Paulo César. *Comentários à Lei de Organização Criminosa*: lei 12.850/2013. São Paulo: Saraiva, 2014, p. 117.

LEONARDO ISAAC YAROCHEWSKY

valorar o que diz o delator, por exemplo, por mera vingança ou por ódio. Neste sentido, asseveram, ainda, Bitencourt e Busato[22] que: "Certamente aquele que é capaz de trair, delatar ou dedurar um companheiro movido exclusivamente pela ânsia de obter alguma vantagem pessoal, não terá escrúpulos em igualmente mentir, inventar, tergiversar e manipular as informações que oferece para merecer o que deseja".

Para Pereira,[23] o legislador brasileiro não se preocupou em estabelecer nenhum regramento de ordem processual para a delação ou cooperação premiada.

Como bem salientou o processualista Jacinto Nelson Miranda Coutinho,[24]

> O pior é que o resultado da delação premiada – e talvez a questão mais relevante – não tem sido questionado, o que significa ter a palavra do delator tomado o lugar da "verdade absoluta" (como se ela pudesse existir), inquestionável. Aqui reside o perigo maior. Por elementar, a palavra assim disposta não só cobra confirmação precisa e indiscutível como, por outro lado, deve ser sempre tomada, na partida, como falsa, até porque, em tais hipóteses, vem de alguém que quer se livrar do processo e da pena. Trata-se, portanto, de meia verdade, pelo menos a ponto de não enganar quem tem os pés no chão; e cabeça na CR.

Corroborando a insuficiência da palavra do delator ou do agente colaborador sem que haja outra prova, a Lei n. 12.850/2013 – Lei de Organizações Criminosas – proclama que: "Nenhuma sentença condenatória será proferida com fundamento apenas nas declarações do agente colaborador" (art. 4º, § 16).

Contudo, os procuradores da República da Força Tarefa da Lava Jato, ao ofertarem denúncia contra o ex-Presidente da República Luiz

---

[22] *Comentários à Lei de Organização Criminosa*: Lei 12.850/2013. São Paulo: Saraiva, 2014. p. 117.

[23] *Delação Premiada*: legitimidade e Procedimento. 2ª ed. Curitiba: Juruá Editora, 2016. p. 176.

[24] "Fundamentos à inconstitucionalidade da delação premiada". *Boletim IBCCRIM*, São Paulo, Vol. 13, n. 159, fev. 2006, p. 7.

DELAÇÃO PREMIADA COMO SUBSTITUTO DA ATIVIDADE...

Inácio Lula da Silva, desprezam a fragilidade das delações e as utilizam como se fossem a "rainha das provas".

IV. CONCLUSÃO

O esdrúxulo instituto da delação ou colaboração premiada tem sido utilizado de forma desgovernada, abusiva e arbitrária, principalmente como meio de obtenção da confissão e da entrega de outros investigados/acusados em troca da liberdade.

> A delação premiada não se constitui em um recurso moderno do processo penal, assim como não se apresenta como repercussão de nenhum avanço especial havido na persecução criminal. Em verdade, a delação premiada sempre representou, juntamente com a prática da tortura, uma das ferramentas fundamentais dos processos arbitrários, em especial os medievos de índole inquisitorial (...). Efetivamente o procedimento de índole inquisitorial, com apego às ideias fundamentais desenvolvidas pelo Tribunal do Santo Ofício, tem na delação praticada pelo acusado um dos elementos essenciais de prova, além, evidentemente, de constituir medida investigatória fundamental.[25]

Na maioria absoluta dos casos a delação vem daqueles que estão presos e que, para obterem a liberdade, mandam às favas os escrúpulos e acabam delatando outras pessoas. No processo penal autoritário a prisão preventiva, que deveria se pautar pelo caráter da necessidade e da excepcionalidade, além de sua natureza cautelar, vem se transformando em regra e em antecipação da tutela penal para, também, forçar a delação.

Maria Lúcia Karam,[26] em referência aos abusos cometidos no âmbito da famigerada "Operação Lava Jato" conduzida pelo juiz Federal

---

[25] TASSE, Adel El. "Delação premiada: novo passo para um procedimento medieval". *Ciências Penais*: Revista da Associação Brasileira de Professores de Ciências Penais, São Paulo, Vol. 3, n. 5, jul./dez. 2006, p. 274.

[26] *A midiática 'operação lava-jato' e a totalitária realidade do processo penal brasileiro*. Santa Catarina: Empório do Direito, 2016. Disponível em < http://emporiododireito.com.

263

da 13ª Vara Federal de Curitiba Sérgio Moro, notadamente, o número elevado de decretação de prisões provisórias com o claro intuito de obtenção de delações, observa que:

> Trazendo para o trono de 'rainha das provas' a famigerada delação premiada, obtida em quantidade astronômica através da abusiva decretação de prisões provisórias com o nítido, chantagista e torturante objetivo de levar investigados ou réus a fornecer as provas que o Ministério Público cômoda e ilegitimamente se dispensa do ônus de produzir, a midiática 'operação lava-jato' tem aprofundado a totalitária tendência, já há algum tempo introduzida no processo penal brasileiro, de utilização de insidiosos e invasivos meios de investigação e busca de prova para ilegitimamente fazer com que, através do próprio indivíduo investigado ou acusado, se revele a verdade sobre suas ações tornadas criminosas.

A prática da negociação e do escambo entre confissão e delação, de um lado, e impunidade ou redução de pena, do outro, segundo Ferrajoli,[27] "sempre foi uma tentação recorrente na história do Direito Penal, seja da legislação e mais ainda da jurisdição, pela tendência dos juízes, e, sobretudo, dos inquisidores, de fazer uso de algum modo de seu poder de disposição para obter a colaboração dos imputados contra eles mesmos".

Na abordagem que faz do Direito Penal de exceção, Ferrajoli[28] refere-se ao "gigantismo processual" – elemento estrutural do direito penal de exceção – que se desenvolve horizontalmente, com "abertura de megainvestigações contra centenas de imputados, mediante prisões em frágeis indícios como primeiros e prejudiciais atos de instrução"

---

br/a-midiatica-operacao-lava-jato-e-a-totalitaria-realidade-do-processo-penal-brasileiro/. Acesso em 03.11.2016.

[27] *Direito e razão*: teoria do garantismo penal. Tradução de Ana Paula Zomer Sica *et al*. São Paulo: Revista dos Tribunais, 2014.

[28] *Direito e razão*: teoria do garantismo penal. Tradução de Ana Paula Zomer Sica *et al*. São Paulo: Revista dos Tribunais, 2014.

(qualquer semelhança com a realidade brasileira não é mera coincidência). Graças ao "gigantismo penal" é que se pode, segundo Ferrajoli,[29]

> desenvolver um conúbio perverso entre encarceramento preventivo e colaboração premiada com a acusação: o primeiro utilizado como meio de pressão sobre os imputados para obter deles a segunda, e esta como instrumento de ratificação da acusação às vezes além de toda a verificação e inclusive de confrontos com a chamada do corréu.

Escrevendo sobre o "crime organizado", Raúl Zaffaroni[30] é categórico quando afirma que:

> A impunidade de agentes encobertos e dos chamados 'arrependidos' constitui uma séria lesão à eticidade do Estado, ou seja, ao princípio que forma parte essencial do Estado de Direito: o Estado não pode se valer de meios imorais para evitar a impunidade (...) o Estado está se valendo da cooperação de um delinquente, comprada ao preço da sua impunidade para 'fazer justiça', o que o Direito Penal liberal repugna desde os tempos de Beccaria.

No que se refere ao aspecto processual da delação, o processualista Geraldo Prado[31] é definitivo em afirmar que:

> Não há na delação premiada nada que possa, sequer timidamente, associá-la ao modelo acusatório de processo penal. Pelo contrário, os antecedentes menos remotos deste instituto podem ser pesquisados no Manual dos Inquisidores. Jogar o peso da pesquisa dos fatos nos ombros de suspeitos e cancelar, arbitrariamente, a condição que todas as pessoas têm, sem exceção, de serem titulares de direitos fundamentais, é trilhar o caminho de volta à Inquisição (em tempos de neofeudalismo isso não surpreende).

---

[29] *Direito e razão*: teoria do garantismo penal. Tradução de Ana Paula Zomer Sica *et al.* São Paulo: Revista dos Tribunais, 2014.

[30] "'Crime organizado': uma categorização frustrada". *Discursos sediciosos*: crime, direito e sociedade. Rio de Janeiro: Instituto Carioca de Criminologia, 1996, p. 75.

[31] "Da delação premiada: aspectos de direito processual". *Boletim IBCCRIM*, São Paulo, Vol. 13, n. 159, pp. 10-12, fev. 2006.

Assim sendo, é lamentável que a delação (colaboração) premiada venha substituindo a atividade investigativa do Estado. O Estado passou a conceder ao infrator (traidor-delator) o poder de determinar quem deve ser punido. Abrindo mão em favor do delator (colaborador) do monopólio do *jus puniendi*, o Estado revela sua incompetência e sua falência na pretensão de combater a famigerada criminalidade organizada.

Além de tudo, verifica-se que, no momento atual por que passa o Brasil, no qual a Presidenta da República Dilma Vana Rousseff, eleita democraticamente com mais de 54 milhões de votos, foi deposta por um golpe parlamentar, as delações premiadas vem sendo vazadas e utilizadas, levianamente e de forma vil, como arma política em favor do golpe e contra aqueles que, como Dilma e o ex-Presidente da República Luiz Inácio Lula da Silva, governaram para os mais pobres e vulneráveis da sociedade. Para aqueles que efetivamente se comprometeram com a democracia material e, portanto, com o povo brasileiro.

REFERÊNCIAS BIBLIOGRÁFICAS

BITENCOURT, Cezar Roberto; BUSATO, Paulo César. *Comentários à Lei de Organização Criminosa*: lei 12.850/2013. São Paulo: Saraiva, 2014.

BITTAR, Walter Barbosa. "Delação premiada no Brasil e na Itália: uma análise comparativa". *Revista Brasileira de Ciências Criminais*, São Paulo, Vol. 19, n. 88, pp. 225-270, jan./fev. 2011.

COUTINHO, Jacinto Nelson de Miranda. "Fundamentos à inconstitucionalidade da delação premiada". *Boletim IBCCRIM*, São Paulo, Vol. 13, n. 159, pp. 7-9, fev. 2006.

ESTELLITA, Heloisa. "A delação premiada para a identificação dos demais coautores ou partícipes: algumas reflexões à luz do devido processo legal". *Boletim IBCCRIM*, São Paulo, Vol. 17, n. 202, pp. 2/3, set. 2009.

FERRAJOLI, Luigi. *Direito e razão*: teoria do garantismo penal. Tradução de Ana Paula Zomer Sica *et al*. São Paulo: Revista dos Tribunais, 2014.

FONSECA, Tiago Dutra; FRANZINI, Milena de Oliveira. "Delação premiada: metástase política". *Boletim IBCCRIM*, São Paulo, Vol. 13, n. 156, p. 9, nov. 2005.

GRINOVER, Ada Pellegrini. "O crime organizado no sistema italiano". *In*: PENTEADO, Jaques de Camargo (Coord.). *Justiça penal 3*: críticas e sugestões.

O crime organizado (Itália e Brasil); a modernização da lei penal. São Paulo: Revista dos Tribunais, 1995. pp. 13-29.

KARAM, Maria Lúcia. *A midiática 'operação lava-jato' e a totalitária realidade do processo penal brasileiro*. Santa Catarina: Empório do Direito, 2016. Disponível em < http://emporiododireito.com.br/a-midiatica-operacao-lava-jato-e-a-totalitaria-realidade-do-processo-penal-brasileiro/. Acesso em 03.11.2016.

MAIA NETO, Cândido Furtado. *Delação (colaboração) Premiada e os Direitos Humanos*: modelo de justiça com tortura psíquica legalizada, imputação generalizada, pena anunciada e condenação antecipada. Santa Catarina: Empório do Direito, 2015. Disponível em < http://emporiododireito.com.br/delacao-colaboracao-premiada-e-os-direitos-humanos-modelo-de-justica-com-tortura-psiquica-legalizada-imputacao-generalizada-pena-anunciada-e-condenacao-antecipada-por-candido-furtado-maia/. Acesso em 15.09.2016.

MITTERMAYER, C. A. J. *Tratado da Prova em Matéria Criminal*. 3ª ed. Campinas: Bookseller, 1996.

PEREIRA, Frederico Valdez. *Delação Premiada*: legitimidade e procedimento. 3ª ed. Curitiba: Juruá Editora, 2016.

PRADO, Geraldo. "Da delação premiada: aspectos de direito processual". *Boletim IBCCRIM*, São Paulo, Vol. 13, n. 159, pp. 10-12, fev. 2006.

SILVA, De Plácido e. *Vocabulário Jurídico*. 18ª ed. Rio de Janeiro: Companhia Editora Forense, 2001.

TASSE, Adel El. "Delação premiada: novo passo para um procedimento medieval". *Ciências Penais*: Revista da Associação Brasileira de Professores de Ciências Penais, São Paulo, Vol. 3, n. 5, pp. 269-283, jul./dez. 2006.

ZAFFARONI, Eugenio Raúl. "'Crime organizado': uma categorização frustrada". *Discursos sediciosos*: crime, direito e sociedade. Rio de Janeiro: Instituto Carioca de Criminologia, 1996.

Informação bibliográfica deste texto, conforme a NBR 6023:2002 da Associação Brasileira de Normas Técnicas (ABNT):

YAROCHEWSKY, Leonardo Isaac. "Delação Premiada como substituto da atividade investigativa do Estado". *In*: ZANIN MARTINS, Cristiano; TEIXEIRA ZANIN MARTINS, Valeska; VALIM, Rafael (Coord.). *O Caso Lula*: a luta pela afirmação dos direitos fundamentais no Brasil. São Paulo: Editora Contracorrente, 2017, pp. 249-267. ISBN. 978-85-69220-19-0.

PARCIALIDADE DE MAGISTRADOS, OFENSA A DIREITOS HUMANOS E TRANSCONSTITUCIONALISMO:
Por que é legítima a Reclamação do ex-Presidente Luiz Inácio Lula da Silva perante o Comitê de Direitos Humanos da Organização das Nações Unidas?

MARCELO NEVES

I. INTRODUÇÃO

Em 28 de Julho de 2016, o ex-Presidente Luiz Inácio Lula da Silva apresentou Reclamação (em forma de "Comunicação") perante o Comitê de Direitos Humanos da Organização das Nações Unidas (ONU) contra o Brasil, arguindo que órgãos judiciais brasileiros vêm exercendo atividades que contrariam o Pacto Internacional sobre Direitos Civis e Políticos e, assim, violam direitos do reclamante. Esse relevante Pacto Internacional foi adotado pela XXI Sessão da Assembleia-Geral das Nações Unidas em 16 de dezembro de 1966, aprovado pelo Congresso por meio do Decreto Legislativo n. 226, de 12 de dezembro de 1991, e promulgado pelo Decreto n. 592, de 6 de julho de 1992, nos termos do art. 84, inciso VIII, da Constituição Federal. O Pacto encontra-se em vigor no Brasil desde 24 de abril de 1994, na forma do seu art. 49, § 2º. Por sua vez, o Protocolo Facultativo ao Pacto Internacional sobre Direitos Civis e Políticos, adotado em Nova Iorque, em 16 de dezembro de 1966, e o Segundo Protocolo Facultativo ao Pacto Internacional sobre Direitos Civis e Políticos com vistas à Abolição da Pena de Morte, adotado e proclamado pela Resolução n. 44/128, de 15 de dezembro de 1989, com a reserva expressa no art. 2º, foram aprovados pelo Decreto Legislativo n. 311, de 16 de junho de 2009.

A Reclamação baseou-se especialmente no art. 9º, §§ 1º e 3º, art. 14, §§ 1º e 2º, art. 17 e art. 41, § 1º, alínea *c*, do Pacto Internacional sobre Direitos Civis e Políticos. O § 1º do art. 9º do Pacto estabelece:

> 1. Toda pessoa tem direito à liberdade e à segurança pessoais. Ninguém poderá ser preso ou encarcerado arbitrariamente. Ninguém poderá ser privado de liberdade, salvo pelos motivos previstos em lei e em conformidade com os procedimentos nela estabelecidos.

Em relação a esse dispositivo o reclamante alegou a sua violação na condução coercitiva forçada em 4 de março de 2016, determinada pelo Juiz Sérgio Moro dois dias antes.

O art. 17 do Pacto prescreve:

> 1. Ninguém poderá ser objetivo de ingerências arbitrárias ou ilegais em sua vida privada, em sua família, em seu domicílio ou em sua correspondência, nem de ofensas ilegais às suas honra e reputação.
>
> 2. Toda pessoa terá direito à proteção da lei contra essas ingerências ou ofensas.

O reclamante sustenta a ofensa a esse artigo tanto pela publicação de interceptações (a) autorizadas e (b) ilegais e não autorizadas de

PARCIALIDADE DE MAGISTRADOS, OFENSA A DIREITOS HUMANOS...

comunicações telefônicas do reclamante quanto pelas interceptações ilegais de seus advogados por ordem do Juiz Sérgio Moro.

O § 1º do art. 14 do Pacto, em seu segundo período, dispõe:

> Toda pessoa terá o direito de ser ouvida publicamente e com devidas garantias por um tribunal competente, independente e imparcial, estabelecido por lei, na apuração de qualquer acusação de caráter penal formulada contra ela ou na determinação de seus direitos e obrigações de caráter civil.

A esse respeito, o reclamante argui a parcialidade da atuação do Juiz Sérgio Moro.

O § 3º do art. 9º do Pacto determina:

> 3. Qualquer pessoa presa ou encarcerada em virtude de infração penal deverá ser conduzida, sem demora, à presença do juiz ou de outra autoridade habilitada por lei a exercer funções judiciais e terá o direito de ser julgada em prazo razoável ou de ser posta em liberdade. A prisão preventiva de pessoas que aguardam julgamento não deverá constituir a regra geral, mas a soltura poderá estar condicionada a garantias que assegurem o comparecimento da pessoa em questão à audiência, a todos os atos do processo e, se necessário for, para a execução da sentença.

Em relação a essa disposição pactual, o reclamante aponta para a prática do Juiz Sérgio Moro e outras autoridades envolvidas na chamada "Operação Lava Jato" de admitir prisão preventiva por tempo indeterminado, até que o preso faça uma "delação premiada" ("colaboração premiada" na linguagem dos artigos 4º a 7º da Lei n. 12.850, de 2 de agosto de 2013).

O § 2º do art. 14 do Pacto prevê a presunção de inocência nos seguintes termos:

> 2. Toda pessoa acusada de um delito terá direito a que se presuma sua inocência enquanto não for legalmente comprovada sua culpa.

No que concerne a esse preceito, o reclamante argui que o Juiz Sérgio Moro ofendeu-lhe o direito do ser presumido inocente mediante práticas que caracterizam manifesto prejulgamento.

Por fim e como base processual para a sua Reclamação, o ex-Presidente Lula argumentou que as instâncias judiciais internas foram esgotadas após suas ações e recursos contra a atividade jurisdicional parcial do Juiz Sérgio Moro, violadora dos seus direitos civis fundamentais amparados nos preceitos jurídico-internacionais supramencionados. A esse respeito, aplica-se o art. 41, § 1º, alínea *c*, do Pacto Internacional sobre Direitos Civis e Políticos:

> c) O Comitê tratará de todas as questões que se lhe submetem em virtude do presente artigo somente após ter-se assegurado de que todos os recursos jurídicos internos disponíveis tenham sido utilizados e esgotados, em consonância com os princípios do Direito Internacional geralmente reconhecidos. Não se aplicará essa regra quanto a aplicação dos mencionados recursos prolongar-se injustificadamente.

Essa Reclamação do ex-Presidente Lula perante o Comitê de Direitos Humanos da ONU foi criticada por membros do Judiciário como meramente "política" e contestada pelo Executivo brasileiro como infundada, especialmente com a alegação de que o Judiciário brasileiro é imparcial. A seguir, procurarei responder a esse tipo de crítica e contestação. Na seção I, farei uma breve exposição das práticas do Juiz Sérgio Moro em relação às investigações contra o ex-Presidente Lula no âmbito da chamada "Operação Lava Jato", assim como considerarei as decisões de órgãos judiciais *ad quem* e de instâncias de controle administrativo sobre tais práticas. Na seção II, tratarei da Reclamação do ex-Presidente Lula na perspectiva transconstitucional. Por fim, na seção III, apresentarei sucintamente as minhas conclusões.

II. DA ATIVIDADE PARCIAL DO JUIZ SÉRGIO MORO EM RELAÇÃO AO EX-PRESIDENTE LULA E DA AUSÊNCIA DE DECISÃO SANEADORA NO PLANO JUDICIAL E ADMINISTRATIVO-DISCIPLINAR

Nessa época de investigação de escândalos de corrupção e condenação de corruptos, não cabe insistir que o combate à corrupção é simplesmente a expressão de um "moralismo lacerdista". Ao contrário, cabe considerar que há uma relação tendencial muito forte entre corrupção e exclusão social ou entre corrupção e desigualdade[1]: quanto maior a exclusão social – nos setores subintegrados, formados por subcidadãos, aquém da lei e da constituição –, tanto maiores são as possibilidades de ampliação da corrupção, especialmente nos setores sobreintegrados, no qual estão presentes verdadeiros sobrecidadãos, que vivem acima da lei e da constituição.[2] Nesse sentido, a luta contra a "corrupção sistêmica" faz parte de movimento dirigido à inclusão social e à fortificação da cidadania. Portanto, em princípio, não cabem críticas às ações judiciais, às atividades do ministério público e às investigações da polícia federal destinadas ao combate à corrupção em uma perspectiva de um Estado constitucional e democrático, orientado pelo princípio da igualdade. De certa maneira, é constrangedor para muitos que lhe deram apoio político e eleitoral constatar que membros do governo anterior estiveram envolvidos em corrupção durante os quatro últimos mandatos presidenciais anteriores.

Entretanto, o combate à corrupção no Estado democrático de direito não deve ser realizado mediante violação à constituição e à lei,

---

[1] *Cf.* ROSE-ACKERMAN, Susan. *Corruption and Government:* Causes, Consequences, and Reforms. Cambridge: Cambridge University Press, 1999.

[2] Sobre subintegração e subcidadania *versus* sobreintegração e subcidadania como formas de exclusão "por baixo" e "por cima", respectivamente, na modernidade periférica, ver NEVES, Marcelo. *Verfassung und Positivität des Rechts in der peripheren Moderne:* Eine theoretische Betrachtung und eine Interpretation des Falls Brasilien. Berlim: Duncker & Humblot, 1992, pp. 78/79 e 94/95; "Entre Subintegração e Sobreintegração: A Cidadania Inexistente". *In: DADOS – Revista de Ciências Sociais*, Rio de Janeiro: Instituto Universitário de Pesquisas do Rio de Janeiro, vol. 37, n. 2, pp. 253-276.

de maneira arbitrária, como nos regimes autoritários e totalitários, cuja aparente pretensão de banir a corrupção a todo custo, em vez de extingui-la e "purificar" o país, redunda usualmente em novas formas de corrupção. Exige-se de juízes e demais agentes públicos, no Estado constitucional, que combatam a corrupção nos termos da lei e da constituição. Nem juízes em geral nem ministros de corte suprema estão acima da lei e da constituição.

No início da chamada "Operação Lava Jato", dirigida judicialmente pelo Juiz Sérgio Moro na primeira instância (para os que não têm privilégio de foro), houve algum sinal de esperança de que as atividades policiais, ministeriais e judiciais fossem conduzidas imparcialmente, dentro da lei e da constituição. Fatos posteriores fizeram esvanecer tal esperança. A atitude arbitrária e de cunho partidário começou a se delinear claramente com a "condução coercitiva" do ex-Presidente Lula, em 4 de março de 2016, por aparato policial próprio para operações contra criminosos internacionais de alta periculosidade, conforme despacho/decisão do Juiz Sérgio Moro.[3] Já naquele momento, os indícios de parcialidade e partidarização começavam a tomar corpo. Além disso, a ordem de "condução coercitiva" violava frontalmente o art. 260 do Código de Processo Penal:

> Art. 260. Se o acusado não atender à intimação para o interrogatório, reconhecimento ou qualquer outro ato que, sem ele, não possa ser realizado, a autoridade poderá mandar conduzi-lo à sua presença.

O ponto mais elevado de manifestação da parcialidade e partidarização do judiciário ocorreu com a apressada liberação de "interceptações de comunicações telefônicas" do ex-Presidente Lula, tornada midiaticamente espetacular. Em relação a esse evento, há fortes indícios de ter havido comunicação antecipada aos órgãos de imprensa antes de qualquer decisão ou ato judicial motivador pelo próprio juiz da causa,

---

[3] 13ªVara Federal de Curitiba, PETIÇÃO N. 5007401-06.2016.4.04.7000/PR, despacho assinado em 29 de fevereiro de 2016, às 13h43m49s.

PARCIALIDADE DE MAGISTRADOS, OFENSA A DIREITOS HUMANOS...

Sérgio Moro (a pretensa motivação teria surgido *a posteriori*): observe-se que o despacho/decisão foi assinado/a eletronicamente em 16/03/2016, às 16h19m38s[4], e já estava plena e detalhadamente publicado/a no sítio *globo.com G1* às 18h38 do mesmo dia.[5] E mesmo que a imprensa tenha tido acesso apenas após o/a despacho/decisão, há indícios fortíssimos de que houve desvio de finalidade do ato judicial, que serviu apenas para criar comoção pública contrária à nomeação do ex-Presidente Lula para o cargo de Ministro de Estado, encobrindo uma ação de cunho políti-co-partidário. Além disso, algumas das interceptações estavam fora de sua competência por força do foro privilegiado dos agentes envolvidos e uma delas ocorreu depois de encerrada a investigação por determina-ção do próprio magistrado.[6]

O caso aponta claramente para a típica situação de "dois pesos, duas medidas". Por muito menos, por ser-lhe imputada a comunicação

---

[4] 13ª Vara Federal de Curitiba, PEDIDO DE QUEBRA DE SIGILO DE DADOS E/OU TELEFÔNIC N. 5006205 98.2016.4.04.7000/PR, Evento 135, Despacho/Decisão 11.

[5] Cf. CASTRO, Fernando; NUNES, Samuel; NETTO, Vladimir. "Moro derruba sigilo e divulga grampo de ligação entre Lula e Dilma; ouça". *G1,* 16 mar. 2016. Disponível em http://g1.globo.com/pr/parana/noticia/2016/03/pf-libera-documen-to-que-mostra-ligacao-entre-lula-e-dilma.html. Acesso em 31.10.2016.

[6] Às 11h12, o Juiz Sérgio Moro determinou a interrupção das gravações PEDIDO DE QUEBRA DE SIGILO DE DADOS E/OU TELEFÔNICO N. 5006205-98.2016.4.04.7000/PR, Evento 112, Despacho/Decisão). Às 11h44m14s, intimou por telefone o delegado da Polícia Federal Luciano Flores de Lima a respeito da suspensão das gravações (*idem*, Certidão). Entre 12h17 e 12h18, enviou comunicados às opera-doras de telecomunicações sobre a suspensão dos grampos (*idem*, Evento 128, Ofício; cf. também *idem*, Certidão, às 14h56m59s). Entretanto, a conversa em que a então Presidenta Dilma Rousseff avisou a Lula que ele vai receber o termo de posse como Ministro da Casa Civil aconteceu às 13h32. A própria Polícia Federal foi quem relatou isso ao Juízo da 13ª Vara Federal Criminal de Curitiba, onde correm a chamada "Ope-ração Lava-Jato" e as investigações sobre o ex-Presidente Lula: em comunicado envia-do à Vara, às 15h34, o delegado Luciano Flores conta ao Juiz Sérgio Moro sobre o conteúdo. Cf. AMORIM, Felipe; COSTA, Flávio. "PF gravou Dilma e Lula após Moro interromper interceptação telefônica". *UOL*, 16 mar. 2016. Disponível em http://noticias.uol.com.br/politica/ultimas-noticias/2016/03/16/gravacao-entre-dilma-e-lula--foi-feita-depois-de-moro-decidir-pela-interrupcao-do-sigilo.html. Acesso em 01.11.2016.

antecipada de uma operação policial contra o empresário Daniel Dantas, o então delegado Protógenes Queiroz foi demitido da polícia federal e condenado criminalmente, nos termos do art. 325 do Código Penal.[7] Tentou-se condenar também o juiz do caso, Fausto de Sanctis, mas esse se livrou ao ser promovido a Desembargador Federal, pois a pena de censura que se pretendeu esdruxulamente aplicar-lhe não caberia para magistrados de segunda instância. Por fim, em um quiproquó de filigranas jurídicas, a chamada "Operação Satiagraha" foi anulada[8], permanecendo o controvertido empresário livre até hoje.

Naquela ocasião, os hoje arautos da moralidade sustentavam que se tratava de um "estado policial". Atualmente, os mesmos arautos da moralidade, enfatizam o valor da atividade arbitrária da polícia, do ministério público e do judiciário contra as garantias do ex-Presidente Lula.

Entretanto, seria principalmente agora que caberia, em nome do Estado de direito (e não de falso moralismo e de elites corruptas), exigir-se a abertura de processo criminal ou, no mínimo, disciplinar contra o Juiz Sérgio Moro. Essa não é uma questão pessoal ou moral (que atinge a pessoa em sua inteireza), mas sim uma questão jurídica referente a condutas penalmente ou disciplinarmente ilícitas. Ao divulgar – sem nenhuma decisão motivada nos termos da lei ou mediante desvio de finalidade de ato judicial encobridor de ação de cunho político-partidário – atos sigilosos de "interceptação de comunicação telefônica" de processo/inquérito criminal contra o ex-Presidente Lula, inclusive levando ao vazamento de conversas telefônicas da então Presidenta, interceptadas em desrespeito ao foro privilegiado e quando já haviam sido desautorizadas por ele próprio as interceptações respectivas, o Juiz Sérgio Moro incorreu nos artigos 8º, 9º e 10 da Lei n. 9.296, de 24 de julho de 1996, que se fundamentam no art. 5º, incisos XII e LX, da Constituição Federal, que estabelecem:

---

7 STF, 2ª Turma, Ação Penal n. 563/SP, rel. Min. Teori Zavascki, rev. Min. Celso de Mello, julg. 21/10/2014, DJe-234, divulg. 27/11/2014, public. 28/11/2014.

8 STF, RE 680967/DF, rel. Min. Luiz Fux, decisão monocrática, 24/06/2015, DJe-125, divulg. 26/06/2015, publ. 29/06/2015.

PARCIALIDADE DE MAGISTRADOS, OFENSA A DIREITOS HUMANOS...

> XII – é inviolável o sigilo da correspondência e das comunicações telegráficas, de dados e das comunicações telefônicas, salvo, no último caso, por ordem judicial, nas hipóteses e na forma que a lei estabelecer para fins de investigação criminal ou instrução processual penal;
>
> [...]
>
> LX – a lei só poderá restringir a publicidade dos atos processuais quando a defesa da intimidade ou o interesse social o exigirem.

Por sua vez, os referidos dispositivos legais prescrevem:

> Art. 8º A interceptação de comunicação telefônica, de qualquer natureza, ocorrerá em autos apartados, apensados aos autos do inquérito policial ou do processo criminal, preservando-se o sigilo das diligências, gravações e transcrições respectivas.
>
> Parágrafo único. A apensação somente poderá ser realizada imediatamente antes do relatório da autoridade, quando se tratar de inquérito policial (Código de Processo Penal, art. 10, § 1º) ou na conclusão do processo ao juiz para o despacho decorrente do disposto nos arts. 407, 502 ou 538 do Código de Processo Penal.
>
> Art. 9º A gravação que não interessar à prova será inutilizada por decisão judicial, durante o inquérito, a instrução processual ou após esta, em virtude de requerimento do Ministério Público ou da parte interessada.
>
> Parágrafo único. O incidente de inutilização será assistido pelo Ministério Público, sendo facultada a presença do acusado ou de seu representante legal.
>
> Art. 10. Constitui crime realizar interceptação de comunicações telefônicas, de informática ou telemática, ou quebrar segredo da Justiça, sem autorização judicial ou com objetivos não autorizados em lei.
>
> Pena: reclusão, de dois a quatro anos, e multa.

A respeito do art. 10, não se pode alegar o mero descuido do Juiz Sérgio Moro. A má-fé e o caráter doloso fica patente na sua insistência em publicar as conversas telefônicas entre o ex-Presidente Lula e a então Presidenta Dilma Rousseff, após estar plenamente informado da situação (ver *supra* nota 6). Ademais, ele justificou a própria conduta típica de interceptar e publicar as conversas telefônicas envolvendo a então Presidenta, ao rever, um dia depois, em despacho/decisão de 17 de março de 2016, o ato em que determinara a suspensão das interceptações[9]. Além do crime e da pena tipificados no art. 10, relativo à interceptação de comunicação telefônica da Presidenta Dilma Rousseff, pois a autoridade judicial competente para autorização é o Supremo Tribunal Federal, aplica-se ao juiz Moro, por desrespeitar o art. 8º (e também o 9º) da Lei n. 9.296/1996, o art. 325 do Código Penal, o mesmo aplicado a Protógenes Queiroz:

> Art. 325. Revelar fato de que tem ciência em razão do cargo e que deva permanecer em segredo, ou facilitar-lhe a revelação:
>
> Pena – detenção, de seis meses a dois anos, ou multa, se o fato não constitui crime mais grave.
>
> § 1º Nas mesmas penas deste artigo incorre quem: (Incluído pela Lei n. 9.983, de 2000)
>
> I – permite ou facilita, mediante atribuição, fornecimento e empréstimo de senha ou qualquer outra forma, o acesso de pessoas não autorizadas a sistemas de informações ou banco de dados da Administração Pública; (Incluído pela Lei n. 9.983, de 2000)
>
> II – se utiliza, indevidamente, do acesso restrito. (Incluído pela Lei n. 9.983, de 2000)
>
> § 2º Se da ação ou omissão resulta dano à Administração Pública ou a outrem: (Incluído pela Lei n. 9.983, de 2000)
>
> Pena – reclusão, de 2 (dois) a 6 (seis) anos, e multa. (Incluído pela Lei n. 9.983, de 2000).

Parece-me esdrúxula a alegação de que essas vedações e penas não se aplicam aos magistrados. É claro que o magistrado pode e deve divulgar a parte relevante para a caracterização do crime quando isso for

---

[9] 13ª Vara Federal de Curitiba, PEDIDO DE QUEBRA DE SIGILO DE DADOS E/OU TELEFÔNICO N. 5006205 98.2016.4.04.7000/PR, despacho/decisão assinado/a em 17/03/2016, às 10h21m13s.

PARCIALIDADE DE MAGISTRADOS, OFENSA A DIREITOS HUMANOS...

necessário para a motivação e fundamentação de decisão definitiva ou mesmo interlocutória, após inutilização do que não interessa. Entretanto, isso não significa o poder de divulgar, sem nenhum crivo seletivo ou decisão motivada, às pressas e arbitrariamente, interceptações de comunicação telefônica, muitas delas irrelevantes para o caso e respeitante apenas à intimidade do investigado. Cumpre considerar que os referidos vazamentos prejudicaram a própria investigação que se encontrava em andamento. O fim, porém, não era judicial, era simplesmente o de criar um estado de comoção política, patrocinado por meios de comunicação exuberantemente parciais e partidários no contexto brasileiro. Entre maquiavelismo vulgar, em que os fins justificam os meios, e arbitrariedade judicial, o que ocorreu foi prática de crime pelo Juiz Sérgio Moro.

Um elemento a mais a afastar a inusitada alegação de que a proibição de vazamento de interceptação de comunicação telefônica e as respectivas penas não se aplicam aos magistrados encontra-se no art. 17 da Resolução n. 59 do Conselho Nacional de Justiça (CNJ), de 9 de setembro de 2008, *in verbis*:

> Art. 17. Não será permitido ao Magistrado e ao servidor fornecer quaisquer informações, direta ou indiretamente, a terceiros ou a órgão de comunicação social, de elementos sigilosos contidos em processos ou inquéritos regulamentados por esta Resolução, ou que tramitem em segredo de Justiça, sob pena de responsabilização nos termos da legislação pertinente. (Redação dada pela Resolução 217, de 16.02.16).

Essa Resolução, na sua forma originária[10], foi aprovada pelo CNJ sob a presidência do Ministro Gilmar Mendes, que agora, informalmente, perante a grande imprensa, parece defender posição contrária à sua aplicação aos magistrados: "Dois pesos, duas medidas".

---

[10] "Art. 17. Não será permitido ao magistrado e ao servidor fornecer quaisquer informações, direta ou indiretamente, a terceiros ou a órgão de comunicação social, de elementos contidos em processos ou inquéritos sigilosos, sob pena de responsabilização nos termos da legislação pertinente".

MARCELO NEVES

Também não se diga que cabe no caso uma ponderação entre proteção da intimidade e interesse social. Essa ponderação judicial só teria sentido se já não houvesse regra legal penal tipificando o crime e cominando a pena. A ponderação, nesse caso, já foi feita politicamente pelo legislador. Diante de princípios e regras constitucionais contrários, não cabe ponderação de regra legal penal, mas tão só a declaração de sua inconstitucionalidade parcial ou total. Regras, especialmente regras penais completas, que não preveem exceções à luz de princípio, não comportam ponderação à luz de princípio. Mesmo o teórico chamado estridentemente por discípulos empolgados de "profeta da ponderação estruturada"[11], Robert Alexy, reconhece essa impossibilidade. A propósito, são suas as seguintes palavras:

> Isso traz à tona a questão da hierarquia entre os dois níveis. A resposta a essa pergunta somente pode sustentar que, do ponto de vista da vinculação à Constituição, há uma primazia do nível das regras (...). É por isso que as determinações estabelecidas no nível das regras têm primazia em relação a determinações alternativas com base em princípios.[12]

Em relação a regras penais, o recurso a sua ponderação *ad hoc* com princípios constitucionais levaria à extrema insegurança jurídica, contra o Estado, a sociedade e os cidadãos, servindo apenas à arbitrariedade judicial.

A essas práticas ilegais do magistrado, os ministros do Supremo Tribunal Federal reagiram de maneiras as mais estapafúrdias. Em decisão monocrática no julgamento da Medida Cautelar no Mandado de Segurança n. 34.070/DF[13], o Ministro Gilmar Mendes suspendeu a nomeação

---

[11] ZUCCA, Lorenzo. "Conflicts of Fundamental Rights as Constitutional Dilemmas". *In*: BREMS, Eva (Coord.). *Conflicts between Fundamental Rights*. Antuérpia: Intersentia, 2008, pp. 19-37, p. 28; KLATT, Mathias; MEISTER, Moritz. *The Constitutional Structure of Proportionality*. Oxford: Oxford University Press, 2012, p. 4.

[12] ALEXY, Robert. *Theorie der Grundrechte*. Frankfurt am Main: Suhrkamp, 1986, pp. 121/122. Tradução em português estabelecida como *Teoria dos direitos fundamentais*. São Paulo: Malheiros, 2008, p. 140.

[13] STF, MS 34070 MC / DF, Rel. Min. Gilmar Mendes, decisão liminar monocrática, 18/03/2016, DJe n. 54, divulg. 22/03/2016, publ. 28/03/2016.

PARCIALIDADE DE MAGISTRADOS, OFENSA A DIREITOS HUMANOS...

do ex-Presidente Lula pela ex-Presidenta Dilma Rousseff para Ministro Chefe da Casa Civil. Como se sabe, o cargo de Ministro de Estado é de livre nomeação e exoneração do Presidente da República. A alegação de desvio de finalidade baseou-se em um vazamento ilegal de interceptação de comunicação telefônica entre o ex-Presidente Lula e a ex-Presidenta. O caso, por conexão, já se encontrava *sub judice*, a ser decidido liminarmente pelo Ministro Teori Zavascki (Medida Cautelar na Reclamação n. 23.457/PR). A esse juiz caberia qualificar, liminarmente, a natureza jurídica da interceptação e da respectiva comunicação, como, aliás, o fez posteriormente, em 13 de junho de 2016, declarando nulo o ato que fundamentou a decisão do Ministro Gilmar Ferreira Mendes.[14] Em decisão datada de 18 de março, às pressas e de forma inusitada, este magistrado, após encontros públicos com membros da oposição em 16 de março de 2016[15], adiantou-se e impediu que a então Presidenta praticasse um ato que lhe parecia fundamental para a melhoria política do seu governo e rigorosamente obediente à sua competência constitucional. A intromissão judicial na política apresenta-se chocante nesse caso. Atos ilegais passaram a ser fundamento de decisão judicial claramente partidária.

A Reclamação apresentada perante o STF contra a ato de liberação ilegal das interceptações de comunicações telefônicas do ex-Presidente Lula, entre elas interceptações ilegais, não encontrou resposta juridicamente satisfatória do Supremo. No julgamento da Medida Cautelar na Reclamação n. 23.457/PR, o Ministro Teori Zavascki limitou-se a "reconhecer a violação de competência do Supremo Tribunal Federal" no que tange ao foro privilegiado, cassando as respectivas "decisões" proferidas pelo juiz Moro, e a "reconhecer a nulidade do conteúdo de conversas colhidas após a determinação judicial de interrupção das interceptações telefônicas". Determinou, porém, "a imediata

---

[14] STF, Rcl 23457, Rel. Min. Teori Zavascki, decisão liminar monocrática, 13/06/2016, DJe n. 124, divulg. 15/06/2016, publ. 16/06/2016.

[15] Cf. FRANCO, Ilimar. "Gilmar, Serra e Armínio conversam antes do julgamento STF". *O Globo*, 16 mar. 2016. Disponível em http://blogs.oglobo.globo.com/panorama-politico/post/gilmar-serra-e-arminio-conversam-antes-julgamento-stf.html. Acesso em 01/10/2016.

baixa ao juízo reclamado" dos demais processos referentes às interceptações publicadas, sem nenhuma consideração sobre a postura manifestamente parcial do Juiz.

Posteriormente, o Ministro Teori Zavascki também rejeitou Reclamação do ex-Presidente Lula para não ser processado nem julgado pelo Juiz Sérgio Moro, na qual se arguiu que diversas condutas desse magistrado apresentam claras evidências de parcialidade em relação ao impetrante. O Ministro Zavascki não apenas rejeitou liminarmente a Reclamação, insistindo na competência do Juiz Moro, mas ainda prejulgou o ex-Presidente, afirmando que "os argumentos agora trazidos nesta reclamação constitui (sic) mais uma das diversas tentativas da defesa de embaraçar as apurações" referentes aos "processos (inquéritos e ações penais) que buscam investigar supostos crimes praticados no âmbito da Petrobras".[16] O absurdo desse prejulgamento levou-o a retificar posteriormente a sua decisão, retirando o referido trecho.[17]

Tal "descuido" do Ministro Zavascki em decisão contrária aos direitos do ex-Presidente Lula é um forte sintoma da parcialidade do Judiciário brasileiro em relação a esse político. Não se poderia imaginar um tal descuido caso se tratasse de políticos da elite hegemônica brasileira, como, por exemplo, José Sarney. Observe-se que, na rejeição do pedido de prisão de José Sarney, Renan Calheiros e Romero Jucá pelo Procurador-Geral da República, baseado em gravações de comunicações telefônicas em que se discutiam caminhos para obstruir a chamada "Operação Lava Jato", o Ministro Zavascki alegou que "não se pode deixar de relativizar a seriedade de algumas afirmações, captadas sem a ciência do interlocutor, em estrito ambiente privado".[18] Já em relação às comunicações telefônicas privadas do ex-Presidente Lula, interceptadas e divulgadas ilegalmente pelo Juiz Moro, nas quais não havia nada

---

[16] STF, Rcl 25048/PR, rel. Min. Teori Zavascki, decisão monocrática, 05/09/2016, DJe-192, divulg. 08/09/2016, public. 09/09/2016.

[17] STF, Rcl 25048 AgR/PR, rel. Min. Teori Zavascki, decisão monocrática, 13/09/2016, DJe-198, divulg. 15/09/2016, public. 16/09/2016.

[18] STF, AC 4173/DF, rel. Min. Teori Zavascki, decisão monocrática (item 10, p. 32), 14/06/2016, DJe-125, divulg. 16/06/2016, publ. 17/06/2016.

PARCIALIDADE DE MAGISTRADOS, OFENSA A DIREITOS HUMANOS...

de articulado para abortar o andamento de processos ou investigações judiciais, esse mesmo Ministro do STF afirmava desnecessariamente ao conceder liminar na Reclamação n. 23.457/PR, em 22 de março de 2016: "A esta altura, há de se reconhecer, são irreversíveis os efeitos práticos decorrentes da indevida divulgação das conversações telefônicas interceptadas".[19] Nesses "pequenos" desvios *obter dictum* em decisões judiciais, também se manifesta a parcialidade dos membros do Judiciário brasileiro em relação ao ex-Presidente Lula.

E essa situação de extrema parcialidade do Judiciário e do Ministério Pública chegou ao extremo após a Reclamação do ex-Presidente Lula perante o Comitê de Direitos Humanos da ONU, com a denúncia da autointitulada "Força Tarefa Lava Jato", denúncia apresentada espetacularmente à imprensa pelo Procurado Federal Deltan Dallagnol em 14 de setembro de 2106. Na exposição midiática dessa denúncia, o referido Procurador, entre outros excessos inadmissíveis, achacou o denunciado como "o maestro dessa grande orquestra concatenada para saquear os cofres da Petrobras e de outros órgãos públicos" e "o general que estava no comando desse esquema de 'propinocracia', o governo por meio da propina"[20], embora a denúncia não o enquadrasse formalmente em nenhum tipo penal referente a essas supostas situações e não apresentasse nenhuma prova a respeito dessas meras ilações. Tal denúncia foi apressadamente recebida, sem restrições, pelo Juiz Sérgio Moro, em 20 de setembro[21], confirmando mais uma vez a parcialidade desse Magistrado na condução das investigações e dos processos criminais que envolvem o ex-Presidente Lula.

---

[19] STF, MC Rcl 23457, Rel. Min. Teori Zavascki, decisão liminar monocrática, 22/03/2016, DJe n. 57, divulg. 29/03/2016, publ. 30/03/2016, referendada pelo Pleno do STF em 31/03/2016.

[20] Cf. "MPF diz que Lula era o comandante máximo da corrupção na Petrobras". *G1*, 15 set. 2016. Disponível em http://g1.globo.com/bom-dia-brasil/noticia/2016/09/mpf-diz-que-lula-era-o-comandante-maximo-da-corrupcao-na-petrobras.html. Acesso em 01.10.2016.

[21] 13ª Vara Federal de Curitiba, AÇÃO PENAL N. 5046512-94.2016.4.04.7000/PR, Despacho/Decisão do Juiz Sérgio Moro, 20/09/2016.

Também no plano administrativo-disciplinar não se há qualquer perspectiva de um controle imparcial dos excessos praticados pelo Juiz Sérgio Moro. Além do arquivamento pelo CNJ das representações propostas contra esse magistrado[22], destaca-se a decisão recente do Tribunal Regional Federal da 4ª Região, em 22 de setembro de 2016, na qual foi desprovido, por maioria de treze votos contra um, recurso interposto contra o arquivamento, pela respectiva Corregedoria, de representação apresentada por dezenove advogados visando à instauração de processo administrativo disciplinar contra o juiz federal Sérgio Moro. No voto do relator, afirma-se que "os processos e investigações criminais decorrentes da chamada 'Operação Lava-Jato', sob a direção do magistrado representado, constituem caso inédito (único, *excepcional*) no direito brasileiro", alegando-se que "em tais condições, neles haverá situações inéditas, que escaparão ao regramento genérico, destinado aos casos comuns".[23] Dessa maneira, admite-se manifestamente tratar-se, nos processos referentes à chamada "Operação Lava Jato, dirigidos pelo Juiz Sérgio Moro, de uma justiça de exceção, incompatível com o Estado Democrático de Direito.

Diante dessa situação de um judiciário parcial, que não vem assegurando as suas garantias constitucionais e legais, como poderia o ex-Presidente Lula insistir nas instâncias judiciais domésticas? Sem dúvida, tal insistência seria uma expressão de estranha ingenuidade. Portanto, nessas circunstâncias, o ex-Presidente Lula não teria alternativa para proteger os seus direitos senão invocar instâncias internacionais em uma perspectiva transconstitucional.

---

[22] Cf., POLANSKI, Syl. "Conselho Nacional de Justiça rejeita cinco representações contra Sérgio Moro". *blastingnews*, 05 mai. 2016. Disponível em http://br.blastingnews.com/brasil/2016/05/conselho-nacional-de-justica-rejeita-cinco-representacoes-contra-sergio--moro-00908361.html. Acesso em 01/10/2016; OMS, Carolina. "CNJ arquiva três representações contra Sergio Moro na Lava-Jato". *Valor Econômico*, 15 mai. 2016. Disponível em http://www.valor.com.br/politica/4565989/cnj-arquiva-tres-representacoes-contra-sergio--moro-na-lava-jato. Acesso em 01.10.2016; FALCÃO, Márcio. "CNJ arquiva mais duas representações contra atuação de Moro na Lava Jato". *Folha de São Paulo*, 06 abr. 2016. Disponível em http://www1.folha.uol.com.br/poder/2016/04/1758171-cnj-arquiva-mais--duas-representacoes-contra-atuacao-de-moro-na-lava-jato.shtml. Acesso em 01.10.2016.

[23] TRF4, P.A. CORTE ESPECIAL N. 0003021-32.2016.4.04.8000/RS, voto do relator, Des. Federal Rômulo Pizzolatti, 23/09/2016 (grafei).

III. LEGITIMIDADE TRANSCONSTITUCIONAL DA RECLAMAÇÃO DO EX-PRESIDENTE LULA PERANTE O COMITÊ DE DIREITOS HUMANOS DA ONU

No contexto de um Judiciário extremamente parcial em relação a sua pessoa, só restou ao ex-Presidente Lula reclamar contra o Brasil em uma instância internacional por desrespeito às garantias processuais previstas no Pacto Internacional sobre Direitos Civis e Políticos, nos termos das disposições supracitadas na seção I. Não se trata de uma ação meramente política, sem amparo jurídico, como afirmou irresponsavelmente à imprensa, em 1º de agosto de 2016, um membro do Supremo Tribunal Federal, Gilmar Ferreira Mendes[24], que se tornou famoso por ser extremamente parcial.[25] Ao contrário, o pedido tem lastro técnico-jurídico, tendo sido patrocinado por experiente e renomado acadêmico e advogado no plano do direito internacional dos direitos humanos, Geoffrey Robertson *Q.C.*[26]

O outro argumento contrário à Reclamação foi apresentado por uma representante do novo governo brasileiro, Flávia Piovesan, afastando-se de sua tradicional posição em favor do internacionalismo dos

---

[24] Cf. BULLA, Beatriz. "Gilmar diz que recurso de Lula à ONU é ação 'precipitada' e de 'índole política'". *Estadão,* 01 agos. 2016. Disponível em http://politica.estadao.com.br/noticias/geral,gilmar-diz-que-recurso-de-lula-a-onu-e-acao-precipitada-e-de--indole-politica,10000066225. Acesso em 01.10.2016.

[25] Por sua parcialidade e atividade partidária, entre outras razões, o Ministro Gilmar Ferreira Mendes foi denunciado perante o Senado Federal por crimes de reponsabilidade em 13 de setembro de 2016: Denúncia 11/2011, subscrita por Fábio Konder Comparato, Sérgio Sérvulo, Roberto Amaral, Eny Moreira, Álvaro Augusto Ribeiro Costa; Denúncia 12/2016, assinada por Claudio Lemos Fonteles, Gisele Guimarães Cittadino, Wagner Gonçalves, Antônio Gomes Moreira Maués e Marcelo da Costa Pinto Neves. Ambas as denúncias foram liminarmente arquivadas, em 20 de setembro de 2016, pelo Presidente do Senado, Renan Calheiros, que é investigado em vários inquéritos criminais que tramitam no STF, estando distribuídos para Turma presidida pelo Ministro Gilmar Mendes. No plano doméstico, resta aos denunciantes impetrar um mandado de segurança perante o STF contra os atos do Presidente do Senado. Mas também poderão ocorrer "recursos" a tribunais ou órgãos internacionais.

[26] Entre suas obras destacam-se os seguintes livros: *Crimes Against Humanity:* struggles for Global Justice. New York: The New Press, 2013; *The Case of the Pope:* Vatican Accountability for Human Rights. New York: Peguin, 2010; *An Inconvenient Genocide:* Who Now Remembers the Armenians? Londres: Biteback Publishing, 2014.

direitos humanos[27], que muitas vezes serve à justificação de certo "imperialismo dos direitos humanos"[28] nas formas de massacre armado de países mais fracos na constelação internacional[29] e de imposição de interesses econômicos dos Estados mais poderosos[30], Piovesan assumiu uma posição estatalista e soberanista a respeito da Reclamação do ex-Presidente Lula perante o Comitê de Direitos Humanos da ONU. Afirmou, em entrevista à imprensa, que, "no Brasil, temos independência do Judiciário, há ampla defesa, contraditória, há duplo grau e, portanto, o que o juiz Moro decidiu foi mantido em boa parte, mas também foi revisitado em alguns casos". Acrescentou que, "se o Comitê avaliar o caso com base na questão da parcialidade ou falta de independência, não me parece que terá uma acolhida de acordo com a realidade brasileira". Concluiu, de forma estranha, dizendo que "sem independência do Judiciário não existe Judiciário", confundindo o nível normativo com o factual.[31]

É claro que não se trata, na Reclamação do ex-Presidente Lula, de uma afirmação genérica de que o Judiciário brasileiro seja uma instituição parcial no seu todo ou em geral, em que se queixe, em abstrato, do Estado brasileiro como um violador dos direitos humanos. Também não se põe em questão que não tenha havido reforma de algumas decisões do Juiz Sérgio Moro pelo Supremo Tribunal Federal. O que se alega legitimamente é o fato de o Juiz Sérgio Moro vir concretamente atuando

---

[27] Cf. PIOVESAN, Flávia. *Direitos humanos e direito constitucional internacional*. São Paulo: Saraiva, 2009, pp. 119 ss.

[28] NEVES, Marcelo. "A Força Simbólica dos Direitos Humanos". *Revista Eletrônica de Direito do Estado*, n. 4. Salvador, outubro/novembro/dezembro 2005, pp. 23 e 27: http://www.direitodoestado.com/revista/rede-4-outubro-2005-Marcelo%20Neves.pdf. Cf. KOSKENNIEMI, Martti. *The Gentle Civilizer of Nations:* The Rise and Fall of International Law 1870–1960. Cambridge: Cambridge University Press, 2002, espec. p. 500.

[29] Cf. KOSKENNIEMI, Martti. 'The Police in the Temple – Order, Justice and the UN: A Dialectical View'. *European Journal of International Law*, Vol. 6, 2005, pp. 325-348.

[30] Cf. KOSKENNIEMI, Martti. 'International Law and Hegemony: A Reconfiguration'. *Cambridge Review of International Affairs*, vol. 17, n. 2, Julho 2004, pp. 197-218, espec. pp. 206/207.

[31] Cf. CHADE, Jamil. "Secretária de governo Temer rebate queixa de Lula na ONU". *Estadão,* 14 nov. 2016. Disponível em http://politica.estadao.com.br/noticias/geral,secretaria-de-governo-temer-rebate-queixa-de-lula-na-onu,10000075942. Acesso em 22.09.2016.

PARCIALIDADE DE MAGISTRADOS, OFENSA A DIREITOS HUMANOS...

de maneira parcial nas investigações e nos processos criminais contra o ex-Presidente Lula, sem que as instâncias judiciais superiores ou os órgãos de controle disciplinar tenham tomado qualquer decisão para sanear essa situação em particular, que implica lesões graves às garantias processuais do reclamante, conforme demonstrado na seção II. Não só contra ditaduras, Estados autoritários ou totalitários que se recorre a órgãos ou Cortes internacionais de proteção dos direitos humanos. Países de tradição fortemente democrática como França, Inglaterra e Alemanha, por exemplo, são frequentemente processados no Tribunal Europeu de Direitos Humanos, devendo muitas vezes rever suas decisões legais, administrativas e judiciais após a sua condenação internacional. Por sua vez, os países que são autocráticos ou imperialistas é que continuam a insistir em uma ilusória soberania absoluta, rejeitando qualquer subordinação a órgãos e Tribunais internacionais de direitos humanos.

O conceito usual de soberania como com uma espécie de autonomia político-jurídica pretensamente absoluta não é mais sustentável em um contexto global de entrelaçamento de comunicações e problemas comuns. O conceito de soberania tem sido reorientado para a questão das demandas da sociedade mundial, especialmente as concernentes aos direitos humanos e ao ambiente. Ao mesmo tempo em que a soberania estatal exige a independência jurídico-política em relação a outros Estados, ela impõe responsabilidade perante os problemas da sociedade mundial.[32] Nessa nova ordem mundial, os direitos humanos ocupam um lugar central, não podendo ser restringido à proteção pelos Estados no plano do respectivo território. Se um Estado não se dispõe ou não é capaz de proteger os direitos humanos dos seus habitantes em geral ou de determinada pessoa ou grupo em uma situação concreta, faz-se mister a invocação de instâncias internacionais, supranacionais ou transnacionais.

Essa nova situação está relacionada com a emergência do transconstitucionalismo.[33] Na modelo clássico do constitucionalismo, a cada Estado cabia cuidar dos seus problemas constitucionais, especialmente

---

[32] *Cf.* LUHMANN, Niklas. *Die Politik der Gesellschaft*. Frankfurt am Main: Suhrkamp, 2000, p. 221.

[33] NEVES, Marcelo. *Transconstitucionalismo*. São Paulo: WMF Martins Fontes, 2009.

daqueles referentes aos direitos civis e políticos. Na nova constelação global, os problemas constitucionais ultrapassaram as fronteiras territoriais dos Estados, envolvendo ordens jurídicas diversas. O transconstitucionalismo apresenta-se quando o mesmo problema constitucional, especialmente na área dos direitos fundamentais ou direitos humanos, é relevante, concomitantemente, para duas ou mais ordens jurídicas. Dada uma situação transconstitucional, aquele que foi ofendido em seus direitos por uma ordem jurídica pode buscar a proteção em outra ordem jurídica. A situação transconstitucional implica uma racionalidade transversal entre ordens jurídicas, que podem aprender reciprocamente para que sejam oferecidas soluções mais adequadas ao correspondente caso ou problema.

A Reclamação do ex-Presidente Lula enquadra-se perfeitamente na experiência transconstitucional, pois se trata de recorrer à ordem internacional por entender-se que, no caso jurídico concreto, garantias fundamentais de natureza processual estão sendo violadas pelo Estado brasileiro e não se vislumbram meios viáveis de superar tal situação no âmbito doméstico. O reclamante está amparado no supracitado art. 41, § 1º, alínea *c*, do Pacto Internacional sobre Direitos Civis e Políticos, seja porque "todos os recursos jurídicos internos disponíveis" para o saneamento da situação de extrema parcialidade do Juiz Moro "foram utilizados e esgotados", seja porque a aplicação de reforma judicial de eventuais decisões de tal Juiz pode "prolongar-se injustificadamente", em detrimento da liberdade e do pleno exercício dos direitos civis e políticos do ex-Presidente Lula. Também cabe acrescentar que o caso cai perfeitamente no âmbito de competência do Comitê de Direitos Humanos da ONU, pois se trata de manifesta ofensa a garantias processuais previstas nas disposições normativas do Pacto Internacional sobre Direitos Civis e Políticos, supracitadas na seção I; e, conforme os seus artigos 28 e seguintes, especialmente o art. 41, compete ao Comitê de Direitos Humanos tratar de questões concernentes a esse Pacto Internacional.

IV. CONCLUSÃO

É legítima e justificável a Reclamação do ex-Presidente Lula perante o Comitê de Direitos Humanos da Organização das Nações Unidas pelas seguintes razões:

PARCIALIDADE DE MAGISTRADOS, OFENSA A DIREITOS HUMANOS...

1) o Juiz Sérgio Moro está atuando parcialmente em ofensa às garantias processuais do reclamante em inquéritos e ações criminais;

2) esgotaram-se os remédios jurídicos internos para afastar o Juiz Sérgio Moro dos casos em que vem atuando de forma extremamente parcial contra o ex-Presidente Lula, assim como a aplicação de reforma judicial de eventuais decisões de tal Juiz pode "prolongar-se injustificadamente" em detrimento da sua liberdade e dos seus direitos civis e políticos;

3) na ordem mundial e nas condições transconstitucionais do presente, a soberania do Estado não pode ser entendida como autonomia político-jurídica absoluta, pois envolve responsabilidade do Estado perante os problemas da sociedade mundial, particularmente os relativos aos direitos humanos;

4) a matéria da Reclamação do ex-Presidente Lula perante ao Comitê de Direitos Humanos implica um problema transconstitucional, entrelaçando a ordem jurídica internacional e a ordem constitucional brasileira;

5) contra a parcialidade do Juiz Sérgio Moro, em prejuízo dos seus direitos, só restou ao ex-Presidente invocar o Comitê de Direitos Humanos da ONU, que é competente para tratar de Reclamações contra a ofensa por Estados-partes aos direitos e garantias assegurados no Pacto Internacional sobre Direitos Civis e Políticos;

6) o ex-Presidente Lula está sendo ofendido pelo Judiciário brasileiro, especialmente pela atuação parcial e incontrolável do Juiz Sérgio Moro, em garantias processuais estabelecidas no Pacto Internacional sobre Direitos Civis e Políticos.

Informação bibliográfica deste texto, conforme a NBR 6023:2002 da Associação Brasileira de Normas Técnicas (ABNT):

NEVES, Marcelo. "Parcialidade de magistrados, ofensa a direitos humanos e transconstitucionalismo: por que é legítima a Reclamação do ex-Presidente Luiz Inácio Lula da Silva perante o Comitê de Direitos Humanos da Organização das Nações Unidas?". *In*: ZANIN MARTINS, Cristiano; TEIXEIRA ZANIN MARTINS, Valeska; VALIM, Rafael (Coord.). *O Caso Lula*: a luta pela afirmação dos direitos fundamentais no Brasil. São Paulo: Editora Contracorrente, 2017, pp. 269-289. ISBN. 978-85-69220-19-0.

CONSIDERAÇÕES SOBRE O EFEITO VINCULANTE DAS DELIBERAÇÕES DO COMITÊ DE DIREITOS HUMANOS DA ONU NO BRASIL

ANTONIO CARLOS MALHEIROS

GUSTAVO MARINHO

INTRODUÇÃO

O propósito deste artigo é analisar o efeito vinculante das decisões do Comitê de Direitos Humanos da ONU (CDH) no Direito brasileiro, mais especificamente em casos oriundos de *queixas individuais*.

Antes, porém, de ingressarmos no cerne do presente artigo é fundamental que discorramos brevemente sobre a criação do Comitê de Direitos Humanos e seus principais aspectos. É o que faremos nos parágrafos seguintes.

A Declaração Universal de Direitos Humanos de 1948 representou, sem dúvida alguma, um avanço significativo na luta hercúlea – e perene – pela proteção dos direitos humanos. Fruto da primeira etapa[1]

---

[1] COMPARATO, Fábio Konder. *A Afirmação Histórica dos Direitos Humanos*. 10ª ed. São Paulo: Saraiva, 2015, p. 237.

dos trabalhos desenvolvidos pela Comissão de Direitos Humanos, o referido diploma internacional, tido por alguns como mera *recomendação*, foi posteriormente (2ª etapa) *densificado* e *juridicizado* por dois Tratados Internacionais[2]: o *Pacto Internacional sobre Direitos Civis e Políticos* e o *Pacto Internacional sobre Direitos Econômicos, Sociais e Culturais*.

Juntos, a Declaração Universal de Direitos Humanos, o Pacto Internacional sobre Direitos Civis e Políticos – *com os seus dois protocolos facultativos* – e o Pacto Internacional sobre Direitos Econômicos, Sociais e Culturais, formam a chamada *Carta Internacional dos Direitos Humanos* (*International Bill of Human Rights*).[3]

Interessante apontar que os dois pactos internacionais, aprovados em 1966, versam sobre duas partes da Declaração Universal de Direitos Humanos. O *primeiro* pacto confere *dimensão técnico-jurídica*[4] aos artigos 1º ao 21 da Declaração, que versam sobre os denominados *direitos de primeira dimensão*, e o segundo aos artigos 22 a 28 da Declaração, que tratam dos *direitos de segunda dimensão*.

Não obstante seja inegável a relevância de todos os diplomas internacionais mencionados, para os fins deste artigo interessa-nos o Pacto

---

[2] O Professor Fábio Konder Comparato apresenta as razões pelas quais se optou pela elaboração de dois tratados, em vez de apenas um: "A elaboração de dois tratados e não de um só, compreendendo o conjunto dos direitos humanos segundo o modelo da Declaração Universal de 1948, foi o resultado de um compromisso diplomático. As potências ocidentais insistiam no reconhecimento, tão só, das liberdades individuais clássicas, protetoras da pessoa humana contra os abusos e interferências dos órgãos estatais na vida privada. Já os países do bloco comunista e os jovens países africanos preferiam pôr em destaque os direitos sociais e econômicos, que têm por objeto políticas públicas de apoio aos grupos ou classes desfavorecidas, deixando na sombra as liberdades individuais. Decidiu-se, por isso, separar essas suas séries de direitos em tratados distintos, limitando-se a atuação fiscalizadora do Comitê de Direitos Humanos unicamente aos direitos civis e político, e declarando-se que os direitos que têm por objeto programas de ação estatal seriam realizados progressivamente, 'até o máximo dos recursos disponíveis' de cada Estado (Pacto sobre Direitos Econômicos, Sociais e Culturais, art. 2º, alínea 1)." (*A Afirmação Histórica dos Direitos Humanos*. 10ª ed. São Paulo: Saraiva, 2015, p. 293).

[3] CARVALHO RAMOS, André de. *Curso de Direitos Humanos*. 3ª ed. São Paulo: Saraiva,, 2016, p. 151.

[4] MAZZUOLI, Valerio de Oliveira. *Curso de Direitos Humanos*. 3ª ed. São Paulo: Editora Método, 2016, p. 99.

CONSIDERAÇÕES SOBRE O EFEITO VINCULANTE DAS DELIBERAÇÕES...

Internacional sobre Direitos Civis e Políticos, na medida em que foi por meio deste pacto que se instituiu o Comitê de Direitos Humanos, além de diversos mecanismos de supervisão e monitoramento dos direitos contemplados em seu texto (art. 28 a 45).

O Pacto Internacional sobre Direitos Civis e Políticos de 1966 entrou em vigor em 1976, ano em que se obteve o número mínimo de ratificações (art. 49, 1º), e foi promulgado no Brasil através do Decreto n. 592/1992, após ter sido aprovado pelo Congresso Nacional (Decreto Legislativo n. 266/1991).

O referido pacto possui uma extensa gama de *direitos de primeira dimensão* – maior do que a Declaração de Direitos Humanos –, dentre os quais destacam-se: *direito à vida (art. 6º), vedação de prisões arbitrárias (art. 9º), direito ao devido processo legal (art. 14), imparcialidade do Poder Judiciário (art. 14), presunção de inocência (art. 14), proteção à honra e reputação (art. 17) e a liberdade de pensamento (art. 19).*

Relevante destacar que o Pacto Internacional sobre Direitos Civis e Políticos, desde a sua origem, ostenta um *Protocolo Facultativo*, que potencializa as atribuições do Comitê de Direitos Humanos, uma vez que inseriu um mecanismo relevantíssimo de monitoramento dos direitos humanos: a *petição individual*, também denominada *queixa individual*.

O Brasil há não muito tempo aprovou o Protocolo Facultativo ao Pacto Internacional sobre Direitos Civis e Políticos, através do Decreto Legislativo n. 311/2009. *Significa dizer que o Brasil*, voluntariamente[5], *submeteu-se à jurisdição do Comitê de Direitos Humanos, mesmo quando acionado através de petição individual, o que reforça a supervisão e o controle das obrigações assumidas pelo país.*[6]

No tópico seguinte trataremos brevemente dos mencionados *mecanismos convencionais* de monitoramento dos direitos humanos, inclusive

---

[5] Frisamos a voluntariedade da adesão ao Protocolo Facultativo, pois o Pacto Internacional sobre Direitos Civis e Políticos não obriga os Estados a ratificá-lo.

[6] CARVALHO RAMOS, André de. *Curso de Direitos Humanos.* 3ª ed. São Paulo: Saraiva, 2016, p. 157.

a *petição individual*, para depois tratarmos da eficácia das decisões do Comitê de Direitos Humanos em nosso país, tema que suscita algumas divergências.

MECANISMOS CONVENCIONAIS DE MONITORAMENTO DOS DIREITOS HUMANOS NO PACTO INTERNACIONAL SOBRE DIREITOS CIVIS E POLÍTICOS E EM SEU PROTOCOLO FACULTATIVO

Os mecanismos de monitoramento dos direitos humanos previstos nos Pactos de 1966 são tão relevantes quanto *o rol de direitos* destes diplomas internacionais. Conhecê-los minimamente e, mais do que isso, respeitar e estimular o uso destes mecanismos é fundamental para a proteção dos direitos humanos e aprimoramento das instituições em todos os países que ratificaram (ou aderiram) *voluntariamente* aos pactos, *inclusive* o Brasil.

O primeiro mecanismo de monitoramento está previsto no art. 40, 1, do Pacto Internacional sobre Direitos Civis e Políticos.[7] Trata-se de um relatório em que cada Estado-parte submete ao Secretário-Geral da ONU – *posteriormente encaminhado ao Comitê de Direitos Humanos para exame* –, informações acerca das medidas tomadas para a efetivação dos direitos reconhecidos no referido pacto.

Todos os Estados-partes devem apresentar este relatório no prazo de um ano, contado a partir do início da vigência do pacto no país, e sempre que o Comitê de Direitos Humanos o solicitar.

Apesar de ser um mecanismo importante, fácil perceber que a sua eficácia pode ser demasiadamente reduzida, haja vista que é o Estado-parte

---

[7] "ARTIGO 40. 1. Os Estados partes do presente Pacto comprometem-se a submeter relatórios sobre as medidas por eles adotadas para tornar efeitos os direitos reconhecidos no presente Pacto e sobre o processo alcançado no gozo desses direitos: a) Dentro do prazo de um ano, a contar do início da vigência do presente pacto nos Estados Partes interessados; b) A partir de então, sempre que o Comitê vier a solicitar.

CONSIDERAÇÕES SOBRE O EFEITO VINCULANTE DAS DELIBERAÇÕES...

o autor do relatório. Daí a relevância das informações fornecidas ao Comitê por organizações não governamentais (*shadow report*), que ajudam a contextualizar a efetivação de direitos humanos em determinado país.[8]

O segundo mecanismo é o da *comunicação interestatal*, também conhecido por *mecanismo interestatal*. Previsto no art. 41, 1, do Pacto Internacional sobre Direitos Civis e Políticos[9], este mecanismo permite que um Estado denuncie outro Estado[10] ao Comitê de Direitos Humanos pela violação a qualquer direito salvaguardado no pacto.

Muito embora seja indiscutível a importância deste mecanismo, certo é que não se tem notícia de sua utilização. Questões políticas, infelizmente, justificam o seu desuso.

O terceiro e último mecanismo é o das *petições individuais*. Induvidosamente o mais importante e eficaz na proteção dos direitos humanos, este mecanismo permite a qualquer pessoa que alegue ser vítima de violação de qualquer dos direitos enunciados no Pacto Internacional sobre Direitos Civis e Políticos, por qualquer um dos Estados-partes, acionar o Comitê de Direitos Humanos.

A força e relevância deste mecanismo pode ser medida pelo seguinte fato: *a petição individual não está prevista no Pacto Internacional sobre Direitos Civis e Políticos, mas sim em seu Protocolo Facultativo, tal como*

---

[8] CARVALHO RAMOS, André de. *Curso de Direitos Humanos*. 3ª ed. São Paulo: Saraiva, 2016, p. 305.

[9] "ARTIGO 41. 1. Com base no presente Artigo, todo Estado Parte do presente Pacto poderá declarar, a qualquer momento, que reconhece a competência do Comitê para receber e examinar as comunicações em que um Estado Parte alegue que outro Estado Parte não vem cumprindo as obrigações que lhe impõe o presente Pacto. As referidas comunicações só serão recebidas e examinadas nos termos do presente artigo no caso de serem apresentadas por um Estado Parte que houver feito uma declaração em que reconheça, com relação a si próprio, a competência do Comitê. O Comitê não receberá comunicação alguma relativa a um Estado parte que não houver feito uma declaração dessa natureza. As comunicações recebidas em virtude do presente artigo estarão sujeitas ao procedimento que se segue: (...)".

[10] Ambos têm que ter ratificado (ou aderido) o Pacto Internacional sobre Direitos Civis e Políticos.

adiantado anteriormente. Caso estivesse previsto no corpo do próprio pacto, certamente o número de ratificações (ou adesões) seria impactado, na medida em que conferir *capacidade processual internacional* a indivíduos é algo que incomoda muitos Estados.[11]

O Protocolo Facultativo estabelece os pressupostos processuais (= requisitos de admissibilidade) das petições individuais, quais sejam: *a) identificação da vítima, pois se veda o anonimato (art. 3º); b) plausibilidade do pedido formulado em função dos fatos apresentados (art. 3º); c) inexistência de litispendência internacional, pois o caso apresentado ao Comitê de Direitos Humanos não pode estar sob análise de outra instância internacional (art. 5º, §2º, "a"); d) esgotamento dos recursos internos disponíveis (art. 5º, §2º, "b").*

Sublinhe-se que o pressuposto do esgotamento dos recursos internos disponíveis é abrandado pelo próprio art. 5º, § 2º, "b", quando se estiver diante de recursos manifestamente demorados. Além desta contemporização óbvia, relevante apontar que os *precedentes* do Comitê de Direitos Humanos têm flexibilizado o rigor do pressuposto em questão, o que representa um avanço significativo para a proteção dos direitos humanos.[12] Quanto mais casos individuais apreciados pelo Comitê, melhor.

O Brasil foi recentemente acionado pela primeira vez no Comitê de Direitos Humanos da ONU e a petição passou pelo primeiro juízo de admissibilidade[13] do Comitê.

Convém registrar que, ao contrário do sustentado por alguns juristas de escol e de associações importantes ligadas à magistratura (AMB e AJUFE), passar pelo escrutínio de um órgão internacional de proteção dos direitos humanos (Comitê de Direitos Humanos) – *especialmente*

---

[11] Vide as considerações de Antonio Augusto Cançado Trindade sobre os trabalhos preparatórios dos Pactos mencionados neste artigo: *O esgotamento dos recursos internos no direito internacional.* 2ª ed. Brasília: Editora UNB, 1997, p. 181.

[12] CANÇADO TRINDADE, Antonio Augusto. *O esgotamento dos recursos internos no direito internacional.* 2ª ed. Brasília: Editora UNB, 1997, pp. 186-195.

[13] Vide art. 97 do Regulamento do Comitê de Direitos Humanos da ONU.

CONSIDERAÇÕES SOBRE O EFEITO VINCULANTE DAS DELIBERAÇÕES...

através do mecanismo da petição individual –, não pode ser encarado, de forma alguma, como um desrespeito ao Poder Judiciário, mas sim uma excelente oportunidade de passá-lo em revista e de promover eventuais aprimoramentos. Muitos países do mundo passaram por esta avaliação e com o Brasil não pode ser diferente.

EFICÁCIA DAS DECISÕES DO COMITÊ DE DIREITOS HUMANOS DA ONU

Um dos pontos mais controvertidos e que possivelmente gerará inúmeras discussões, refere-se à eficácia vinculante das deliberações do Comitê de Direitos Humanos da ONU.

O Pacto Internacional sobre Direitos Civis e Políticos e o seu primeiro protocolo facultativo realmente não tratam da eficácia vinculante das decisões. Há uma nítida omissão sobre este aspecto relevante. Daí porque alguns defendem que as deliberações do Comitê de Direitos Humanos, que não é uma instância internacional judicial, são meras *recomendações*[14] e não obrigam os países que porventura tenham sido condenados em processos decorrentes de *comunicação interestatal* ou de *petição individual*.

Para esta corrente de pensamento, as deliberações do Comitê de Direitos Humanos seriam apenas fonte de *pressão política* para *embaraçar* e *constranger* (*power of embarrass*) o país condenado a corrigir a violação aos direitos humanos.

Não obstante este posicionamento, acreditamos que as deliberações do Comitê de Direitos Humanos possuem elevado *status jurídico*, a ponto de *vincularem* os países que ratificaram ou aderiram *voluntariamente* ao Pacto e ao seu primeiro protocolo *facultativo*. Seria

---

[14] De acordo com André de Carvalho Ramos, a "recomendação é uma opinião não vinculante de órgão internacional de direitos humanos, fruto da existência de obrigação internacional de monitoramento e supervisão dos direitos protegidos (o chamado 'droit de régard')." (*Processo Internacional de Direitos Humanos*. 5ª ed. São Paulo: Editora Saraiva, 2016, p. 364).

precipitado e demasiadamente restritivo relegar as deliberações do Comitê à condição de meras recomendações.

O primeiro argumento favorável à eficácia vinculante (= obrigatoriedade das deliberações) refere-se à *voluntariedade* dos Estados-partes, inclusive o Brasil, ao ratificar (ou aderir) o Pacto Internacional sobre Direitos Civis e Políticos, que criou e arrolou as atribuições do Comitê de Direitos Humanos. Ao aceitar o Pacto, o Brasil aceitou a atuação do Comitê.

Ora, se a adesão do Brasil ao pacto – e ao seu primeiro *protocolo facultativo* – foi voluntária e sem coação externa, bem como observou o procedimento constitucional de ratificação (art. 49, I e art. 84, VIII, Constituição Federal), é de meridiana clareza que as deliberações do Comitê *devem* ser respeitadas e cumpridas integralmente, sob pena de incorrer-se em odiosa *contradição*.

Outro argumento que não pode ser desprezado se relaciona ao *estado da arte* dos Tratados de Direitos Humanos subscritos pelo Brasil. Deveras, apesar da divergência ainda existente acerca do *status constitucional* destes tratados, acreditamos que estes possuem esta notável envergadura jurídica.

Assim, na medida em que o art. 5º, § 2º da Constituição Federal de 1988, dispõe que os referidos tratados integram o sistema brasileiro de direitos e garantias fundamentais (§2º), ignorar a *obrigatoriedade* das deliberações do Comitê de Direitos Humanos seria o mesmo que negar vigência a estes dispositivos constitucionais.

Também não se deve desprezar o regimento interno do Comitê de Direitos Humanos. De acordo com esta norma, após a apreciação do mérito das petições individuais, nomear-se-á um *relator especial* (art. 100, I), que terá a incumbência de averiguar as providências tomadas (= efetividade da decisão) pelos Estados-partes que violaram direitos fundamentais. A nomeação deste relator para cuidar da *fase de execução* da deliberação do Comitê contribui para fortalecer o posicionamento quanto à elevada importância e obrigatoriedade das decisões deste órgão internacional.

CONSIDERAÇÕES SOBRE O EFEITO VINCULANTE DAS DELIBERAÇÕES...

Vê-se, portanto, que na hipótese de o Comitê de Direitos Humanos concluir que houve a violação[15] de dispositivos do Pacto Internacional sobre Direitos Civis e Políticos, o Estado brasileiro, inclusive o Poder Judiciário, está *obrigado* a tomar as medidas necessárias para que se reestabeleça o direito humano violado.

Informação bibliográfica deste texto, conforme a NBR 6023:2002 da Associação Brasileira de Normas Técnicas (ABNT):

MALHEIROS, Antonio Carlos; MARINHO, Gustavo. "Considerações sobre o efeito vinculante das deliberações do Comitê de Direitos Humanos da ONU no Brasil". *In*: ZANIN MARTINS, Cristiano; TEIXEIRA ZANIN MARTINS, Valeska; VALIM, Rafael (Coord.). *O Caso Lula:* a luta pela afirmação dos direitos fundamentais no Brasil. São Paulo: Editora Contracorrente, 2017, pp. 291-299. ISBN. 978-85-69220-19-0.

---

[15] Estas violações podem, obviamente, ter sido praticadas a partir de decisões judiciais. Neste sentido: CANÇADO TRINDADE, Antonio Augusto. *Tratado de Direito Internacional dos Direitos Humanos.* Vol 1. Porto Alegre: Sergio Antonio Fabris, 1997, p. 412.

O PRIMEIRO COMUNICADO INDIVIDUAL APRESENTADO POR LULA AO COMITÊ DE DIREITOS HUMANOS DA ONU:
Considerações acerca de sua admissibilidade

CRISTIANO ZANIN MARTINS

VALESKA TEIXEIRA ZANIN MARTINS

1. INTRODUÇÃO

Assinada em 1945, a Carta das Nações Unidas[1] – tratado que efetivamente instituiu a Organização das Nações Unidas – definiu como um dos propósitos da instituição o desenvolvimento e o estímulo ao respeito dos direitos humanos e das liberdades individuais de todas as pessoas.

A Declaração Universal dos Direitos Humanos, promulgada em 1948, foi a primeira tentativa dos Estados de arrolar, em um único documento, todos os direitos básicos e liberdades fundamentais do ser humano. Já em seu preâmbulo, apresentava-se como *"ideal comum a ser atingido por todos os povos e todas as nações"*.

---

[1] A Carta das Nações Unidades foi promulgada no Brasil por meio do Decreto n. 19.841/1945.

Com o objetivo de dar efetividade à Declaração nos Estados, a Comissão de Direitos Humanos da ONU, que desde 1946 se reúne anualmente em Genebra para examinar a ampla variedade de questões relativas aos direitos humanos, aprovou, em 1966, o Pacto Internacional sobre os Direitos Civis e Políticos e o Pacto Internacional sobre Direitos Econômicos, Sociais e Culturais. Esses documentos estabeleceram normas básicas que serviram de inspiração a mais de 100[2] convênios, declarações, regulamentos e princípios em matéria de direitos humanos de alcance internacional e regional.

O Pacto Internacional sobre Direitos Civis e Políticos abrange uma vasta gama de direitos civis e políticos, como o direito à vida, o direito a um juízo imparcial, o direito à liberdade de expressão, o direito a um julgamento justo e o direito a não discriminação. Os direitos que podem ser efetivamente invocados estão elencados entre os artigos 6º e 27º do Pacto. O Brasil demorou 25 anos para aprovar esse tratado[3] que, até a presente data, já foi aprovado por 168 Estados.[4]

Os Estado-partes do referido tratado têm o dever de proteger os indivíduos que estão sob sua jurisdição, estabelecendo um sistema legal eficaz para responder às violações de seus direitos civis e políticos.[5]

A efetiva responsabilização dos Estados que cometam violações de direitos fundamentais apresenta-se como elemento essencial para reafirmar a juridicidade das normas previstas nos tratados que visam à preservação dos direitos fundamentais, sendo justamente os mecanismos internacionais os responsáveis pela aplicação de eventuais penalidades.[6]

---

[2] *Civil and Political Rights:* The Human Rights Committee. Fact Sheet n. 15 (Rev.1). Disponível em *http://www.ohchr.org/Documents/Publications/FactSheet15rev.1en.pdf*, p. 1.

[3] O Congresso Nacional aprovou o texto do referido diploma internacional por meio do Decreto Legislativo n. 226/1991.

[4] Alto Comissariado de Direitos Humanos das Nações Unidas. *Status of Ratification Interactive Dashboard*. Disponível em http://indicators.ohchr.org/. Acesso em 10. 2016.

[5] PIOVESAN, Flávia. *Direitos Humanos e o Direito Constitucional Internacional.* 16ª ed. São Paulo: Editora Saraiva, 2016, p. 247.

[6] RAMOS, André de Carvalho. *Processo Internacional de Direitos Humanos.* 5ª ed. São Paulo: Editora Saraiva, 2016, p. 36: *"Sem tal vinculação entre os mecanismos de apuração de*

O PRIMEIRO COMUNICADO INDIVIDUAL APRESENTADO POR LULA...

A partir da década de 70 evoluíram as formas de se comunicar à ONU violações dos direitos consagrados nos nove tratados de direitos humanos considerados "fundamentais".

As normas de direitos humanos que, à primeira vista, aparentavam ser gerais e abstratas, foram ganhando, por meio das comunicações individuais, significados concretos, uma vez que a jurisprudência resultante dos casos apresentados passou a orientar os Estados, as organizações não governamentais e os indivíduos na interpretação do atual sentido dos textos em causa.

As comunicações ao abrigo de um dos nove tratados somente podem ser apresentadas contra um Estado se forem atendidos dois pressupostos. Em primeiro lugar, é necessário que este seja Parte no tratado em questão, tendo-o ratificado ou aderido de outra forma. Em segundo lugar, deve o Estado ter reconhecido a competência do Comitê criado ao abrigo do tratado em causa para examinar comunicações individuais.

Tendo o Estado preenchido os dois requisitos acima referidos, qualquer pessoa pode apresentar um comunicado dirigido a um dos comitês de controle[7-8], alegando uma violação dos direitos previstos no tratado em causa.

---

violação de obrigações internacionais e os direitos humanos, estaremos a um passo de afirmar o caráter de mero conselho ou exortação moral da proteção internacional dos direitos humanos".

[7] O chamado sistema *onusiano, universal* ou *global* dispõe de duas áreas para a apuração de violações de direitos humanos: uma convencional, baseada em acordos internacionais elaborados sob a égide da ONU, confirmados por Estados-partes; outra, extraconvencional, baseada nas resoluções editadas pela ONU e seus órgãos. O sistema convencional, por seu turno, possui três grandes divisões. Uma, não contenciosa, que utiliza de técnicas de solução de controvérsias do Direito Internacional Clássico, com apelo à cooperação espontânea pelos Estados, tendo por base primordialmente os relatórios periódicos. Outra, quase judicial, que são órgãos de apuração da responsabilidade internacional do Estado-membro, com a possibilidade de imposição de condenação. E um terceiro, judicial, que funciona no âmbito da Corte Internacional de Justiça (CIJ), que julga exclusivamente litígios entre Estados envolvendo direitos humanos.

[8] O sistema de proteção de direitos humanos da ONU conta com nove grandes convenções (*"big nine"*). Cada uma delas, por seu turno, prevê um Comitê de controle (ou *treaty body*). São eles: "*1) o Comitê de Direitos Humanos zela pelo cumprimento do Pacto Internacional de Direitos Civis e Políticos (1966) e seus dois protocolos facultativos; 2) o Comitê*

No caso do Pacto Internacional sobre os Direitos Civis e Políticos, um Estado reconhece a competência do Comitê de Direitos Humanos, responsável por verificar violações a essa convenção, tornando-se Parte em seu Protocolo Facultativo.[9]

O primeiro Protocolo Facultativo ao Pacto, tratado autônomo aberto à ratificação dos Estados-partes, regulou o mecanismo de comunicação em casos de violações destes direitos.

Os Estados que se tornaram Partes no Protocolo reconheceram, assim, a competência do Comitê dos Direitos Humanos – composto por 18 juízes independentes de diversas nacionalidades e que se reúnem três vezes por ano – para receber comunicações de pessoas sujeitas à sua jurisdição que alegarem ter sido vítimas de violações dos direitos previstos no Pacto.

O Brasil aprovou o Protocolo Facultativo em 2009, por meio do Decreto Legislativo n. 311. A partir dessa data qualquer cidadão brasileiro pode fazer ao Comitê de Direitos Humanos da ONU, diretamente, um comunicado sobre violação ao Pacto de Direitos Civis e Políticos.

---

sobre Direitos Econômicos, Sociais e Culturais (1966) zela pelo cumprimento do Pacto Internacional de Direitos Econômicos, Sociais e Culturais e seu protocolo facultativo; 3) o Comitê pela Eliminação de Toda Forma de Discriminação Racial zela pelo cumprimento da Convenção pela Eliminação de Toda Forma de Discriminação Racial (1965); 4) o Comitê pela Eliminação de Toda Forma de Discriminação contra Mulher zela pelo cumprimento da Convenção pela Eliminação de Toda Forma de Discriminação contra a Mulher (1979) e seu protocolo facultativo (1999); 5) o Comitê contra a Tortura zela pelo cumprimento da Convenção contra a Tortura e toda forma de Tratamento cruel, desumano e degradante (1984); 6) o Comitê sobre os Direitos das Crianças zela pelo cumprimento da Convenção dos Direitos da Criança (1989) e seus protocolos optativos (2000); 7) o Comitê sobre Trabalhadores Migrantes luta pela implementação da Convenção Internacional para a Proteção dos Direitos de todos os Trabalhadores Migrantes e suas Famílias (1990); 8) o Comitê sobre Direitos das Pessoas com Deficiência monitora o cumprimento da Convenção sobre os Direitos das Pessoas com Deficiência (2006) e finalmente, 9) o Comitê sobre o Desaparecimento Forçado zela pelo cumprimento da Convenção para a proteção de todas as pessoas contra desaparecimentos forçados (2006)". RAMOS, André de Carvalho. *Processo Internacional de Direitos Humanos.* 5ª ed. São Paulo: Editora Saraiva, 2016, p. 85.

[9] PIOVESAN, Flávia. *Direitos Humanos e o Direito Constitucional Internacional.* 16ª ed. São Paulo: Editora Saraiva, 2016, p. 255: "*Desse modo, sob a forma de um Protocolo separado e opcional, os Estados-partes podem consentir em submeter à apreciação do Comitê de Direitos Humanos comunicações encaminhadas por indivíduos, que estejam sob sua jurisdição e que tenham sofrido violação de direitos assegurados pelo Pacto dos Direitos Civis e Políticos*".

O ex-Presidente Luiz Inácio Lula da Silva foi o primeiro cidadão brasileiro a se utilizar dessa autorização prevista no ordenamento jurídico brasileiro para fazer um comunicado ao Comitê de Direitos Humanos da ONU, através de petição protocolada em 28 de julho de 2016.[10]

2. CONDIÇÕES GERAIS DE ADMISSIBILIDADE

Na primeira fase do procedimento, é verificada a presença dos requisitos formais que o comunicado deve preencher para que o Comitê de Direitos Humanos possa analisar a eventual ocorrência de violação ao Pacto de Direitos Civis e Políticos.

O autor deve comprovar que a comunicação é pessoal e que ele é ou foi diretamente afetado pela lei, política, prática, ato ou omissão do Estado-parte que alega ter violado ou estar violando os seus direitos, bem como ser capaz de demonstrar que a alegada violação diz respeito a um direito realmente protegido pelo tratado em questão.[11]

A comunicação deve estar suficientemente fundamentada. Caso o Comitê competente considere, com base na informação apresentada pelas partes, que os fatos não estão suficientemente descritos, ou note a ausência de argumentos que demonstrem a efetiva violação do Pacto, poderá rejeitar a comunicação sob o argumento de insuficiência de fundamentação.[12]

O Comitê rejeitará a comunicação que já tenha sido apresentada a outros órgãos dos tratados ou a um mecanismo regional como a Comissão Interamericana de Direitos Humanos, o Tribunal Europeu dos Direitos do Homem ou a Comissão Africana dos Direitos do Homem e dos Povos. Tal critério é necessário para que se evite uma desnecessária duplicação de procedimentos em nível internacional.[13]

---

[10] A petição foi subscrita pelos autores deste artigo e pelo advogado Geoffrey Robertson.

[11] Alto Comissariado de Direitos Humanos das Nações Unidas. *Individual Complaint Procedures under the United Nations Human Rights Treaties*. Fact Sheet n. 7 (Rev.2). Disponível em <*http://www.ohchr.org/Documents/Publications/FactSheet7Rev.2.pdf*>, p. 7

[12] Alto Comissariado de Direitos Humanos das Nações Unidas. *Individual Complaint Procedures under the United Nations Human Rights Treaties*. Fact Sheet n. 7 (Rev.2), p. 8.

[13] RAMOS, André de Carvalho. *Processo Internacional de Direitos Humanos*. 5ª ed. São Paulo: Editora Saraiva, 2016, p. 98.

CRISTIANO ZANIN MARTINS; VALESKA TEIXEIRA ZANIN MARTINS

Outro requisito é o exaurimento de todas as vias internas de recurso. Tal requisito exige que o autor, como regra, tenha esgotado todas as vias de recurso disponíveis em seu país, antes de apresentar uma comunicação a algum dos comitês da ONU. Trata-se da aplicação do princípio da subsidiariedade, uma vez que é responsabilidade primária dos Estados a proteção dos direitos humanos.[14]

Essa regra, no entanto, não é absoluta. Caso a apreciação dos recursos internos se prolongue excessivamente ou se os recursos internos forem ineficazes, a citada regra pode ser superada, devendo o autor, contudo, indicar detalhadamente as razões para essa finalidade. Os Estados-partes, por sua vez, caso considere que não foram esgotados todos os recursos, deve fornecer detalhes sobre os recursos efetivos disponíveis.

Tendo em vista a grande relevância deste último requisito, que tem sido enfrentado com relativa constância pelo Comitê de Direitos Humanos da ONU, mostra-se oportuno enfrentar as situações em que o órgão tem admitido o processamento de comunicados individuais antes do exaurimento de todos os meios e recursos internos.

2.1 Exceções quanto à exigência de exaurimento dos recursos internos como pressuposto de admissibilidade da Comunicação

O Protocolo dispõe em seu art. 5º, (2) (b), que o Comitê não deve considerar uma Comunicação quando o autor não tenha utilizado todos os recursos disponíveis em seu país.

Esse critério é justificado pelo fato de que deve ser dada a oportunidade a um Estado de corrigir qualquer decisão equivocada de sua

---

[14] *"A subsidiariedade dos mecanismos internacionais de apuração de violações de direitos humanos consiste no reconhecimento do dever primário dos Estados em prevenir violações a direitos protegidos, ou, ao menos, reparar os danos causados às vítimas, para somente após o seu fracasso, ser invocada a proteção internacional. Por isso, as vítimas de violações de direitos humanos devem, em geral, esgotar os meios ou recursos internos disponíveis para a concretização do direito protegido, para, após o insucesso da tentativa nacional, busca o remédio no plano internacional"* (RAMOS, André de Carvalho. *Processo Internacional de Direitos Humanos*. 5ª ed. São Paulo: Editora Saraiva, 2016, p. 78).

O PRIMEIRO COMUNICADO INDIVIDUAL APRESENTADO POR LULA...

parte, prestigiando a soberania. Portanto, em regra, enquanto existir algum meio ou recurso interno que permita ao indivíduo recorrer de uma decisão desfavorável, internamente, nenhum órgão internacional terá competência para julgar a questão.[15]

No entanto, já em 1979, a doutrina indicava que o Comitê de Direitos Humanos, no que diz respeito ao exaurimento dos recursos internos, atuava com maior flexibilidade do que outros órgãos, como a Comissão Interamericana de Direitos Humanos.[16]

A própria jurisprudência do Comitê de Direitos Humanos reconhece a necessidade de mitigar esse requisito,[17] conforme se denota dos relatórios anuais publicados pelo órgão desde 1977.[18]

Há, nesses relatórios, tópico específico para tratar do requisito de exaurimento dos recursos internos e, em todos eles, consta o esclarecimento do Comitê de que a regra de esgotamento dos recursos internos se aplica somente a casos nos quais eles são eficazes e estão realmente disponíveis,[19] transcrevendo sempre, a título exemplificativo, alguns julgados que confirmam essa orientação.

---

[15] MOSE, Erik; OPSAHL, Torkel. "The Optional Protocol to the International Covenant on Civil and Political Rights". *Santa Clara Law Review*, California, Vol. 21, n. 2, 1981, pp. 302/303.

[16] TRINDADE, Antonio Augusto Cançado. "The International and Comparative Law Quarterly". *British Institute of International and Comparative Law*. Londres, Vol. 28, n. 4, Out., 1979, pp. 734-765.

[17] Alto Comissariado de Direitos Humanos das Nações Unidas. *Selected Decisions of the Human Rights Committee Under the Optional Protocol*. New York/Geneva, 2007, p. 352.

[18] Relatórios anuais disponíveis em <http://tbinternet.ohchr.org/_layouts/treatybodyexternal/TBSearch.aspx?Lang=en&TreatyID=8&DocTypeID=27> Acesso em em 10.2016

[19] "*Pursuant to article 5 (2) (b), of the Optional Protocol, the Committee shall not consider any communication unless it has ascertained that the author has exhausted all available domestic remedies. However, it is the Committee's constant jurisprudence that the rule of exhaustion applies only to the extent that those remedies are effective and available. The State party is required to give details of the remedies which it submitted had been made available to the author in the circumstances of his or her case, together with evidence that there would be a reasonable prospect that such remedies would be effective*" – Consideration by the Human Rights Committee at its 111th, 112th and 113th sessions of communications received under the Optional Protocol to the*

Em outras decisões, o Comitê já se posicionou no sentido de que não se deve exigir o esgotamento das vias de recurso disponíveis quando o Tribunal mais alto de um país já houver decidido sobre determinado tema, eliminando todas as chances de que eventual recurso interposto perante os tribunais domésticos prospere.

2.1.1 Recurso deve estar disponível

Em *Djebbar and Chihoub v. Algeria*, indicado no relatório referente às sessões 103 e 104, o Comitê asseverou que os recursos não somente devem existir como, de fato, devem ser acessíveis a todos os indivíduos.[20]

Sendo assim, em alguns casos, além de se condenar o Estado por alguma violação a direito protegido pelo Pacto, o Comitê deve condená-lo por não disponibilizar recursos internos aptos a reparar os indivíduos pelos danos sofridos.[21]

2.1.2 O recurso deve ser eficaz

Ao analisar os pressupostos de admissibilidade no caso *B.L. v. Australia*, o Comitê entendeu que os autores devem fazer uso de todos os recursos internos para cumprir o requisito do art. 5º, (2) (b), do Protocolo Facultativo, desde que estes recursos aparentem ser eficazes no caso concreto.[22]

International Covenant on Civil and Political Rights. Disponível em <http://tbinternet. ohchr.org/_layouts/treatybodyexternal/TBSearch.aspx?Lang=en&TreatyID=8&Doc TypeID=27> Acesso em 10.2016

[20] "*The Committee recalled its jurisprudence to the effect that authors must avail themselves of all legal remedies in order to fulfil the requirement of exhaustion of all available domestic remedies, insofar as such remedies appear to be effective in the given case and are de facto available to the authors*" (Case 1811/2008 – Djebbar and Chihoub v. Algeria).

[21] RAMOS, André de Carvalho. *Processo Internacional de Direitos Humanos.* 5ª ed. São Paulo: Editora Saraiva, 2016, p. 79.

[22] "*The Committee recalls its jurisprudence to the effect that authors must avail themselves of all domestic remedies in order to fulfil the requirement of article 5, paragraph 2 (b), of the Optional Protocol, insofar as such remedies appear to be effective in the given case and are de facto available to the author.*" (B.L. v. Australia (CCPR/C/112/D/2053/2011).

Já na recente decisão do caso *Griffs v. Australia*, o Comitê de Direitos Humanos, ao abordar a questão do exaurimento dos remédios internos, não hesitou ao afirmar que, para os efeitos do Protocolo Facultativo, um autor não necessita esgotar os recursos domésticos se a jurisprudência do mais alto Tribunal nacional já decidiu sobre o mesmo assunto, eliminando todas as possibilidades de que prospere um recurso perante os tribunais locais.[23]

Nesse caso, mesmo ainda estando disponíveis meios para o autor recorrer de uma decisão desfavorável, o Comitê entendeu que, uma vez que o tema em julgamento já estava pacificado na jurisprudência do Tribunal mais alto do seu país, qualquer recurso que fosse interposto perante os tribunais domésticos seria ineficaz e, portanto, não deveria se exigir do autor a comprovação de que todos os recursos disponíveis haviam sido esgotados, uma vez que estes estariam, inevitavelmente, fadados ao insucesso.

2.1.3 O recurso interno deve ser julgado em tempo hábil

A jurisprudência do Comitê possui entendimento pacífico quanto à dispensa do requisito de esgotamento das vias de recurso disponíveis, em casos nos quais estas apresentam tempo de apreciação excessivamente demorado.

No caso *Ernazarov v. Kyrgyzstan*, além de mencionar que os recursos disponíveis devem ser eficazes, o Comitê esclareceu que o julgamento não deve se prolongar injustificadamente.[24]

Isso porque as questões relacionadas a violações de direitos fundamentais são, naturalmente, urgentes e necessitam de reparação

---

[23] *"The Committee recalls its jurisprudence that, for the purposes of the Optional Protocol, an author is not required to exhaust domestic remedies, if the jurisprudence of the highest domestic tribunal has decided the matter at issue, thereby eliminating any prospect of success of an appeal to the domestic courts".* (CPR/C/112/D/1973/2010).

[24] *"The Committee recalls its jurisprudence that, for the purposes of article 5 (2 (b)) of the Optional Protocol, domestic remedies must both be effective and available, and must not be unduly prolonged".* (CCPR/C/113/D/2054/2011).

imediata. Caso haja um prolongamento exagerado na apreciação do pedido de um indivíduo que afirme estar sofrendo ou ter sofrido uma violação a algum direito assegurado pelo Pacto fundamental, a apreciação da questão pelo Comitê será mandatória.

Em relatório publicado em 08 de setembro de 2015, a respeito das sessões 111, 112 e 113, o Comitê de Direitos Humanos da ONU reafirmou que é pacífica sua jurisprudência no sentido de que a regra de esgotamento dos recursos internos não se aplica caso sua apreciação se prolongue por tempo injustificado, uma vez que o recurso não teria a eficácia necessária.

2.1.4 Recursos meramente discricionários não se aplicam à regra

Em *Yuzepchuk v. Belarus*,[25] o Comitê considerou que um recurso encaminhado ao Presidente de um Tribunal, para rever uma decisão proferida por aquela mesma corte, configura um recurso extraordinário, uma vez que dependia da discricionariedade de um juiz. Assim, tal recuro somente poderia ser considerado um remédio eficaz caso o Estado demonstrasse que tal medida poderia, de fato, cessar as alegadas violações.

2.2 O caso Lula

O comunicado feito pelo ex-Presidente Luiz Inácio Lula da Silva ao Comitê de Direitos Humanos da ONU aponta a violação de 03 (três) dispositivos do Pacto Internacional sobre Direitos Civis e Políticos pelo País, especialmente por meio de atos praticados pelo Juízo da 13ª Vara Federal Criminal de Curitiba.[26]

---

[25] "*The Committee considers that filing requests for a supervisory review to the President of a court against court decisions which have entered into force and depend on the discretionary power of a judge, constitute an extraordinary remedy and that the State party must show that there is a reasonable prospect that such requests would provide an effective remedy in the circumstances of the case*" – Yuzepchuk v. Belarus (CCPR/C/112/D/1906/2009).

[26] É preciso esclarecer que na legislação brasileira concentra-se no mesmo juiz, como regra, a atividade de investigação e instrução e o julgamento da causa propriamente

O PRIMEIRO COMUNICADO INDIVIDUAL APRESENTADO POR LULA...

Conforme a exposição ali realizada, houve violação ao art. 9 – (1) e (3) – do Pacto Internacional sobre Direitos Civis e Políticos, pois no dia 02 de março de 2016 o Juízo expediu mandado de condução coercitiva em desfavor de Lula; houve violação ao artigo 14 – (1) e (2) – do Pacto, tendo em vista que diversos membros da força tarefa da Operação Lava Jato já declararam publicamente possuírem convicção acerca da culpabilidade de Lula; e, por fim, houve violação ao art. 17 do Pacto, uma vez que conversas telefônicas privadas de Lula foram ilegalmente interceptadas e divulgadas.

As causas relacionadas às violações acima referidas ainda não foram julgadas definitivamente pela Justiça Brasileira. Mas o comunicado de Lula mostra que o caso se encaixa nas exceções apresentadas acima, pois, dentre outras coisas: (1) os procedimentos já passaram pelo Supremo Tribunal Federal, que decidiu devolvê-los ao próprio Juízo da 13ª Vara Federal Criminal para que sejam apreciadas as alegações de violações à Constituição Federal, aos Tratados Internacionais e às leis formuladas pela defesa de Lula; (2) apenas 4,86% – 22 (vinte e duas) de 431 (quatrocentas e trinta e uma) – das decisões do Juízo da 13ª Vara Federal Criminal no âmbito da chamada Operação Lava Jato foram reformadas pelo TRF4 e pelos Tribunais Superiores, segundo dados apresentados pelos próprios agentes públicos envolvidos; (3) o julgamento final de recursos no Brasil é sabidamente demorado, levando, em média, no Supremo Tribunal Federal, 330 (trezentos e trinta) dias – a contar da data do protocolo do recurso até o trânsito em julgado da ação – para ocorrer, conforme "III Relatório Supremo em Números: O Supremo e o Tempo", publicado pela Fundação Getúlio Vargas.[27]

---

dito. Ou seja, o mesmo juiz que atua na fase investigativa, participando da colheita de provas inicial, construindo um juízo valorativo, poderá conduzir o julgamento até o final.

[27] FALCÃO, Joaquim; HARTMANN, Ivar; CHAVES, Vitor. *III Relatório Supremo em Números*: O Supremo e o Tempo. São Paulo: Fundação Getúlio Vargas, 2014. Disponível em < http://bibliotecadigital.fgv.br/dspace/bitstream/handle/10438/12055/III%20 Relat%C3%B3rio%20Supremo%20em%20N%C3%BAmeros%20-%20O%20Supremo%20 e%20o%20Tempo.pdf?sequence=5&isAllowed=y> Acesso em out. 2016, p. 79.

3. CONCLUSÕES

Como demonstrado, desde 2009 qualquer cidadão brasileiro pode fazer um comunicado indivudial ao Comitê de Direitos Humanos da ONU demonstrando violação ao Pacto de Direitos Civis e Políticos aprovado por essa organização internacional.

O comunicado deve preencher alguns requisitos, dentre eles, como regra, o anterior exaurimento de todos os meios e recursos internos.

No entanto, de longa data o Comitê admite exceções, notadamente se for demonstrado que, de fato, existe um recurso acessível a todos os indivíduos que seja eficaz, que possa ser julgado em tempo hábil, que possua perspectiva razoável de êxito e que não dependa de uma decisão discricionária de um juiz, conforme diversos precedentes já analisados.

O ex-Presidente Luiz Inácio Lula da Silva foi o primeiro cidadão brasileiro a fazer um comunicado ao Comitê de Direitos Humanos da ONU, protocolado em 28 de julho de 2016. A petição demonstrou que o caso de Lula se insere nas exceções admitidas pelo Comitê e deve ter o seu mérito analisado.

REFERÊNCIAS BIBLIOGRÁFICAS

ALTO COMISSARIADO DE DIREITOS HUMANOS DAS NAÇÕES UNIDAS. *Civil and Political Rights*: The Human Rights Committee. Fact Sheet n. 15. Disponível em <http://www.ohchr.org/Documents/Publications/FactSheet15rev.1en. pdf> Acesso em 10.2016.

_____. *Individual Complaint Procedures under the United Nations Human Rights Treaties*. Fact Sheet N. 7. Disponível em <http://www.ohchr.org/Documents/Publications/FactSheet7Rev.2.pdf> Acesso em 10.2016.

_____. *Selected Decisions of the Human Rights Committee Under the Optional Protocol*. New York/Genôva, 2007.

_____. *Status of Ratification Interactive Dashboard*. Disponível em <http://indicators.ohchr.org/> Acesso em 10.2016.

FALCÃO, Joaquim; HARTMANN, Ivar; CHAVES, Vitor. *III Relatório Supremo em Números*: O Supremo e o Tempo. Fundação Getúlio Vargas, 2014. Disponível em < http://bibliotecadigital.fgv.br/dspace/bitstream/handle/10438/12055/III%20Relat%C3%B3rio%20Supremo%20em%20N%-C3%BAmeros%20-%20O%20Supremo%20e%20o%20Tempo.pdf?sequence=5&isAllowed=y> Acesso em 10.2016.

MOSE, Erik; OPSAHL, Torkel. "The Optional Protocol to the International Covenant on Civil and Political Rights". *Santa Clara Law Review*, Santa Clara, Vol. 21, n. 2, 1981.

PIOVESAN, Flávia. *Direitos Humanos e o Direito Constitucional Internacional.* 16ª ed. São Paulo: Editora Saraiva, 2016.

RAMOS, André de Carvalho. *Processo Internacional de Direitos Humanos.* 5ª ed. São Paulo: Editora Saraiva, 2016.

TRINDADE, A. A. Cançado. *The International and Comparative Law Quarterly*, Londres: British Institute of International and Comparative Law, Vol. 28, n. 4, out. 1979.

Informação bibliográfica deste texto, conforme a NBR 6023:2002 da Associação Brasileira de Normas Técnicas (ABNT):

ZANIN MARTINS, Cristiano; TEIXEIRA ZANIN MARTINS, Valeska. "O primeiro comunicado individual apresentado por Lula ao Comitê de Direitos Humanos da Onu: considerações acerca de sua admissibilidade". *In*: ZANIN MARTINS, Cristiano; TEIXEIRA ZANIN MARTINS, Valeska; VALIM, Rafael (Coord.). *O Caso Lula:* a luta pela afirmação dos direitos fundamentais no Brasil. São Paulo: Editora Contracorrente, 2017, pp. 301-313. ISBN. 978-85-69220-19-0.

NOTAS

NOTAS

NOTAS

NOTAS

NOTAS

NOTAS

A Editora Contracorrente se preocupa com todos os detalhes de suas obras! Aos curiosos, informamos que esse livro foi impresso no mês de Novembro de 2016, em papel Polén Soft, pela Gráfica R.R. Donelley.